Gianni Cle

I gesti bianchi

Londra 1960
Costa Azzurra 1950
Alassio 1939

Baldini&Castoldi

*Ogni riferimento a fatti e persone che non siano
indicati con il loro nome, ruolo e mansione
è puramente casuale.*

3ª edizione

Per *Costa Azzurra 1950*
© Arnoldo Mondadori Editore 1974

© 1995 Baldini&Castoldi s.r.l.
Milano
ISBN 88-8089-050-6

*Questi romanzi sono dedicati
a Rosita Missoni, Carlotta Clerici
e Sergio Ferrero*

Indice

Adieu, la raquette sonore
Les cris anglais, les gestes blancs!
Le seul jeu de ce jaune octobre
Est de s'embrasser sur les bancs.

Roger Allard

Londra 1960

I

Amanda è bellissima. Me l'ha presentata il suo ragazzo, Maurizio, un romano che studia a Londra.

Mi invita a casa sua per una spaghettata, e propone di portare una ragazza anche per me.

Così dietro al Cubano, il ristorante di South Kensington, aspettiamo una Bernadette, irlandese.

Arriva una ragazzona forte, con un'aria per bene, sorridente. Contenta di conoscermi, di passare la serata con noi. Sale nel suo appartamento a prepararsi, mentre andiamo per acquisti al supermarket e, carichi di pacchi, verso il negozio dove Amanda è commessa.

Nell'attesa, sono costretto a subire le confidenze di Maurizio.

La nostra vecchia amicizia, come la chiama, risale a un incontro di tre anni avanti, 1957: non meno occasionale di quest'ultimo, una svendita alla Cachemire House di Knightsbridge. Per mia sfortuna, Maurizio è un vantone, pariolino del triangolo piazza Euclide, Club 84, Foro Italico, tutto fiero delle sue conquiste e delle calzette bianche.

Mi stavo domandando sino a quando sarei stato capace di ascoltarlo, che dal negozio è uscita una biondissima, gli occhi viola dipinti con due colpi di pennello.

Abbiamo caricato questo fenomeno sulla mia Giulia Coupè, e per la seconda volta, durante il mio soggiorno, mi ha preso la voglia di avere sotto mano una Ferrari, una macchina adatta a tanto glamour.

Parcheggiamo all'ombra dei lecci di Beaufort Gardens, e Bernadette si affaccia mentre Amanda fa un salto di sopra, a cambiarsi.

Tale la velocità che le è rimasto solo il tempo per un

sacchettino color fiordaliso, e un collanone di biglie rosse: sotto, non aveva niente.

Ho cercato di consolarmi per l'indubbio chic di Bernadette, la sua sottana bianca e la camicetta di saglia stretta al senino educato, ma c'era poco da fare. Amanda era imbattibile, la più bella di Londra, nel genere.

Andiamo da Maurizio, che ci fa subito sentire dei preziosi Sinatra, e Amanda prende a canticchiarli, come fosse sola in bagno.

Bernadette, trascurata, scivola in cucina, e il cuoco Maurizio si muove ad aiutarla.

Sono rimasto con Amanda ad ascoltare The Voice, definitivamente a mio agio quando mi sono accorto che lei, di conversare, nemmeno si sognava.

Arrivati gli spaghetti, la bella ha finalmente dedicato un po' di attenzione al cuoco.

Ho così potuto scoprire una deliziosa Bernadette, consapevole delle sue origini, bene educata, colta.

L'Irlanda, che non conoscevo, l'avrei volentieri esplorata con una guida simile, ho finito per confessare.

A Dublino giocava Nicola Pietrangeli, e dovevo raggiungerlo, il giorno dopo, assieme a due amici, Brian e Sue. Perché non ci veniva, Bernadette?

Incredula, ma incantata, Bernadette. E sconvolta Amanda, quando ha finalmente capito il nostro programma.

Abbiamo telefonato all'Air Lingus, prenotato il volo del mattino, ci siamo messi in comunicazione con Brian e Sue perché parlassero a Nicola.

Mentre attendevamo una sua risposta, Amanda ha voluto sapere se io fossi favolosamente ricco, e l'ironico Maurizio ha tracciato un mio ritratto improbabile.

Bernadette è parsa divertita, Amanda ha spalancato gli occhioni e detto goody come vedesse in carne e ossa Mikey Mouse e, lungi dal vergognarmi, io ci ho dato dentro secondo il più atroce fumetto.

Maurizio ha presto tentato di riscattarsi brandendo un clarino. Suonava maluccio, ma è riuscito a fermarlo soltanto il telefono.

Era Nicola, felice di sentirmi, ma deciso a scoraggiare l'avventura irlandese. Dublino era sommersa di pioggia, le previsioni meteorologiche nerissime, la città schifosa nell'insieme.

Addirittura si augurava di perdere, per ritornare a Londra con noi.

Privata del giocattolo, Bernadette si è comportata da ragazza comprensiva. Tutta soddisfatta Amanda, la carogna! Anche volgare, certo, ma talmente bella. Con quelle gambe avvitate altissime, mai ferme, e un petto da poggiarci tranquillamente sopra un vassoio!

Maurizio tentava di riprendere il clarino, ma veniva scoraggiato dalle ragazze, che cominciavano ad annoiarsi.

Come sono tornato dal bagno, ho trovato i tre immersi nel silenzio, l'ospite addirittura cupo.

Alle mie proposte di un qualche programma, ha risposto a monosillabi, sinché: «Amanda vuol venire con te!» ha finito per gemere.

Cosa potevo fare? Incartarla e portarla via? Sarà stato uno scherzo, ho osservato. Magari un dispetto. Perché non uscire, cambiare pensieri?

Con ammirevole sforzo, Maurizio è riuscito a scollarsi dal divano, mentre le ragazze riprendevano vita.

In macchina Amanda si è piazzata decisa di fianco a me. Bernadette, tutta tenera, è rimasta dietro con Werther.

Ho subito pensato che le due furbette si fossero parlate, ma era una speranza vana. Bernadette era sì materna con Maurizio, ma conservava tutto il suo fairplay nei riguardi di Amanda. Ha chiesto, Bernadette, di andare al Café des Artistes, a Chelsea. Ottenute garanzie sullo stereo, Amanda ha acconsentito. Fuori dal caffè c'è un gruppetto, un poliziotto, i frantumi di una bottiglia che ha appena finito di volare.

Bernadette si stringe a Maurizio, e il romano si erge, mette grinta nell'incrociare, giù per le scale, tre capelloni inoffensivi.

È l'occasione per iniziare un elenco di prodezze da strada, eroismi immaginari.

Come si rende conto che il suo pubblico è costituito dalla

sola Bernadette, rieccolo col viso tra le mani: «Diglielo tu, davanti a tutti, se ti vuole», suggerisce in italiano.

Immaginarsi se gliene importa, continua. Dev'essere un'abitudine, anche con lui era scattato, puntuale, lo stesso meccanismo. Amanda stava col corrispondente del «Paese Sera», e in cinque minuti già l'aveva mollato, come un vecchio calzino.

«Diglielo», si accanisce, «in che conto la teniamo!»

Prendo la mano ad Amanda, che mi sorride inconsapevole, si alza per ballare.

Non balla meglio di quanto canti, il fenomeno. Cammina del tutto fuori tempo, ma se si riesce a bloccarla, a stringerla contro, l'esperienza è straordinaria, un dolcissimo preludio di quel che sarà l'amore.

Maurizio, intanto, fa ballare Bernadette ma, di sopra la spalla, non smette di guardare, gli occhi truci; poi, come trova il mio sguardo, addirittura mostra la lingua e, ad Amanda, lancia una parolaccia italiana che lei deve conoscere, se risponde con un'altra, ancora più volgare.

Ritorno al tavolo, chiedo il conto, suggerisco di andarcene. Fuori di sé, Maurizio non cessa di far danni.

Dal sedile posteriore tempesta, insiste per sapere cosa mi abbia detto, promesso Amanda.

Lo prego di star calmo, finisco per ammettere che ho appuntamento con lei, il giorno dopo.

Sempre più sconvolto, si dedica d'un tratto a Bernadette: lui, donne, ne trova in un minuto!

Sembra aver dimenticato la storia che mi aveva raccontato poche ore prima, Amanda incinta d'un altro, disperata per trovare i soldi dell'aborto. Li aveva raggranellati, le era stato vicino, l'aveva presa in casa, conciata com'era. Anche a sposarla, aveva pensato.

Una storia commovente, da bravo ragazzo. Che sia inventata? Davanti a casa di Amanda, è più pronto di me nel scendere, aprire lo sportello. Curvo su di lei, l'accompagna alla porta, e non ha l'aria di lasciarla, anche un braccio le ha stretto, mentre non cessa di parlare.

Bernadette vuol sapere. E mi sembra giusto riassumerle la vicenda in poche parole.

«Poverino. Penserò io a lui», s'intenerisce.

Amanda libera finalmente la mano che impugnava la chiave. Un'ultima scrollata, e la resistenza di Maurizio è vinta.

Rimane incerto, il naso sul battente, per ritornare verso l'auto e mormorare, cupo, che lui farà due passi.

«Ti accompagno», decide Bernadette.

Quanto a me, fingo di andarmene. Blocco la Giulia all'ombra dei lecci, alla prima traversa.

Passano, ritornano sempre più avvinti, lui che parla e parla. Finalmente scompaiono.

Filo a Beaufort Garden. La porta si apre e ne esce Amanda.

II

Il bello è che non abbiamo fatto praticamente niente, perché nell'altro letto c'era il barone Gressoney, e Amanda non voleva che ci guardasse.

L'avevo conosciuto un paio di settimane prima, il barone, tramite Jean Ducos.

Era dal torneo di Parigi, un mese avanti, che Jean mi ripeteva che voleva rivedere Wimbledon. Come ha finalmente vinto la sua immensa pigrizia acquistando il biglietto aereo, ho pensato che sotto ci fosse una donna.

In casa di Jean, a Parigi, era comparso un giorno tale Alain, timidissimo, coltissimo, bruttino.

Non era stato facile passare qualche ora con lui. Ci era voluta molta pazienza, addirittura condiscendenza.

Ma era tempo perso. Quel sofferente arrabbiato rifiutava qualsiasi alleanza, sembrava deciso a rimanere in guerra col mondo intero.

Mentre sua moglie Fleurette lo riaccompagnava a casa, Jean aveva sentito il bisogno di giustificarlo.

Alain era un ricercatore universitario geniale, sfruttato dapprima da professori inetti, esiliato infine in un liceo di provincia per aver osato ribellarsi.

Passava a Parigi soltanto i week-end, si era isolato da tutti, fuorché da Jean e Fleurette.

«Non ha nemmeno una vecchia madre, una zia?» avevo domandato.

«Qualcuno ci sarebbe. Alain è sposato.»

Avevo visto Jean illuminarsi d'improvviso.

«Una moglie straordinaria. Una cinese!»

«Davvero?» avevo risposto, per pura cortesia.

Ma Jean era ormai lanciato, e mi sommergeva con il racconto in dettaglio di quell'amore infelice.

Alain e la cinese non facevano che tormentarsi. Lei gli giurava di amarlo, lui ribatteva che era solo pietà.

Per convincerlo del suo affetto, Fanny lo rimpinzava, spogliava e coccolava, ma lui rifiutava cibo e carezze, rispondeva con crudeltà, finiva per isolarsi, muto, inaccessibile.

Per ricucire quel rapporto Jean, da vero amico, aveva fatto del suo meglio.

Ma aveva dovuto convenire, alla fine, che l'unica soluzione era una rottura, una separazione che lasciasse i due in grado di riflettere, prendere fiato.

«Così adesso lei è a Londra, sola», aveva concluso Jean. «A ventitré anni, sposata da sette, è rimasta una bambina. Anche fisicamente: sottile, i polsi e le caviglie fragilissimi. Vorrei vedere come se la cava, anche per Alain, che ci fa una malattia.»

Appena a Londra, Jean mi aveva fissato un appuntamento.

Arrivando in leggero ritardo, l'avevo visto saltellare impaziente sui sandali giapponesi. Aveva il cranio rasato di fresco, doveva sentirsi di nuovo il giovane studente in Arti Orientali della Sorbona, il maniaco di Haiku e Teatro Nō.

Mi salutò in fretta, non degnò di nessuna attenzione i preziosi biglietti per il torneo di Wimbledon, e insistette perché mi affrettassi verso Bedford Square, Fanny era in attesa, probabilmente in ansia, per «tutto quel ritardo».

Avevo appena bloccato l'auto, che già si accaniva sul campanello, e insieme invocava Fanny, prontissima a sporgersi dalla mansarda, e a fare ciao con la manina, mentre mi cadevano le braccia. Come ho visto «l'ondeggiare da bambù» e i famosi polsi e le caviglie e il sorriso da bambina ritardata, e il viso intelligente di Jean illuminato da un'espressione idiota, allora ho capito che tutto doveva accadere per amore, quando lei fosse stata vezzeggiata a sufficienza e riempita di cioccolatini.

In auto, Fanny si è entusiasmata per la strumentazione, ha scoperto il portachiavi a forma di cavallo, e ci faceva op op, mentre Jean la guardava pieno d'orgoglio, quasi fosse la sua bambina di quattro anni.

Guidavo un po' a strappi, e l'amico mi ha pregato di andar piano, perché Fanny non si sentisse male.

«Ho fame», mi sono ribellato.

«Hai fame», ha osservato allora lei. «Tanta tanta? Allora andiamo da Mario.»

«È un bar?»

«È un mio amico.»

«Ma io voglio mangiare.»

«Te la dà lui la pappa, qui vicino. Ma non ha lo zucchero.»

«Possiamo sempre comprarlo.»

«Me know place in Soho where very cheap.»

Ho chiesto che parlasse francese, se non sapeva l'inglese.

Jean è insorto, ha affermato che lo studiava da soli venti giorni. E per fortuna Fanny ha fatto lo scherzo, ha preso a emettere suoni rauchi e misteriosi.

La sentivo? Non era fantastico? si estasiava Jean.

«Fantastico cosa?»

«Ma parla cinese!»

«Andemm da 'sto Mario!» ho esclamato, sottolineando che parlavo un fantastico lombardo.

Fanny ha cominciato a guidarmi, in modo che ci siamo presto bloccati in fondo a un senso unico.

«Ze me zui trompée», commenta soddisfatta, e Jean, paterno: «Si confonde sempre la sinistra e la destra».

Finalmente, con l'aiuto della carta stradale, siamo giunti da questo Mario. Bella casa georgiana, scale di pietra scura, porte di quercia senza targhette.

All'ultimo piano, un battente a forma di sirena che ricade su un falletto consunto.

Fanny comincia a giocarci con risolini complici, finché filtra una voce assonnata, e appare un omino in vestaglia, una mano a proteggere gli occhi.

Dormiva ancora, si scusa, e spalanca una, due porte, ci lascia dentro una grande living room in compagnia di un mostro, una enorme pelle con la testa di tigre.

Mentre guardo i tetti di Park Lane, Jean si nasconde sotto la pelle e inizia a inseguire Fanny, che manda gridolini di terrore. Come dio vuole, ritorna Mario: pantaloni Capri, maglioncino di cachemire sopra il pettino nudo.

«Prendiamo un caffè?» propone, e scompare in cucina, pregando di non seguirlo. «C'è un casino atroce.»

Jean indaga su Mario.

«È un vero amico», stabilisce Fanny.

«Cosa fa a Londra?»

«Anche lui studia.»

«Dove l'hai conosciuto?»

«A un défilé.»

Torna Mario a informare che il caffè bolle, ma è finito lo zucchero.

Jean perde un sorteggio, e parte controvoglia.

Mario sorride, sembra finalmente rendersi conto che c'è il sole, e apre la finestra mormorando: «Lovely day».

Domanda se io sia a Londra in vacanza, sembra sorpreso di non avermi mai incontrato. E – mi pare indiscreto – abito in albergo? Spiego che vorrei cambiare, ritrovare una stanza che avevo anni prima in un club non lontano, il *Contemporain*. Ma pare sia tutto occupato.

Mario informa che ci ha abitato anche lui, e che le camere vengono quasi sempre negate agli italiani.

Mentre ricerca il numero su un'enorme agenda: «Chi ci dorme con la cinese?» indaga. «Tu o il francese? O non è tibetano?»

Spiego che Jean è nato nei Caraibi, e con la cinese non ci dorme.

«Credo che sia innamorato. E poi lei sembra difficile.»

Mario ridacchia, trova il numero, chiede di un signor Ralph. Lascia il suo, numero, con la preghiera di richiamare.

«Era lì, quel ruffiano.»

Perché non andarci subito, così è obbligato a darcela, la stanza? Deve un sacco di soldi a un amico, un giocatore. Vero ladro, quel Ralph, conosciuto a un tavolo di poker.

«Avessi saputo che eravate il nipote del barone Gressoney non avrei giocato contro di voi», ha ammesso alla fine.

Ma la voglio proprio lì, la stanza? Ce ne sarebbe un'altra enorme, con giardino, da una cara signora, Mrs. Roseway: più a buon mercato, anche. Si potrebbe combinare insieme, al ritorno del proprietario di Park Lane.

«Ma intanto prendi questa, se proprio la vuoi, per nostalgia. E non dare troppo anticipo a Ralph. Cosa facciamo del caffè? Lasciamo qui la cinese e il caraibo, che magari lui si butta...»

III

La stessa camera. Gli stessi muri di mattoni affumicati che chiudono l'aria in un pozzo. Sul fondo gillettes arrugginite, giornali maceri, scatole di sigarette. Qualcuno ha raccattato, chissà come, i dieci dollari che gettai per fare rabbia all'avaro signorino Krupp, di fronte a Dunja, Luciana. Quello straccio è forse la vestaglia bruciata della contessa.

Ora Dunja si è messa con Grant l'attore. Luciana sposata a un Lord. La contessa morta.

Soltanto Moreen è incredibilmente riemersa, vicina.

Mi basterebbe trovare il coraggio di alzare il telefono, per rivederla, spogliarla, adagiarla sullo stesso letto.

Sono capitato a Londra il pomeriggio di una domenica, dopo un viaggio di contrattempi. Una notte a Parigi, a cercarvi inutilmente Catherine. A Lille, per parlare con Blondin che era già ubriaco a mezzogiorno, tanto malconcio che l'abbiamo caricato sull'ambulanza e così è partito al seguito del Tour de France. A Le Touquet, per controllare se il proprietario della Bella Sicilia (ottant'anni) conviveva veramente con Lady Waverthree (ottantadue anni): «Ne sono pazzo dai tempi che la servivo», mi aveva confidato. «Ho saputo attendere.»

L'aereo sopra il canale e le navi simili a giocattoli, Lidd sommersa di sole, i prati macchiati da bianche greggi di pecore. La prima birra in un pub mattutino. Infine la periferia di Londra, gli spalti di Kennington Oval, il fiume docile e dorato sotto Vauxhall Bridge, la pace di Green Park e, da Hyde Park Corner, le famigliari piccole strade dai nomi antichi, Half Moon Street, White Horse Street.

Sono rimasto cinque minuti di fronte alla facciata di mattoni, a fissare la mia finestra, prima di trovare il coraggio di spingere il battente, metter piede sulla moquette funebre, sporca. Non affittavano più appartamenti, erano ormai tre anni, mi hanno comunicato con malagrazia.

In Piccadilly Street, deserta, son rimasto indeciso, seduto sul parafango dell'auto.

Dentro Green Park un gruppo di ragazzi spaiati giocavano a calcio, giusto come noi mentre Moreen mi aspettava paziente.

L'immagine della carrozzina e della grande donna bionda si è via via messa a fuoco nei miei occhi. Il cappelluccio azzurro del bambino, la camicetta annodata sull'addome latteo, i blue-jeans, i piedi nudi dalle unghie geranio. Ho guardato sorridendo, come mi accade per le cose belle, le belle donne, i bambini, finché ho riconosciuto Moreen, e sono rimasto impietrito senza la forza di nascondermi.

Non è parsa minimamente stupita di ritrovarmi di fronte alla casa di allora, quasi ancora avessimo appuntamento, e mi sorridesse per farsi perdonare un lieve ritardo.

È stata lei, a darmi un bacio sulla guancia.

Mi sono inginocchiato, a carezzare il bambino, a cercar di capire, dal colore degli occhi, dalle linee del volto.

«Ti piace?» ha sorriso Moreen.

Ho risposto che era bello, le somigliava.

«Somiglia di più al papà.»

Ho cominciato a parlare, troppo in fretta. Ho ripetuto che ero lì a caso, arrivato a caso proprio quel giorno, ora, minuto. Ci passava spesso, Moreen, da Piccadilly Road?

«Un paio di volte al mese. Non sto lontana.»

Potevo accompagnarla, allora?

Ci siamo avviati, attraverso il parco, tra i pensionati e le famigliole, i pakistani e gli indiani e gli studenti.

Tutto sembrava pacifico, banale, finché Moreen ha preso quietamente a raccontare.

Aveva sedici anni, e mai era andata con un uomo. Ed era stato un crollo, per lei, non trovarmi più, sentirsi annunciare allegramente da Fabius che ero partito, forse non tornavo.

Non aveva voluto crederci, e ogni giorno passava a White Horse Street, a controllare se non fosse un crudele scherzo quello che le avevamo giocato, ma c'era Fabius, sempre gentile e inesorabile, a ripeterle che ero andato in America, che in America sarei rimasto.

Aveva provato anche con lui, anche con Fabius era stata a letto, per sentirmi in qualche modo più vicino, perché lui le dicesse, forse, la verità.

Ma era stato inutile, così com'era stato inutile cercare un qualche conforto in altri letti, tra diverse braccia.

Eravamo ormai a Wellington Arch. Moreen si è chinata a rimettere a posto il cappelluccio del bambino, e, come il policeman ha alzato la mano per darci la precedenza, ho provato un incredibile orgoglio paterno.

«Pensa che siamo sposati, Moreen», ho detto, finendo la frase proprio perché l'avevo cominciata, formulata a voce alta.

Moreen ha staccato la destra dalla carrozzina e precisa, lenta, con tutta la sua forza, mi ha dato uno schiaffo.

Il poliziotto ha fatto mezzo passo. Io ho portato il palmo della mano sulla guancia, e sono riuscito a inventare una smorfia, l'imitazione di un sorriso.

Lei mi ha guardato e, senza cambiare espressione, ha cominciato a piangere.

Così abbiamo traversato le strisce e, come le ho messo una mano su quella sua spalla tonda, dolcissima: «Non toccarmi, vai via», ha detto.

Ho chiesto di non scacciarmi. Potevo chiamare un taxi, accompagnarla a casa? Rivederla, più tranquilli, a mente più lucida, in un'altra occasione?

Ripeteva di no, e intanto non cessavano di scivolare le lacrime su quelle guance da bambina, e di alzarsi violentemente quel petto bellissimo.

Finché mi ha afferrata la mano, e l'ha tenuta stretta, avvinghiata. Ha guardato le belle case di Sloan Square.

«Come sarebbe bello, vivere qui», ha sospirato.

Non sapevo cos'era la sua casa, ha continuato. Quattro piani di camere d'affitto, trentaquattro campanelli che spesso parevano suonare tutti insieme, un correre affannoso da un piano all'altro, pulire, spazzare, rifar letti tutti i giorni, tutto l'anno, a quella gentaglia.

D'istinto, ho strappato un ireos che sporgeva su una balaustrata, e gliel'ho offerto per ritrovare le sue braccia attorno alla vita, la sua bocca che mi urtava, la sua lingua che forzava la mia.

Mentre così mi avvinghiava e baciava, la carrozzina era scivolata via, si era fermata contro la siepe dei fiori, e il piccolo piangeva.

Ho faticato a sciogliermi, perché si occupasse di lui. Non le importava più nulla, ha detto. Le importavo io. Ho ribattuto che non potevamo. Non potevo ricominciare, farle del male.

«Non sono più la stessa», ha sorriso, con un'aria stridula. Ancora mi ha abbracciato, mentre mi informava che eravamo a non più di cento metri dalla sua casa, che suo marito l'avrebbe massacrata, se ci vedeva. Qualche colpo di più, che poteva mai farle?

Sarei fuggito, scomparso, non ci fosse stato il bambino. L'ho pregata di ragionare, ho cercato di prendere tempo: «Sei sposata adesso», ho ricordato.

Nuovamente, mi ha aggredito. Solo alle donne maritate rivolgevo la mia moralità? Ero più a mio agio con le ragazze vergini, dispostissimo a iniziarle, magari a ingravidarle?

L'ho scongiurata di dirmi se il bambino era mio.

Forse, ha sorriso. Forse, anzi certamente me l'avrebbe detto se fosse venuta da me, nella vecchia stanza. Ma prima la dovevo baciare.

Ho eseguito, ho annotato il numero di telefono, l'ho guardata allontanarsi, camminare diritta, finalmente vittoriosa, con la sua carrozzina.

Ho atteso che entrasse in un portone, e mi sono voltato di fretta e ho preso a correre, ho corso sinché ho avuto fiato, con l'angoscia dei sogni, quando si va troppo piano e si viene rincorsi e si sarà uccisi e non c'è rimedio.

IV

Avevo promesso a certi amici che mi sarei informato come stavano le loro bambine. L'ho fatto, e mi si sono appiccicate, tanto che siamo allo Hurlingham Tennis Club, e Francesca e Nicoletta chiacchierano in francese con Brian, perché l'inglese l'hanno studiato dalle Suore Orsoline, e quindi non lo sanno.

Brian s'informa sulle suore. Francesca racconta che sono severe, fuorché nelle votazioni d'esame. A dimostrazione della severità, spiega che le allieve hanno dovuto impegnarsi in accaniti esercizi spirituali, per ottenere il permesso di recitare una loro rivistina.

Uno show dalle suore? Brian sembra incredulo, e presto tanto intrigato da diventare fastidioso.

Davvero c'è l'orchestra? E i costumi? Calzamaglie rigorosamente nere?

Insiste a lungo sulla rivista, Brian, poi vira su Londra, vuol sapere cosa fanno, chi vedono, cosa conoscono le sorelle.

Sorpreso nell'apprendere che non sono uscite mai, controllatissime da una famiglia di gente per bene, incredibilmente noiosa: l'unico figlio diciassettenne è brutto e passa la vita al microscopio, a studiare brandelli di insetti.

«Quanti anni avete?»

Alla risposta, diciassette e diciotto, Brian simula uno svenimento, per rivolgersi subito a Sue, a supplicarla che racconti, spieghi alle italiane cosa era capace di combinare, all'età loro.

«Diglielo tu, se ti diverte.»

Brian inizia a raccontare, e Nicoletta e Francesca non si trattengono dal lanciare sguardi esterrefatti a Sue, quasi facessero colazione con Gipsy Rose Lee.

Propongo a Sue di fare due passi, e camminiamo via sull'erba tenerissima, verso il fiume.

Intorno a noi, i giocatori di croquet e bocce hanno un'aria intenta, industriosa, rilassata, da felici artigiani: nel fogliame dei grandi ontani e delle querce si perdono i suoni di palle, palline, bocce colpite.

«Usa tutta la sua violenza per cambiarmi», esclama d'un tratto, senza alzare la voce.

La picchia, anche. Ma sarebbe meno grave, lo facesse per il suo piacere, senza moralismi, finalità didattiche. Sue sorride, nel vedermi a disagio.

«Chissà le volte che ti ha raccontato cosa faccio a letto!»

Alzo le spalle, accennando sì.

Racconta di aver abbandonato la sua dignitosa carriera teatrale perché lui la voleva povera, ripeteva che esser poveri è indispensabile, per capire.

«Tre mesi dietro il banco di un bar possono essere utili, ma la violenza non la capisco, non mi serve.»

Brian pretende di smontarla a pezzettini, come un gioco meccanico: e se non riuscisse a rimetterla insieme? Se finisse per stancarsi e abbandonarla, da quel bambino viziato che è rimasto?

Prendo un respiro lungo, Sue si rende conto che non è per lei, mi guarda interrogativa.

Confesso di aver paura. Quando l'ho conosciuta, continuo, Moreen era innocente; allegra e grande, una sorta di Marylin Monroe felice. Proprio per quel suo folgorante divertimento l'avevo fermata in Regent Street, mentre camminava a piedi nudi, un enorme paniere di paglia in bilico sui capelli biondi. Siamo andati con la mia auto verso il mare, per un picnic improvvisato, seguendo l'ispirazione di quel suo paniere.

Come mi ha detto che aveva passato la sera al Côte d'Azur, ho pensato che si potessero abbreviare i tempi per una conoscenza più intima.

Si è difesa, indignata. Io, così diverso, mi comportavo come i mascalzoni del Côte d'Azur!

Mi sono scusato, il pic-nic si è trasformato in idillio.

Il giorno dopo, a casa mia, ha chiesto di fare un bagno,

e ne è uscita ricoperta di talco a pioggia, tanto che sembrava infarinata, su quella sua carne rosa e cedevole da grande bellissimo neonato. Le è piaciuto subito.

Qualche giorno più tardi era già insopportabile. Perché ti amo? non cessava di chiedersi. Perché mi aveva incontrato? Le sarei stato fedele? Sempre?

Ho pregato Fabius di raccontarle che sarei stato via un mese, e due settimane dopo son partito davvero.

C'era una probabilità su mille che la ritrovassi, ritornando a Londra dopo tre anni.

Ma erano ancor meno le chances che fosse lei la prima persona conosciuta a venirmi incontro, nello stesso luogo, nella stessa strada in cui l'avevo lasciata.

Ci ho pensato la notte, al senso di quell'incontro. Avevo deciso, alla fine, di non telefonarle, di escluderla di nuovo dalla mia vita.

Ma avevo commesso un altro errore, abitavo nella stessa stanza in cui avevamo vissuto e, soprattutto, c'era quel bambino. Alla fine, non ho saputo tenermi. L'ho scongiurata di dirmi se era mio. Se non lo era, mi lasciasse perdere.

Dall'altro capo del telefono l'ho sentita ridere. Da quanto mi ero convertito? Mezz'ora dopo, sarebbe stata da me, con certe sue irresistibili giarrettiere: mi piacevano sempre?

E, mentre ancora indugiavo a domandarmi se far la valigia o restare, l'ho ritrovata lì, sulla porta.

Ha depositato il bambino in un angolo e, mentre quello frignava, ha preso a sbottonare la camicetta.

Ho avvolto il piccolo in un plaid, per depositarlo nella vasca da bagno. Gli ho tenuto quella sua manina grassoccia, sinché si è addormentato.

Non si era mossa dal letto, la camicetta era del tutto sbottonata, la gonna risalita a mettere in risalto le famose giarrettiere.

L'ho pregata di dirmi se il bambino era mio.

«Dopo», ha risposto, e non è valso rifiutarmi. Sa ormai come prenderli, gli uomini.

Calmissima, rimane a stiracchiarsi sul letto, e su quelle carni dolcissime mostra i marchi del marito.

L'ha sposato, racconta, sei mesi dopo la mia scomparsa. Disperata, dopo aver tentato tutto, anche il suicidio.

Era tanto debole, all'uscita dell'ospedale, da non sapersi rifiutare a niente e a nessuno.

Quell'uomo l'aveva presa, e a suo modo l'amava. Aveva finito per esserle indispensabile, la violenza.

«Finisce per piacermi, quello che mi disgusta», ha osservato. Adesso, infatti, voleva me, di nuovo e a suo modo. Più tardi, forse, mi avrebbe parlato del bambino.

Ho obbedito, per sentirmi deridere, alla fine, mentre si rivestiva, con quei suoi gesti da stripteaser.

Preso il bambino in braccio lo cullava, ripeteva: «Di chi sarai, chi sarà mai papà?»

Il giorno dopo, appena sveglio, avrei dovuto telefonarle. Sarebbe ritornata, avrebbe cessato di punirmi, avrei saputo.

Se n'era appena andata, che già buttavo le mie robe in valigia, per rifugiarmi nell'appartamento di Mike West.

Solo, in quella stanza di White Horse Street, non resistevo. E, solo, avrei finito per telefonarle, sarebbe ritornata, le avrei offerto quel che in fondo voleva: restituirmi una parte di sofferenza.

Sue mi aveva preso la mano e sorrideva, triste e insieme ironica. Parlava già, il bambino? ha finito col chiedermi.

Soltanto mamma? E stava in piedi a fatica?

«Per un bambino sopra i due anni, pare un po' poco», ha concluso.

Mi ha suggerito di non pensarci più, di riaccompagnarla da Brian, che non lo seducessero, quelle giovani allieve delle Orsoline.

V

Telefona Nicola, alle nove, che per lui è l'alba. Domanda come sto, cosa faccio.

Sto da papa, rispondo, Mike West è in Francia, mi ha lasciato un magnifico appartamento per una settimana.

Quanto a programmi, sono incerto tra lo shopping, una bella nuotata nella piscina di Richmond, o la visita al Victoria and Albert Museum. Traducendo dalla prefazione al catalogo, improvviso una lezione sul periodo Ming, porcellane.

Dall'altra parte del filo il poverino tace. Deve aver proprio bisogno di me, per ascoltare quello sproloquio. O si sarà addormentato? Gli succede spesso, prima di riuscire finalmente ad alzarsi, affrontare un'oretta di palleggi, mentre i suoi avversari già si son rotti la schiena a furia di ginnastica. Per controllare se è davvero sveglio, inizio a leggere brani presi a caso, dal giornale.

«Ce n'hai ancora per molto?», domanda alla fine, con voce rassegnata.

«Era un test. Allora, cosa devo fare?»

«Devi andare all'aeroporto. Arriva Catherine.»

Alla notizia sono rimasto zitto e, nel silenzio, ho rivisto tutto l'albo di istantanee, Catherine in seta nera, Catherine in pigiama, Catherine in bikini, Catherine che ride, i verdi occhi, i biondi capelli di Catherine.

«Ci sei ancora?» ha domandato Nicola.

C'ero. Ci potevo andare a Heathrow? Ci andavo.

Nicola precisa che il volo Air France è alle dodici e quaranta. Lo tranquillizzo. Sarò puntuale, consegnerò fiori, nutrirò la viaggiatrice, la condurrò a Wimbledon. O la preferisce direttamente in albergo?

«Ti sei innamorato di Catherine?»

«Sono pieno d'amore. Lo sciupo con tipi come te.»

«Se non vuoi andare...»

Ribadisco che ci vado. Non abbiamo avuto, da sempre, una società per la protezione delle giovani? Non abbiamo sempre, correttamente, diviso piaceri e doveri? Forse che preferivano tutte lui, le nostre assistite?

Quasi tutte, ridacchia. E precisa che lascerà un biglietto all'ingresso di Wimbledon. Dopo la partita, ceneremo assieme.

«Squisito. Ma preferirei non reggere il lume.»

Insiste. Devo star con loro. Il giorno dopo c'è la semifinale del doppio, non può permettersi una notte con Catherine.

«Per un vero macho è uno scherzo», irrido.

Confessa infine di non voler restare solo con lei. È fidanzato, sta per sposarsi.

Lo interrompo, gli auguro in bocca al lupo per il match, chiudo la comunicazione.

* * *

C'era un gran caldo, due mesi prima, a Parigi, e io andavo da lei a piedi, partivo con grande anticipo dalla casa di Jean a Saint Germain.

Mi fermavo sotto Paris Match, si beveva un pastis con Paul e Klebèr Haedens, poi i due fratelli si decidevano a risalire in redazione, e io restavo solo al bar, leggevo i risultati dei tornei inglesi sull'Equipe.

Lì vicino, c'era il salone del parrucchiere dove avevo visto Catherine la prima volta.

Nuda sotto la vestaglia di cotonina bianca, il braccio nudo rivelava l'ascella bionda, il seno. Ero rimasto un'ora, a invidiare quello splendore a Nicola, che avrebbe potuto averla subito, anche alla toilette.

Arrivavo ai Champs Elysées, e ancora mancava mezz'ora. Di nuovo a un tavolino, leggevo distratto Stampa e Corriere.

Salivo finalmente da Catherine tutto accaldato, e subito scivolavo nella sua enorme vasca hollywoodiana. Un giorno, mentre galleggiavo, entrò una bella sconosciuta e si spaventò, perché Catherine non l'aveva avvertita.

Così chiuse accuratamente la porta a chiave e, proprio come la vasca fosse vuota, ci entrò e si risciacquò per bene una mezz'ora.

Se ne andò senza dir niente a Catherine, che il giorno dopo mi pregò di aspettare, la vasca era già occupata da un suo amico. Spinsi la mia discrezione sino a ricordare un impegno e, ritornando, incrociai sulle scale Nimier, lo scrittore.

Non mi conosceva, ma sorrise gentilmente, alla vista del mio mazzolino di viole.

Nell'appartamento di Catherine, in bella vista, c'erano i suoi fiori, dodici baccarat.

Non mi restò che infilare nel vaso le mie violette, e Catherine sorrise a quell'improbabile ikebana, cavò fuori dal vaso le splendide rose, per lasciare al centro della tavola il mio mazzolino.

Di fiori ha sempre la casa piena, Catherine, perché l'amiamo davvero in troppi, e molti di noi non sono discreti.

Mentre l'attendo, all'aeroporto, provo a immaginarmi chi altri, tra tutta quella gente, stia aspettando proprio lei, o chi possa ancora arrivare, reggendo qualche mazzo di fiori.

Tennis a parte, Nicola non verrebbe. Oltre al suo ex-marito è l'unico capace di trascurarla, addirittura di dimenticarsi di lei.

Alla fine di Roland Garros, avevo dovuto andar io ad avvertirla che era partito, non aveva trovato il tempo per un'ultima visita, si scusava.

Forse, avevo insinuato, Nicola non aveva trovato, insieme al tempo, il coraggio. Non lo capiva che un poveraccio prossimo al matrimonio potesse aver paura, di lei?

«Non voglio capire», aveva sorriso, stirandosi nel letto sfatto, tanto desiderabile che mi ero allungato al suo fianco e lentamente, con dolcezza, le avevo carezzato la guancia il collo il seno il ventre, sinché quel suo sguardo stanco mi aveva bloccato: pensavo di interessarle tanto poco, da finir tutto in quel modo?

Era stato lì, che avevo cominciato a volerla davvero, per tenerla con me, viverci.

Ogni mattina le telefonavo la sveglia, e mezz'ora dopo la buttavo dal letto, preparavo la prima colazione. La portavo di peso in piscina, e se rifiutava di leggere leggevo ad alta voce, la costringevo a ripetermi il sunto come si fa con i bambini pigri, che non le si sbandassero i pensieri dietro a quella separazione non accettata, al dramma che l'aveva buttata tra le braccia di troppi e, infine, alla droga.

In quella mia parte di nurse ero felice. Occuparmi di lei, vivere in funzione di lei, mi aveva liberato dai miei impegni, da qualsiasi tipo di egoismo. Anche la città era come scomparsa. Avrei potuto trovarmi dovunque, insieme a Catherine, e questo era tutto.

È stata una grande gioia, davvero paterna, vederla riprendere le attività più banali. Il giorno in cui si è finalmente messa al volante siamo andati e andati, finché è finita la benzina, e Catherine mi ha abbracciato e abbiamo riso fino alle lacrime.

Ed è arrivato l'ultimo giorno, quello della partenza, dopo che eravamo stati in giro a tirar mattina.

È rimasta immobile sulla terrazza sinché l'aeroplano ha rollato e, solo allora, ho sentito tutta la disperazione, l'incapacità di pensare a me stesso.

Certo, non mi ero mai innamorato, non a quel modo.

E a chi volerne, se Catherine mi vuol bene da amica?

VI

Appare, sullo schermo, la sigla del volo, e anche quei piccoli numeri di plastica ruotanti hanno un incredibile fascino, collegati a lei.

È tra i primi passeggeri, dorata di sole, sottile, bellissima. Le vedo il mio nome sulle labbra, e presto ho le sue braccia intorno al collo, la guancia sulla mia, sento il suo odore.

Mi impossesso della borsa da viaggio. Che altro c'è? Nicola! Mi ero quasi dimenticato del maledetto.

Informo che dev'essere in campo alle due contro Laver, spiego che, di venire, non avrebbe avuto il tempo.

E restiamo a guardarci, ridiamo della reciproca espressione di buona volontà.

Quaranta minuti più tardi parcheggiamo sull'erba del golf di fronte a Wimbledon, attraversiamo i prati tra famiglie che consumano il pic-nic, le signore con i loro incredibili cappellini fioriti, i gentiluomini troppo ben vestiti, i bambini in blazer colorato.

E presto siamo dentro, sul viale gremito di gente che fa ala all'ingresso giocatori, per strappare una foto, un autografo: tutti educatamente sconvolti, fierissimi di esserci.

Tra la folla degli esclusi dal Centre Court, naso all'aria, vedo lampeggiare sui vetrini neri i numeri color arancio del punteggio. Hanno già iniziato, sono uno pari!

Trascino Catherine per la scaletta, spingo i battenti della tribuna giocatori, scosto gentilmente l'usciere, che vorrebbe trattenermi finché il game non sia finito.

Nonostante l'addetto mi guardi male, segnali che è proibito, mi siedo di fianco a Catherine.

Ma, d'un tratto, sono uscito dalla sua vita.

C'è solo Nicola, nei suoi occhi inteneriti. Solido, lievemente imbarazzato da quella sua potenza che deve sentire come un ingombro, tanto nervosi appaiono i suoi movimenti.

Conduce due a uno, servizio Laver.

«Vince», stabilisce Catherine.

Spiego che è un pochino presto per capire. Sull'erba, aggiungo, essere avanti un game non conta molto, è il servizio dell'avversario che va strappato: si chiama break.

Catherine ribatte che quell'australiano non è un campione: «Ha addirittura perso da un ungherese, a Parigi».

Informo che Laver è, con Fraser e Nicola, il favorito del torneo. Guarda Nicola con i suoi occhietti acquosi, Laver, di sotto il ciuffo rossastro: avvita la punta del destro all'erba ingiallita; e ne fa puntello, per scattare a rete dietro alla pallina ruotante, ellittica per l'effetto.

Nicola ha atteso quel proietto saltellando, libera il braccio in ampio schiaffo di rovescio, e la palla fora una lama di sole lungo la linea laterale mentre Laver si butta, puntellandosi con la destra per non cadere, e finisce di piroettare su se stesso mentre la gente applaude.

Si raccoglie, Laver, cammina verso la linea di fondo senza mutare espressione, riceve la palla dalle mani del boy, e riprende a batterla in terra, per un altro servizio.

Le guance gonfie, arrossate di rabbia, Nicola lo guata sbuffando. Catherine osserva che quel Laver ha una fortuna vergognosa. Ha istinto, disciplina, automatismi, ribatto.

«Ma Nicola ha più talento!» si accanisce, irritata.

Laver ha servito una prima palla che taglia l'aria come una frustata. Nicola ha domato quella palla assassina, ne ha tenuta bassa la traiettoria, tanto che Laver ci è quasi inciampato, ha dovuto strapparselo dalle stringhe. Una finta, e dalle corde di Nic parte un lob che Laver riesce soltanto a sfiorare, buttandosi all'indietro con uno stacco prodigioso.

Con la sua faccia immutabile Laver guarda la palla rimbalzare fuori portata, Nicola ne segue la traiettoria saltellando di gioia, sotto gli applausi fitti.

«Fa quello che vuole!» si esalta Catherine.

Scuoto la testa. Spiego che Nicola deve soffrire, pensare

ogni punto, mentre, per l'altro, il match è una successione di puri automatismi.

«Vincerà lo stesso, come a Parigi», si irrita Catherine, e alla mia perplessità «Ti dispiacerebbe?» accusa.

Sono rimasto senza parole, ferito e, insieme, impotente. Su quel campo ho giocato anch'io, sette anni avanti, e ho fatto cattiva figura, e adesso sono innamorato di una donna che è qui per un altro, un campione.

E se perdesse? Mi spiacerebbe davvero?

Catherine poggia una mano sul mio braccio, mi guarda con aria di scusa.

«C'è troppa tensione.»

Come finalmente Nicola esce vittorioso dalla rissa di quel primo set, una donna sviene, la portano via in barella.

La gente le dedica un'attenzione indispettita, e si rituffa dimentica nello spettacolo, segue gli scambi con lunghi sospiri collettivi.

È un ottimo match ma, dopo la frase di Catherine, io mi sento escluso, annoto automaticamente i punti, mi sorprendo a seguire pensieri sbandati e dettagli estranei al gioco, un piccione sul tetto dello stadio, il lentissimo transito di un aereo all'orizzonte.

Laver intanto vince facilmente il secondo set, mentre Nicola è appesantito, goffo sui colpi più facili, per l'angoscia di perdere anche quelli.

Avvilita, Catherine mordicchia le unghie, e io mi sento deluso quanto lei: di fronte a un gioco che non conosce, non riesce a tenere in briglia la sua emotività, si lascia travolgere. Laggiù, sul campo, Nicola non sembra molto più vivace di noi, e Catherine finisce per ribellarsi: «Digli qualcosa, non può perdere così!»

Incredulo, spiego che è impossibile ma, all'immediato, fortunoso punto dell'amico un «allez Nicola!» taglia stridulo il silenzio dello stadio.

Trentamila occhi ci fissano indignati. Addirittura Laver, e anche Nicola, infastidito, sinché non riconosce Catherine e, sorridendo, poggia l'indice alla punta del naso, ottenendo generale ilarità, e perdono per la colpevole.

Ha ancora i pugni stretti, di vergogna ed eccitazione, quella matta, e devo scoraggiare un giornalista francese ansioso di infilare il suo nome nella cronaca.

Indietro uno a cinque, Nicola ritiene perduto il terzo set. Per finirla, colpisce cieco due, tre, quattro passanti, e tutti gli entrano!

Il dubbio sembra traversare l'animuccia di Laver. Si affretta, contrae, perde un turno di battuta, un altro, e d'improvviso non mette più palla.

Nicola è visitato da un angelo, vince il set in dieci minuti, e Catherine riprende ad agitarsi.

«Vince, vince», non cessa di ripetere, mentre Nicola ha in viso l'aria intenta delle grandi decisioni.

Laver è in crisi, è il momento di finirlo. Gliene viene, a Nicola, un angoscioso affanno, quanto basta a fallire un paio di volées facili, che rimettono in corsa l'australiano. Sembra appena sceso in campo, il maledetto, fresco, inappuntabile, non un segno di fatica, una goccia di sudore. Nicola è stanco, anche se le gambe lo portano, il respiro non pare affannato. È stanco di concentrarsi, di inibirsi il dubbio mentre rischia lo smash, la volée decisiva.

«Ha di nuovo paura. Adesso perde», ricomincia Catherine. Ma questa volta ha ragione.

Perde il quarto set, Nicola, e una serie luttuosa, quattro nastri filati, lo finiscono, all'inizio del quinto.

D'improvviso liberato, il suo gioco leggero illude tutti, non Catherine, rassegnata e quasi sollevata dalla fine.

«Sei contenta che abbia perso?»

Ci fissiamo feroci, le labbra serrate, mentre Nicola mostra tutta la sua buona grazia, abbraccia Laver, si inchina alla Duchessa di Kent come a scusarsi di non aver saputo far meglio.

Alla fine Catherine mi si abbandona contro. «Forse sono anche contenta.»

Tre ore e mezza è durata, e la gente sfolla, senza più voglia di assistere ad altro, vuota. Restiamo soli, poggiati agli scrittoi di legno verde scuro, mentre gli inservienti rammendano l'erba del campo.

Riordino in silenzio i miei appunti, e mi convinco che Nicola ha mancato l'occasione della sua vita.

Con Fraser, in finale, non avrebbe perduto.

«Andiamo?» domanda Catherine.

La guido al tearoom dei giocatori, a un bel tavolino d'angolo, dal quale si domina il campo numero tre.

Non sono passati venti minuti, che la vedo interrompere una frase, mutare espressione. Nicola.

Le bacia la mano, con quel suo stile adorabile, miracolosamente conservato dai tempi in cui era timido.

Mi alzo, mi scuso: devo lavorare.

Catherine domanda se ci vedremo più tardi.

Nicola conferma che la cena è alle nove, all'Ambassador. Forse, con Sue e Brian.

Mentre esco, non posso fare a meno di guardarli.

È protesa in avanti, poggiata sui gomiti. Gli ha preso la mano, ornata di un vistoso cerotto, e lo va carezzando con un dito.

VII

Lungo Curzon Street, tre anni prima, era una sfilata di bellezze.

Sullo sfondo di muri bianchi si stagliavano le ragazze della Guyana, delle Antille, dei dominions africani, nei loro abiti a sacco dai colori vivissimi.

Le hanno ritirate con una manovra che ha affratellato deputati, racket e leghe religiose, davvero una bella alleanza.

E sono all'Ambassador.

Tre scalini, le chiavi al doorman che le accetta schizzinoso, prima di ricevere la mancia e ritornare servile. Il direttore mi conferma che il signor Pietrangeli ha riservato per le nove. Domanda se ho presenziato al match, informa di avervi assistito in televisione, e fa seguire un commento più sbagliato dell'altro.

A interrompere i miei monosillabi, arriva il protagonista in persona. Il direttore insiste nella sua dimostrazione di incompetenza, io prendo sottobraccio Catherine, e vado diritto al nostro tavolo.

Mentre studia il menu, mi domando se avranno fatto l'amore. Struccata com'è, Catherine ha un'aria totalmente riposata. Lui sembra distrutto, ma saranno forse le ferite del match. Non si è ancora rassegnato, se riprende a parlarne, a dolersi. Da quel dialogo in gergo Catherine rimane esclusa, s'allontana per una telefonata.

Ascolto Nicola accanirsi, ma non mi interessa più, non riesco a trattenermi. «Hai fatto l'amore?»

Nega. «Ti ho detto che non lo voglio fare», finisce con l'irritarsi. Ma qualcosa lo blocca.

Kim è immobile tra le colonnine d'ingresso, che tutti possano ammirarla nel suo vestito color tenebra, con quella sua pelle di magnolia.

Il direttore, il maître, l'accompagnatore le stanno intorno adoranti, e vengono lasciati surplace non appena lei si avvede di Nicola, lo punta, sfila il braccio serpentino dalla stola a offrire la mano.

«Avevo un desiderio crudele di vederti», mormora, e prima che Nicola si riprenda, è ormai seduta tra noi, invita l'accompagnatore a raggiungerla: il mio fidanzato, annunzia.

Mi butto a parlare del match, mentre Kim accomuna Nicola e il fidanzato in uno sguardo compiaciuto, materno.

Ritorna Catherine, e mentre la presentiamo ai due giunge una comunicazione urgente per il fidanzato. Si scusa. Ritornerà tra pochi minuti.

Kim lo guarda allontanarsi e, rivolta a Nicola: «Mascalzone, ho dovuto farmi l'appendicite per causa tua!»

Nicola avvampa, Catherine mi impone di ballare, e mentre al tavolo Nicola ha l'aria di scolparsi, mi si stringe contro, la guancia sulla spalla.

Mentre mi intenerisco e illudo, mi domando se in fondo non sia quella la cosa più importante, averla vicina e sentirla respirare sotto quella seta leggera, colgo uno sguardo di Nicola, intento a evitare gli occhi di Catherine e mi balena un verso «his heart hung all upon a silken dress».

Dal tavolo, Nicola ci fa cenno che sono giunti gli antipasti. Ma, come ci sediamo, un mambo irresistibile fa scattare Kim, e siamo di nuovo soli, Catherine che spalma furiosamente crostini di fois gras e li accumula sul piatto, io che soffio nuvole dalla pipa.

«È la donna di Nicola?» finisce per domandarmi viperina, quasi fossi io il colpevole dell'incontro.

Assicuro di averla incontrata una sola volta. Ribatte che potrei mentire meglio: «Se aspettava un bambino, andiamo!»

«Dicono tutte così.»

E d'improvviso non so tenermi, racconto di Moreen. Tutti i particolari più penosi, una autentica confessione.

Catherine mi ascolta, fino a dimenticarsi di Nicola.

«Allora nemmeno tu sei onesto», finisce per constatare, e mi bacia una guancia.

Domando perché non andiamo altrove. Ribatte che sarà l'altra, ad andarsene.

Giunge l'anatra all'arancia, ritornano Kim e Nicola.

La perfida Kim finge di non conoscere il francese, Catherine ribatte ignorando l'inglese, e ne segue una terribile conversazione d'insulti indiretti, che tronco, alzandomi a mia volta a ballare.

Irrigidita, tremante di rabbia, Catherine non toglie gli occhi dal tavolo. Imbattibile, Kim non abbandona quel suo fisso sorriso da geisha, e ha ormai completamente irretito Nicola, lo porterà con sé, lo allatterà, divorerà, potrà fargli qualsiasi cosa: restituito al suo ruolo di preda soddisfatta, ha l'aria di credere ciecamente alla storia dell'aborto.

Catherine, mi avvedo, sta per piangere.

La prego di ascoltarmi, ma fa segno di no, vuol smettere di ballare.

La riporto al tavolo e ne segue un silenzio che Kim interrompe, per informarsi se la piccola non si senta bene.

Le afferro con fermezza una mano, la isso tra le mie braccia, la trascino in uno dei suoi prediletti balli sudamericani.

«Un autentico macho», deride. Chissà come mi va stretto, il ruolo di accompagnatore.

Ribatto che sono disposto a tutto, pur di ballare, e a lungo, con lei.

Osserva, allora, che sono vittima di un conflitto d'identità. Geloso di Nicola, non lo so confessare.

Nel calpestarle un piedino, sorrido tutta la mia ammirazione.

«Ci lasci perdere, Kim», suggerisco.

«È tutto vostro, questa sera. Verrà a trovarmi domattina.»

Cessa la musica. Restiamo immobili a fissarci, sinché Kim porta la mano sugli occhi e inventa una risata teatrale.

È di ritorno il fidanzato.

Si scusa, ordina un'aragostina e champagne, studia su un

orologio con tutte le perfezioni i tempi della serata: vogliamo seguirli, a un party?

Nel divorare il suo crostaceo, si informa sulla vita di Nicola, i guadagni. Val davvero la pena di affaticarsi tanto, per così effimera gloria?

Sistemato Nicola, si rivolge a me, e mi ricorda che il giornalismo conduce a tutto pur di uscirne in tempo.

Mi congratulo per la citazione e mi informo sull'andamento del racket: tira sempre, il settore?

Appare perplesso, si rivolge a Kim, tenta una facezia con Nicola: chi più esperto di racket?

Ricordo allora una storia vecchia di tre anni, il tempo in cui Curzon Street era allegramente percorsa dalle ragazze nere. Per strada, il racket le controllava maluccio. Un genio dell'immobiliare ebbe l'idea di iniziare una campagna di stampa che indusse chiesa e parlamento a pronunciarsi contro quella vergogna. C'era già pronto un bel blocco di case restaurate, per ospitare le peccatrici a prezzi altissimi. L'operazione riuscì perfettamente, il genio finì per diventare baronetto.

Dell'aragosta restavano ormai le antenne. Il fidanzato mi osservava con occhi omicidi.

Si alza, informa di essere in ritardo, saluta e si allontana, seguito affannosamente da Kim, con tutti i suoi visoni. Catherine rideva sino alle lacrime. Nicola, irritato, domandava come avessi conosciuto il tipo.

«Era su tutti i tabloid, quel suo bel viso!»

Per un istante soddisfatto, dedico la mia attenzione alla pipa, mi guardo intorno, in modo che Catherine possa iniziare, a bassa voce, un litigio, e Nicola si giustifichi, spieghi, rassicuri.

La prega di ballare e lei, dopo un diniego, finisce col cedere. Cerco di non guardarli, ma finisco col guardare Catherine, infine mi vieto di guardarla in quel modo.

Sull'orologio in fondo alla sala, decido, controllerò il passare dei minuti. Ogni minuto potrò darle un'occhiata di cinque secondi.

Un minuto. Non parla più, si è stretta a Nicola. Un minuto. Gli ha messo una mano sulla guancia. Un minuto. Lo abbraccia, ormai dimentica della sala, del ballo, di tutto.

Mi alzo, e me ne vado, sapendo di sbagliare, di essere scortese. Le chiavi dell'auto, informo il doorman, sono per Mr. Pietrangeli.

Ritorno a piedi, lentamente, pensando a Catherine e, davanti alla Chaumière, incrocio Vanna, un'amica del barone; carina, sorridente, forse disponibile.

Saluto, rispondo appena a una sua domanda, e presto mi pento di essere stato tanto brusco.

Di fronte al portone sbarrato, ricordo che la chiave era inanellata a quelle dell'auto.

Mi siedo sul marciapiede. Aspetto che qualcuno rincasi, trovar posto in albergo non è facile, ai primi di luglio.

Passa tempo, non arriva nessuno, e mi assale, insieme al freddo, una gran rabbia contro me stesso, Catherine, Nicola, la nostra inutilità.

Ripenso la mia giornata, quasi dovessi farne un sunto.

Vado all'aeroporto ad accogliere la ragazza che amo. La conduco dall'amico col quale vuol fare l'amore. Quando non vuol più farlo, e ho finalmente la mia chance, faccio del mio meglio per rimettere in gioco l'amico.

Decido di alzarmi, cercarmi un albergo, soffrire al caldo. E mi abbagliano i fari di una Giulia bianca.

Catherine scende, mi abbraccia.

Ho sperato, per un attimo, che tutto fosse cambiato: finché ho sentito la sua vocina rotta.

Non l'ha voluta. Dice che non se la sente, da quando ha deciso di sposarsi.

«Non è mai tardi per la verginità», affermo, e il risultato di quella splendida battuta è di farla piangere.

Come ha finito, sussurra che vuol dormire con me. Sono l'unico a capirla, a volerle davvero bene. L'ho spogliata, infilata nel mio pigiama e nel mio letto. Mi sono addormentato su una poltrona.

Ho riaperto gli occhi nel sentirmi chiamare. Piagnucolava, in quella luce grigia del mattino, aveva freddo, voleva sentirmi vicino.

L'ho abbracciata, carezzata, baciata. E ho finalmente avuto il premio tanto atteso.

L'amore con una sorella, per consolarla d'un altro: temo non sia diverso.

Lo so, prima o poi si doveva arrivarci. Non c'è più tempo per storie lunghissime, fedeltà decennali, metamorfosi dell'amore passione in amicizia amorosa.

L'ho persa, da quel mediocre che sono.

Ha voluto prendere il primo volo del mattino. Ci siamo dati un bacio rapido all'aeroporto, e addio.

Nemmeno mi ha detto di andarla a trovare, a Parigi.

Era la più bella e, ahimè, anche intelligente.

VIII

Pene d'amor perdute. Come non raccontarle a un'amica? Ho ritrovato sull'agenda il numero di Judy Modena, che vive a Londra dopo la parentesi milanese. Così, verso sera, ci ritroviamo al bar del suo club, il Queen's. Un pochino meno vecchio di Wimbledon, certo, ma infinitamente più comodo, raggiungibile, trecento metri dalla stazioncina di Barons Court. Il Queen's è quanto di più inglese, snob, dirupato, insufficiente nei servizi, impregnato di storia.

Il bar va in pezzi, ma alle pareti sono appese magnifiche stampe del real tennis sette-ottocentesco. Appartengono al barista che tutti chiamano familiarmente George, mentre lui non si permetterebbe mai di non chiamarmi signore.

Con Judy, George si concede un filino di confidenza in più, arriva addirittura a chiamarla dear.

Tale confidenza lo spinge addirittura a offrirle un Pimm's, di cui Judy va pazza, soprattutto per la frutta tropicale che adorna la bevanda. Ma, dopo averne accettato uno, Judy è irremovibile, insiste per pagare il secondo giro, e lascia anche la mancia a George. Con un puntiglio che denuncia la sua indipendente educazione anglosassone, di ragazza cresciuta nel Sudafrica, allieva del St. Mary's College a Durban.

Conosco Judy da quando, pochi anni fa, giunse in Italia, e nel corso di una sola stagione batté come vecchi stracci tutte le tenniste del mio club, che parevano le sue sorelle maggiori, se non le zie.

Allora, al suo arrivo, la lingua della quale si serviva più disinvoltamente era l'inglese, e ci fu chi trovò modo di irritarsi per quella che era soltanto una forma di timidezza. Se l'italiano le piaceva tanto poco, perché non si affrettava a ritornare in Sudafrica, nella farm del dottor Modena, tanto più adatta a una mezza selvaggia? Di pari passo con il livore delle tenniste sconfitte, aumentarono i pettegolezzi su quella ragazza alloggiata presso una vecchia signora che pareva interessarsi a tutto fuorché a lei. Respinta dalle consocie, Judy aveva iniziato ad apparire in compagnia di due miei amici, Giulio Porta e Ivan Crespi.

Commediografo vincente il primo, fenomeno tanto più clamoroso, in Italia, perché Porta non aveva ancora trent'anni.

Scrittore senza successo, il secondo, che tuttavia era ancor più giovane di Porta. Inseparabili, i due, non solo sui court, dove formavano un ottimo doppio, ma anche nella vita, tanto che, nel nostro circolo, i più meschini insinuavano che quella consuetudine andasse addirittura oltre una ferrea amicizia.

«Pensa cos'è stato», ricordava Judy, «un incontro simile. Mi avevano adottato, all'inizio, come fossi una bestiolina. La nostra piccola cavia, arrivavano a chiamarmi. Sperduta in una città che non conoscevo, dove papà e mamma mi avevano spedita per poter meglio litigare e divorziare, Giulio e Ivan avevano d'un tratto concentrato tutti i miei affetti. Sostituito tutto quello che, fin lì, avevo amato.»

Judy si arrestò un attimo, a giocherellare con la foglia di menta, che le si era appiccicata a un'unghia perfettamente laccata in rosso.

«Quel che avevo amato in Africa era tanto diverso!» riprese. «I tipi che giravano intorno alla farm di mio padre sarebbero stati degni di figurare nella *Mia Africa*.

«C'era davvero di tutto, cercatori di diamanti, cacciatori d'avorio, e una quantità di falliti che avevano abbandonato l'Europa nella speranza di rifarsi.

«Gente simile, mio padre la riconosceva a fiuto, e prima di accoglierli a tavola – da noi l'ospitalità non si rifiutava a nessuno – era solito dirmi: "Vedi Judy, quell'uomo ha cambiato nome, ma cambiare nome non basta. È come strappare un vecchio chiodo ruggine da una tavola. Resta il segno".»

«Gente incredibile», continuava Judy, «gente che aveva magari percorso cento miglia a cavallo, si fermava per chiedere da bere, e poi rimaneva un mese, per scomparire così com'era arrivata.

«C'era una stanza tutta per loro, appena discosta dalla villa, che papà chiamava zona franca. Quei tipi raccontavano, a volte, fatti inverosimili anche per una ragazzina, sinché non arrivava, mesi dopo, un altro viandante, a ripetere le stesse cose.

«Ricorderò sempre la storia di un giovane Lord mandato a governare un'enorme provincia, a due, trecento chilometri dalla nostra farm. Era il solo bianco in un'area grande come la Scozia, e si dev'essere sentito tanto solo da conquistarsi via via la fiducia di uno scimpanzé, ammaestrarlo, e infine condividerne la tavola, rispettosamente serviti dai camerieri.

«Dopo aver sentito quella storia, avevo passato mesi a cercar di farmi amiche le più audaci delle scimmiette che venivano a raccattare rifiuti, ai margini della farm. Ma tutto quel che ero riuscita a ottenere era stata una graffiata, una gran paura, e due schiaffi da papà.»

Judy mi guardò sorridendo. «Ti annoio, con i miei ricordi d'infanzia?»

Scossi il capo. «Non mi annoi per niente. Al contrario. Ti sembrerà impossibile, ma la storia dello scimpanzé me l'ha raccontata quand'ero bambino un uomo che ho amato moltissimo, che purtroppo è morto in guerra.»

Rimasi assorto, per ripigliare: «Ma tu mi parlavi del tuo arrivo a Milano, di Ivan e Giulio».

Judy sospirò, scosse il capo, «Ivan e Giulio», ripeté, mordicchiando una scorza d'arancia rimasta nel bicchiere. Pensai, per un istante, che non avrebbe continuato, ma, dopo quella pausa, già riprendeva. «Puoi immaginare cosa sia stato per me l'impatto con due tipi simili. La sera della prima di una commedia di Giulio, *Humour Nero*, Ivan mi aveva accompagnata da un grande calzolaio, ero senza un paio di scarpe con i tacchi, addirittura non ne avevo mai calzate.

«Così dopo che Ivan stesso aveva finito per sceglierne un paio, ero stata condotta al Teatro Manzoni, dove Anna Maria Guarnieri e De Lullo finivano di ripetere le loro battute. I due attori recitavano e io provavo a camminare, giù in platea, cadendo continuamente da quei tacchi alti dieci centimetri e vergognandomi sempre di più man mano che l'attenzione si spostava, dalla scena, a quella mia goffaggine.

«Nervosa com'era, la povera Guarnieri aveva finito per scoppiare in un'invettiva e fuggire in camerino. A risolvere tutto aveva pensato De Lullo. Si era fatto portare dal trovarobe un paio di scarpe coi tacchi, e aveva improvvisato una lezione irresistibile, un'autentica gag su "come deve camminare una vera signorina africana al debutto in società".»

Judy sorride per accettare un crostino di fagiano offertole teneramente da George.

«Di autentico debutto si trattava. Alla sera, dopo la commedia, avrei partecipato alla cena: al Savini, figurarsi. E non solo con tutta la compagnia, ma con l'entourage di Giulio, addirittura insieme a sua moglie. Non sapeva ancora che ero innamorata di Giulio, Lina, perché i due imbroglioni avevano fatto in modo che fosse Ivan, ad apparire il mio cavalier servente. Sposata da poco, Lina aveva appena avuto il suo primo bambino e seguiva quel marito geniale con l'aria di una paziente, tenera sorella maggiore.

«Lina rappresentava il lato sociale di Giulio, che per parte di mamma era di buonissima famiglia, e anche ricco.

«Proprio la famiglia materna era la ragione del precoce successo di Giulio secondo i suoi detrattori, che divennero più numerosi come apparvero le negative, crudeli recensioni a *Humour Nero*.

«Ero disperata, e non soltanto per il fiasco di Giulio. Nel pied-à-terre che ormai ritenevo la mia vera casa milanese, Giulio mi aveva promesso che il successo della commedia avrebbe coinciso con un cambiamento dei nostri rapporti. Avanti così, di nascosto, non si poteva andare, e lui ne avrebbe parlato a Lina, e intelligente com'era Lina avrebbe finito per capire.

«"Il mio matrimonio con Lina", ripeteva Giulio, "è stato l'ultimo tentativo di armistizio con un mondo del quale lei è certo la migliore rappresentante, la più buona, onesta. È un mondo i cui riti non mi interessano più, perché non ci credo, così come tu non credi più agli insegnamenti delle suore di

Durban, all'educazione di mamma e papà, alla necessità di essere vergine per essere perbene."»

Judy mi aveva guardato negli occhi, aveva sorriso mestamente, per chiedermi, con pensosa umiltà: «Ti annoio?»

Non mi annoiavo per nulla, l'avevo rassicurata. Ero suo amico, lo ero stato di Giulio e di Ivan, e li avevo perduti soltanto perché la professione mi aveva portato lontano da Milano.

«Sapevo molto poco degli uomini sino al giorno in cui conobbi Giulio», continuava Judy. «Prima, in Africa, c'era stato un ragazzo che mi scriveva lettere appassionate dal collegio. Scriveva anche due volte al giorno, un vero grafomane, mentre io, sinceramente, non ho mai avuto una grande immaginazione, e faticavo a rispondergli. Ma quel suo slancio veniva meno come c'incontravamo, nelle vacanze, per lunghe passeggiate a cavallo. Così una volta, per rabbia, l'avevo baciato io, un bacio goffo mentre stavamo in sella, e poi via al galoppo, rischiando anche di farmi male per non essere raggiunta. Forse aveva ragione l'intendente di papà nel dirmi che ero un'amazzone. Pentesilea, mi chiamava. "Pentesilea, tu sei fatta per andare a cavallo e non per gli uomini, perché sei meglio di loro..."» Judy scuote la testa, sorride.

«Ti puoi immaginare cos'aveva significato scoprire l'amore con un tipo come Giulio, che non solo lo faceva benissimo, ma anche ne parlava benissimo... Io ero tanto felice che mi sarei accontentata di quegli incontri nel pied-à-terre, non avrei preteso niente di più, ma era stato lui a cominciare, a immaginare una vita diversa, libera, io con i miei cavalli e lui con le sue commedie. Voleva lasciare tutto, la famiglia, le collaborazioni ai giornali, tutti gli impegni fuorché quello di scrivere, e poi nemmeno quello, dopo il fiasco di *Humour Nero*. Non ti immagini com'erano allora lui e Ivan. Così diversi da tutti, così allegri e disperati.»

Non ci fu bisogno di interromperla, per dirle che ricordavo.

Era rimasta indimenticabile una partita di Ivan, un match contro un forte giocatore tedesco, un professionista, al Torneo Internazionale di Viareggio.

Era stata una vicenda durissima, testarda, di logoramento, dalla quale proprio il dilettante Ivan era uscito benissimo, sino ad arrivare al match point.

«E lo sai che cos'è accaduto allora?» domandavo a Judy che faceva cenno di sì, quella storia incredibile aveva fatto il giro dei club di tutta Italia, addirittura d'Europa. «Ivan è andato a rete, si è trovato davanti a una palla facilissima, con l'avversario a quindici metri, rassegnato, in un angolo del campo. Ha alzato la sinistra, afferrata la palla al volo e: "Troppo facile", ha commentato. Ha finito col perdere.»

«Certo, rifiutavano quel che pareva addirittura ovvio, a persone normali, come me, forse come te...» Judy mi guarda, per vedere se può contare su di me, se condivido un suo giudizio che forse non è più del tutto positivo, ora che l'amore è finito, che Giulio è morto.

«Judy, non è semplice parlare di normalità, si tratta di scelte. Anche a voler credere che Giulio non si aspettasse di morire dopo un paio d'anni, chi può dire che non abbia avuto un presentimento dell'inutilità di inseguire il successo. Un'estate i due erano sul lago, nella villa dei nonni di Giulio, e mi era venuta voglia di vederli. Così, senza preavviso, anche perché il telefono suonava a vuoto, mi son messo alla guida. Arrivo a Griante, mi informo. Sono in villa, non so se tu la conosci, è grandissima, una sorta di palazzo appartenuto a un cardinale. Era pomeriggio, non si muoveva una sola violacciocca intorno ai prati all'inglese perfettamente tagliati, senza un filo di gramigna. Gli scuri erano rigorosamente chiusi. Unico segno di vita due cani lupo rannicchiati in un angolo d'ombra. Ho suonato la campanella, chiamato, poi mi sono deciso a spingere la porticina di fianco al grande cancello. Ho riflettuto un attimo se fosse il caso di avanzare. I cani non avevano un'aria feroce, e così ho seguito il vialetto, gli sono passato vicino senza che si degnassero di muoversi.

«Anche la porta della Villa era aperta, e sono entrato nel buio fresco dei saloni, ripetendo ad alta voce i nomi di Giulio e Ivan, finché da una stanza è venuta una vocina: "nella serra", ha detto quietamente, in dialetto, senza chiedere chi fossi, senza mostrarsi. Sono uscito di nuovo, mi sono orientato passando attraverso un autentico giardino botanico, e finalmente li ho trovati.

«Travestiti con abiti vecchi, giocavano a Bouvard e Pecuchet, confrontavano il loro comportamento con il testo, quasi fosse un copione.

«Insieme al libro di Flaubert ne avevano anche uno di giardinaggio, e "Ci proviamo. Far crescere i fiori è un'attività consigliata da un codice Zen che stiamo miniando."

«Mi spiegarono anche che si adoperavano a rarefare i ritmi abituali, il tempo. Piantare un fiore, seguirne lo sbocciare e lo sfiorire riassumeva una vita, un ritmo lentissimo per chi guarda e al contempo bruciante se paragonato alla nostra lunga esistenza.

«Ivan e Giulio mi trattennero ad aiutarli, insistettero perché rimanessi a mangiare con loro.

«L'invisibile servente aveva già preparata, in un salotto, una deliziosa cena fredda.

«Terminata la cena era caduto, in quella stanza aperta allo sciacquio del lago, un lungo silenzio.

«Riaprimmo bocca per trovarci coinvolti in una sorta di confessione generale. Proprio io, il moralista, ne ero uscito malconcio.»

Mi rivolsi a Judy, per vedere se mi seguiva, se le interessava: pendeva dalle mie labbra, aveva l'aria di chi si aspettava la rivelazione di chissà quale segreto.

«Non credere a un mistero», dissi. «Quel che ti racconto riguarda forse me stesso, ancor prima dei nostri amici. Comunque sia, mi ritrovai quasi nella parte di imputato. Perché mi accanivo a cercare un'affermazione nel giornalismo, trascuravo le letture, gli studi?

«Non avevo certo un bisogno assillante di denaro. E allora, perché?

«Mi ero ribellato. Avevo accusato Giulio di improvvisa impotenza nello scrivere, nel creare. Ivan, addirittura, di non saper far nulla, oltreché giocare a tennis, e nemmeno troppo bene.

«Era stato Giulio a rispondermi con dolce gravità.

«"La maggior vigliaccheria è continuare in qualcosa

quando il nostro rapporto si è logorato, degradato fino a disgustarci. Ritorna il problema di sempre, quello che tu eviti. Io devo ricominciare da zero, amico mio." »

«Infatti.» Judy mi guardava assorta, traverso il lume di candela che George aveva provveduto ad accendere, con l'imbrunire.

«Infatti Giulio era ripartito da zero, una partenza che lui sperava diventasse rinascita, che forse lo sarebbe stata, senza l'infarto. Ma nel ripartire da zero aveva buttato tutto, il bambino con l'acqua sporca, come amava ripetere.

«Aveva buttato anche me, con grazia infinita e assoluta indifferenza.

«Non si può pretendere tanto da una ragazzina diciottenne, al suo primo, grande amore. Ricordo di avergli detto che non capivo, non volevo capire, non l'avrei perdonato.»

Guardai Judy. «E adesso? L'hai perdonato, adesso?»

«Non perché è morto», sorrise tristemente lei, per subito illuminarsi. «Adesso sì, anzi, sono contenta che tu me lo chieda, sei uno dei pochissimi amici di Giulio che io abbia ancora occasione di vedere, da quando abito a Londra. Sì, l'ho perdonato perché sono guarita, sono riuscita a innamorarmi di nuovo.»

Nel pronunciare quelle parole Judy si era illuminata, i suoi occhi avevano acquistato un calore, un brillio che rivaleggiava con la fiamma.

Posò addirittura la mano su quella del sorpresissimo George, che portava il conto. E dalla borsetta estrasse una fotografia, per mostrarmela.

«Ti piace? non è bellissimo?» non faceva che ripetere. «Si chiama Kevin, come un cavaliere di Re Artù, non è bellissimo anche il nome?»

Io guardavo quel tipo dai capelli troppo ben ravviati, dal sorriso di attore, e cercavo di ricordarmi dove l'avessi già incontrato, senza quasi ascoltare Judy.

«Sì che ti ascolto», mentii, alla sua sorpresa. «No, non lo conosco», continuai a mentire, dopo un'ultima incertezza, mentre mi veniva in mente la scena adatta a inquadrare il tipo, l'ampia vetrata del Grand Hotel di Gstaad, con l'orchestrina, e il bellissimo, inappuntabile, sorridente Kevin che conduceva disinvoltamente tra le braccia una signora di mezza età.

«Non l'ho mai visto, ma mi era parso che somigliasse a un tale che avevo conosciuto anni fa, un inglese, mercante d'arte.»

«Certo no. Kevin è di antica famiglia scozzese ma olande-se di nascita», s'infervorava Judy, «tanto olandese che insiste, pretende che io impari quella lingua. E in un solo mese, nella sua casetta di Amsterdam, ne ho fatti di progressi. Sleep with the dictionary, non ti pare?»

Annuii.

«Perché allora», ripresi su un tono fatuo, «è davvero un amore, hai forse trovato uno che potrebbe spingerti a una vita diversa, lontana da Londra, dal Sudafrica?»

Judy mi guardò aggressiva. «Perché non dovrei? Dovrei rimanere fedele a tutto quel bric-à-brac di Giulio, e a quelle tortuosità che mi hanno fatto morire quand'ero sola come una cagna e nessuno mi aiutava.»

Le presi la mano, ma Judy la sottrasse. «Nemmeno tu, né soprattutto Ivan. È stato il primo, tra voi, a lasciarmi pian-gere sulla sua spalla. Siete stati commoventi, tutti, nel tentare di consolarmi.»

Cosa risponderle? Forse che era difficile, l'amicizia per una giovane donna tanto desiderabile, praticamente sola, in un paese non suo?

Presi il respiro lungo, attesi che l'acredine di Judy si stemperasse. Aveva riposto la foto del suo principe azzurro, e andava contando le sterline del conto, e di una buona mancia per George.

«Non posso proprio invitarti? E se davvero non vuoi, non possiamo almeno dividere?» tentai.

«No davvero», insistette lei, d'improvviso disinvolta. «Sono io che invito. Anche perché sei il primo a sapere di Kevin.»

Mi cadde il gelo sul cuore, e fui grato a due soci del Queen's di essersi avvicinati a iniziare una conversazione sulla prossima Gold Cup di Ascot.

Spinsero la loro gentilezza a riportarci in auto, Judy a casa di sua madre, io al mio appartamento.

Non riuscivo ad addormentarmi, né avrei trovato il coraggio di comporre l'ultima cifra del numero di Judy, quando è suonato il telefono.

«Sono io», ha detto. «Ti ringrazio per aver taciuto, su Kevin.»

E, dopo un lungo silenzio: «Cerca di volermi bene. Almeno tu».

IX

Se n'erano andati tutti dall'appartamento, lasciandolo a soq-
quadro, bicchieri rovesciati ovunque, macchie sulla moquette,
sigarette nei piatti.

Era un ricco appartamento di Park Lane, affittato al nipotino greco di un armatore che Gressoney aveva dipinto come suo grande amico, e autentico tifoso di tennis.

Ora il futuro armatore si era chiuso a doppia mandata in
una camera da letto, insieme alle due ragazze che avevamo
condotto al party, due negrette chiamate Lizzy e Titti.

Né accennava ad aprire dopo aver risposto allegramente:
«Non mi lasciano, mi tengono in ostaggio», alle rimostranze
del barone. Ferito nel suo orgoglio virile, il barone, ancor prima che irritato per la perdita della selvaggina nera.

«Bella idea portarle qui! Davvero geniale!» seguitava a
ripetere, quasi non fosse stata sua, l'idea di servirsi dell'appartamento del greco per affascinare quelle due allodolette, e magari risparmiare le consumazioni che avremmo dovuto offrire
in un night club.

«Bella idea. Ma adesso ce ne andiamo, che le riporti a
casa lui, quel villanzone, o almeno gli paghi lui il taxi.»

Ero stato reciso nel rispondere no. «Io rimango, e le accompagno a casa», avevo stabilito.

Mi era toccato di subire con pazienza gli insulti dell'incredulo. Ma come? Quelle due zoccole ci lasciavano cadere
come stracci sporchi, ci preferivano un grechetto mezzo fro-
cio, che aveva il solo pregio di averle pagate il triplo del loro
valore di marchette da periferia. E noi, il barone Gressoney e
il grande reporter, rimanevamo ad attendere come chauffeurs,
o peggio pecoroni a due zampe.

Nuovamente il barone si era buttato a bussare con violenza. «Facci almeno dare un colpo anche noi, Aristotele», aveva invocato, mentre io non riuscivo a trattenere una risata.

«Già, ridi. Cosa ci trovi davvero non capisco. Ma ridi male», passò ad accusarmi. «Non è la tua solita risata che ti sale dalle trippe, amico. E poi, cosa ci sarà mai da ridere?»

Avevo dovuto ammettere che la scintilla era nata per quell'Aristotele, «nome di un filosofo greco», avevo aggiunto a titolo d'informazione.

E, mentre il barone faceva una smorfia di disgusto – in culo tutti i filosofi e gli armatori e i greci in genere – avevo confessato che aspettavo le due negrette a causa di un impegno con me stesso, di una promessa.

«Un fioretto», aveva irriso lui, per sentirmi ribattere che lo poteva chiamare benissimo in quel modo, cambiava soltanto l'interlocutore, non la sostanza.

E, proprio perché dalla camera filtravano sospiri e risatine, e non sembrava insomma che la vicenda fosse all'epilogo, avevo cominciato a raccontare.

Il barone sapeva benissimo che avevo un debole per le nere.

Una lettura giovanile di Hemingway, che affermava di aver avuto la sensazione di essere a letto con un pesce spada, mi aveva spinto a un riscontro.

Avevo scoperto che le nere erano anche meglio del pesce, e avevo insistito a ogni possibile occasione.

Una sera ero a Piccadilly, da Lyon's, e nell'alzare gli occhi mi ero trovato di fronte a un miracolo: la pelle di quello splendore era tanto lucida da riflettere le luci al neon, che la ravvivavano di riflessi violacei e giallastri, e altro giallo vivo – questa volta pagliuzze d'oro – era sparso sui capelli crespi, lucidi da parer umidi, tagliati cortissimi, non più di due dita.

Il trionfo del kitsch, avrebbe sorriso il mio amico Alberto, e il vecchio Mario Soldati avrebbe intonato un'ode sul fascino delle serve: difficile, comunque, trovare di più, di meglio, per chi ama il genere ancillare spinto a primadonna del Lido.

Non aveva fatto in tempo ad alzarsi, che già le stavo dietro, a mia volta inseguito da un cameriere e un maître indignati non meno che distratti: avevo lasciato ben dieci sterline sul marmo del tavolinetto.

Appena in strada mi sono presentato, ho invano tentato di farle accettare il mio biglietto da visita, ho spiegato che si trattava di un regolare coup de foudre, non potevo più vivere senza di lei.

Scuotendo via nel diniego quelle sue pagliuzze dorate, sorrideva non meno impenetrabile che gentile: una gentilezza remota, petrigna, senza appigli.

Le ho tentate tutte. Dall'amoroso sono passato al clown, infine ho provato – metà per celia – i gesti dell'alfabeto muto.

Non ha sorriso nemmeno a quel mio numero irresistibile, ma non mi ha nemmeno dedicato qualche occhiataccia, mentre ormai mi limitavo a seguirla, dopo averle assicurato che non volevo importunarla ma nemmeno perderla.

Su per le viuzze di Soho, è finalmente entrata in un night club, e io dietro, per vederla scomparire nel privé.

Ho ordinato un whisky, e preso un bicchiere di champagne per una delle entraîneuses che mi avevano circondato, al bar. Non sono riuscito a cavar molto dalle domande sulla mia stella nera: «peculiar girl», l'ha definita l'entraîneuse, una ragazza speciale. E subito ha ripreso ad assediarmi, davvero non le preferivo bionde, e giù un elenco di virtù simile a un catalogo.

Qualche minuto più tardi è iniziato lo spettacolino, e come secondo numero è apparsa lei, presentata col nome di Ruby. Golden, avrebbero dovuto chiamarla, cosparsa com'era di polvere d'oro, davvero un'apparizione da basso impero, una volgarità eguale soltanto alla bellezza.

Si agitava e sorrideva distratta, sotto i tre spot colorati, senza combinare molto più di nulla.

Il suo numero in pratica non esisteva, Ruby si muoveva a tempo di reggae, canticchiava qualcosa senza pretenderla a cantante, si sfregava qui e là con gli indumenti, il boa di penne e le calze, la collana lunga sino all'ombelico e gli altissimi tacchi dei sandali di pitone argentato.

Quando è parsa stufa di quel suo intrattenimento, è scesa di pedana, e fattasi avanti si è fermata a un tavolino presidiato da un'altra negra e da un negro che pareva la caricatura di un gentleman.

Ha sorriso, gli occhioni fissi sull'amica, e si è tolta lentamente il reggipetto, in modo casto, se posso dire così.

Si è spenta la luce, e come l'hanno riaccesa, Ruby era scomparsa, e i suoi due amici anche. Volatilizzati, probabilmente usciti dal locale, oppure dietro le quinte, in camerino, a detergerla di tutto quel sudore dorato.

Ho tentato una disinvolta incursione nel privé, ma son stato scoraggiato da un buttafuori e respinto al bar.

Una mancia mi ha permesso di conoscere l'indirizzo dell'altro localino dove Ruby si era appena trasferita, per ripetere il suo numero.

Ho dovuto limitarmi a far da spettatore, e la presenza del tipo travestito da gentiluomo ha scoraggiato un mio blitz immediato.

Ritornando il giorno seguente son riuscito ad avere l'indirizzo della bella a Notting Hill, e ho presto controllato che si trattava di un edificio in pezzi, uno di quei casoni di prossima demolizione, abitati da immigrati recenti e vecchi relitti.

Ho insistito perché un incredulo fioraio spedisse proprio lì ventiquattro rose rosse, ho controllato la casa come un detective, e nuovamente sono riuscito a vederla, a parlarle, le ho offerto praticamente tutto, quanto avevo in tasca e in banca, un week-end a Parigi, un gioiello, addirittura un cavallo, se mai le fossero piaciuti i cavalli.

Niente è valso a smuoverla da quella sua impenetrabilità, da quella corazza di indifferenza.

Faceva cenno di no, con un'ombra di sorriso agli angoli della bocca, e alla fine sono arrivato a insultarla, le ho buttato in faccia tutto il mio repertorio di oscenità, senza riuscire non dico a ferirla, ma a smuoverla, nemmeno un tantino.

«Mi lasci perdere», è stato tutto quanto le ho cavato di bocca su un tono neutro e insieme definitivo.

Mi ero quasi rassegnato, e battevo Curzon Street alla ricerca di un'imitazione di Ruby, che sull'angolo di White Horse Street si profila l'amica, quella del night club.

L'ho caricata al volo, detto di sì al prezzo, sì a casa sua, sì a tutto, e son diventato via via più allegro, addirittura felice, nel mentre mi guidava verso Notting Hill, mi invitata a curvare verso Portobello, e poi più in su, nel fetido quartiere che si raggruma intorno alla soprelevata.

La casa era la stessa, e addirittura l'appartamento era quello fatato, di Ruby.

Non l'avevo mai visto all'interno, ma le foto appese al muro erano testimonianza inequivocabile. Un flash mostrava Ruby sulla scena, un'altra la immortalava tutta nuda, l'inguine sottolineato da un puntino d'argento, quasi una freccia, assorbita, risucchiata nel centro dei miei desideri.

Quel punto avrei fissato fino all'ipnosi mentre Maggie giaceva sotto di me, durante le ripetute visite che contribuirono ad avviare un rapporto, se non proprio amichevole, di vantaggiosa partnership.

Insieme all'immancabile storia di sedotta e abbandonata, Maggie prese a informarmi via via su più recenti dettagli della sua vita, e a schiudermi deliziosi spiragli sul suo sodalizio con Ruby, che definiva my love, il mio amore.

Facevano l'amore insieme, certo, e addirittura Ruby conviveva con lei nei momenti in cui le venivano a noia il figlioletto e la vecchia mamma, una megera abilissima nel sottrarle i guadagni.

No, non abitava lì quella settimana. C'era stata la settimana prima, sarebbe certo ritornata, forse domani, forse tra un mese.

«Ho tanto desiderio che torni che mi viene subito voglia di qualcuno», confessò Maggie e prestissimo Ruby venne onorata per interposta persona.

Anche Maggie dovette convenire che quei nostri deliziosi rantoli, quei «Ruby» pronunziati nella stanza semibuia mi davano se non il diritto, una lieve licenza ad accennare più spesso al nostro idolo, a coinvolgerne l'immagine nei nostri giochi erotici.

Così come si confessava docilissima e addirittura pervasa di gioia nell'ubbidire a Ruby, Maggie prese presto gusto e s'incanaglì nel comandarmi.

Rifiutavo tutto quanto non fosse celebrato per amore di Ruby, mentre in quel nome sublime accettavo ogni bassezza.

Dopo qualche giorno, della presenza di Ruby non fummo più in grado di privarci, se volevamo continuare i nostri incontri. E certo lo volevamo, Maggie per interesse, io per capriccio, o meglio, per vizio.

Maggie cominciò con l'ammettermi al tavolino dello spettacolo, Ruby mi fece il dono di accettare con tutta naturalezza una bottiglia di champagne.

Maggie prese poi ad ammaestrarmi, una vera e propria lezione su quello che avrebbe dovuto essere il mio comportamento, quali le invalicabili barriere della mia presenza a una riunione intima, tra lei e Ruby.

Le condizioni, dovevo ammetterlo, erano molto severe, così com'era davvero alto, per le mie possibilità, il prezzo pattuito.

Mentre trattavo, mi dicevo che avrei accettato qualsiasi cifra, mi sarei venduto l'auto e il guardaroba, per potermi insinuare insieme alle negre tra le lenzuola di quel lettuccio sfondato.

Non appena vidi Maggie infastidita da quel tira e molla mi arresi, e addirittura giunsi a offrire un bonus, se avessi potuto intervenire discretamente tra loro, a facilitarne il piacere.

Ma su questo Maggie era irremovibile. La presenza di Ruby avrebbe rappresentato una sorta di materializzazione delle nostre fantasie: ma al tempo stesso, essa sarebbe rimasta un'immagine, qualcosa di impalpabile. Giusta la parola, non l'avrei potuta, infatti, nemmeno sfiorare.

Passai un curioso pomeriggio, aspettando l'incontro: ed è certo superfluo raccontare che cosa immaginai e quante volte, nelle sue varianti minime.

Per non esser troppo in anticipo, finii con l'arrivare in ritardo, tanto angosciato da abbandonare l'auto di fronte all'ingresso, in una posizione bislacca.

Come entrai, trovai Ruby sul letto, ancora vestita, che aggiustava una sorta di straccetto sopra una lampadina dipinta di rosso. La tenue luce sanguigna era sufficiente a venare un vapore che rendeva la stanza simile a un bagno turco. Brucia-va qualcosa? non mi trattenni dal domandare, e Maggie si affacciò per annunciare che era il bucato.

Il vapore s'infittiva mentre passavo dalla stanza al bugi-gattolo del cesso e ne era causa – vidi occhieggiando – un'e-norme pentola di rame, che occupava da sola i quattro fuochi dell'intera cucina economica.

Ritornai per sedermi, accendere una sigaretta, aspettare. Maggie si era intanto seduta sul bordo del letto, con aria di adorante attesa, e Ruby aveva ordinato: «Spogliami».

Osservai Maggie affaccendarsi goffa, e mentre quelle splendide membra nere uscivano dall'abito a fiori arancio e gialli, la mia bocca si aprì e mi sentii domandare, quasi invo-lontariamente: «Maggie, non lo spegni quel bucato?»

Forse non mi sentiva, o non le importava di rispondermi. Aveva appena slacciato il reggipetto, e strofinava con un dol-cissimo mugolio i suoi capelli crespi su quegli stupendi seni aguzzi, bestiali.

Mi ritrovai la mano nelle mutande, ma più pressante era l'angoscia per quelle folate di caldo umidore se mi alzai, per raggiungere la cucina, e constatare che nel pentolone bolliva abbastanza acqua per cuocervi un maiale: o, perché no, un essere umano.

Ho evitato di guardarle, dalla porta spalancata, mentre uscivo e richiudevo cautamente, che non mi sentissero.

Non ero ancora a mezza scala quando ho visto il negro travestito da gentleman che veniva su, e mi sono sentito morto bollito.

«Non guardarlo in faccia, non guardarlo e sei salvo», mi ripetevo disperato scendendo come Orfeo, gli occhi fissi al muro, anche se, a un tratto, l'ho avuto vicino e non mi è sfuggita l'immagine di quelle sue atroci scarpe bicolori nuovis-sime, fiammanti, d'un tratto immobili.

Mentre trattenevo il respiro mi ripetevo che vedere le scarpe non contava, non potevo farne a meno se non chiuden-do gli occhi, e infine li ho chiusi continuando a scendere alla cieca e dopo un paio di gradini sono inciampato, rotolato giù dalle scale e subito raccattato e fuggito con la sua risata che mi inseguiva.

Al mio amico Fabius, a casa, ho fatto un racconto simile a questo, ma molto più concitato, isterico. Era d'accordo, pareva anche a lui che l'avessi scampata?

Mi ha preso in giro per un mese.

«Non aveva mica torto.» Il barone mi aveva ascoltato senza una sola interruzione, e osservava bonariamente: «Ma i fioretti non sono mica come l'ergastolo, sai? Non sono mica a vita. E con queste due scimmie ti potresti rifare, della tua Ruby».

Ho scosso la testa, confessato che disattendere quella promessa non mi sarebbe dispiaciuto, dopo ben due anni.

Ma ci doveva essere ormai qualcosa di ambiguo con le negre, se anche quella stessa sera mi ero d'improvviso trovato a disagio, impotente, spiazzato.

«Cosa ti ha detto il dottor Masoch?» ha riso Mario.

«Lizzy e Titti mi avevano dato appuntamento in una strada di periferia, intorno a Kennington Oval. La ricerca è stata laboriosa, per non dire allucinante, finché ho scoperto che c'erano due strade con lo stesso nome e ho rintracciato la casetta, una casetta di mattoni eguale alle altre casette di mattoni, come una prospettiva riflessa in cento specchi sporchi.

Nessuno ha risposto al suono del campanello, e avrei finito per andarmene se non fosse arrivato un negrone – no Mario, non quello dell'altra volta, ma abbastanza simile – che mi ha invitato a entrare, in modo brusco.

Intorno a un televisore acceso che nessuna guardava erano in sette, tutte negre, e hanno continuato a parlare tutte insieme, mentre il negrone scompariva – no Mario, non in cucina –.

Le ho ascoltate senza capire, perché parlavano un loro dialetto giamaicano, e mi sono alzato per interromperle, volevano venire, Lizzy e Titti? Era già tardi. Mi hanno degnato di un minimo di attenzione per osservare che c'era tempo, si poteva aspettare ancora, e giù a parlare fitto, del tutto indifferenti alla mia persona.

Me ne sarei andato, ma non osavo, qualcosa mi diceva

che se me ne fossi andato non sarei stato del tutto sicuro. Lo so che non è logico, non c'è ragione, ma ho aspettato sulla mia poltrona finché Lizzy ha detto: «Ok. Adesso andiamo».

Sono uscite tutte e sette in processione, si sono infilate divertendosi come matte dentro alla mia Giulia mentre invano protestavo, e ho dovuto via via accompagnarle nelle loro casette tutte eguali, vederle scendere senza un cenno di ringraziamento tra grandi saluti e baci.

E finalmente sono arrivato qui, con Lizzy e Titti, e lo sai anche tu: è stato come se fossi un corriere, e avessi da consegnare due pacchi viventi al signorino Aristotele.

Ridacchiava riflessivo il barone, per poi alzarsi e domandarmi: «Allora, adesso che l'hai contata tutta, vogliamo mollarle? E se non vogliamo», ha continuato al mio diniego, «allora le portiamo dall'altra parte di Londra, a Richmond, e se non si levano le mutande le scarichiamo, ma a calci in quei loro buchi di carbone! A calci, amico, altro che fioretti!»

Gli ho dato ragione, non solo per calmarlo. E ho aggiunto che mi scusasse, ma non cambiavo idea: le avrei aspettate e riaccompagnate a casa, senza fiatare.

«E allora ci vengo anch'io.»

Così le abbiamo portate, come hanno finito di farsi i loro comodi con Aristotele.

Hanno parlato e riso continuamente tra loro, sul sedile posteriore, come noi fossimo gli chauffeurs.

Quando alla fine sono scese, senza salutare, il barone non si è tenuto più.

«Sapete perché non vi abbiamo spaccato quei vostri culi neri?» gli ha urlato. «Perché siete come le scimmie, anzi, peggio delle scimmie: vi manca la coda!»

Ho fatto appena in tempo a partire e a salvare il barone da una coltellata di Lizzy.

«Te l'avevo detto che è meglio essere gentili», ho riflettuto, appena fuori vista.

X

Mike è ritornato dalla Francia, e ho cambiato casa.

Siamo, io e il barone, ospiti paganti di Mrs. Roseway, in una stanza che doveva essere un salotto, e ora pare un magazzino, con le nostre robe sparse tra l'unico armadio e la poltrona di cuoio.

Come compagno di stanza il barone è ideale. Usa con moderazione le mie poche cose che non gli vanno larghe, e non solo ha pagato la sua parte di affitto, ma rientra regolarmente dai piccoli prestiti che si vede costretto a chiedermi. A voler essere pignoli, esagera un po' con le mie macchine fotografiche, specie la Hasselblad, da quando gli ho detto che i grandi amatori del passato, da Francesco I a Luigi II, collezionavano i ritratti delle loro donne.

Le poverine non fanno in tempo a entrare che vengono spogliate, messe in posa e immortalate.

Sia questa improvvisa mania per il ritratto, sia l'indubbia disposizione del barone al reclutamento, da noi c'è sempre qualche ragazza.

Finito il suo lavoro, il barone insiste per passarmi la modella, che di solito non si oppone. Se è molto pudica, e vuol rimanere fedele all'artista, solleviamo una grande specchiera che Mrs. Roseway ci ha tanto raccomandata, e la infiliamo a mo' di paravento tra i nostri letti.

Compagno ideale, dicevo, anche perché ha tempo libero, ascolta senza interrompere, è pronto a far da segretario chaperon. Fa la chiusura di cassa alla Popotte, un ristorante francese. Restar solo è la peggior cosa che possa capitarmi. Passerà, certo, ma per ora non ce la faccio proprio. Così mi metto in giro, a caso. Alla Chaumière c'è una bellissima cameriera soprannominata Jeanne d'Arc, per l'aria ispirata e perché pare non voglia. In quello snack, le servette sono di norma molto carine, e attirano clienti tanto indiscreti da muovere immediatamente compassione, e desiderio di sottrarle agli oltraggi. Lo dissi tre anni fa all'olandesina che mi aveva appena servito tè e toast, e le venne il fou rire: aveva iniziato il turno da soli due minuti. Stavo ammettendo che si trattava di un record, quando piombò su di noi Luciana, e mi vergognai da morire.

Fino a due settimane prima era stata la mia ragazza, e proprio per gelosia mi aveva lasciato. Gelosia del tutto ingiustificata, ma come convincerla, ora che mi trovava a corteggiare la cameriera, nel più puro stile Andy Capp?

Avevo voluto bene a Luciana, forse ancora gliene volevo, certo provavo compassione, per lei.

Quella mattina alla Chaumière teneva sotto braccio uno scatolone da sartoria, legato con una vecchia cinta di faille verde. Accettò un croissant, bevve un cappuccino, divorò un secondo croissant.

Non la vedevo dalla sera della contessa. Vittima del Campari, la contessa al secondo bicchiere ondeggiava, al quarto si abbandonava nel primo letto disponibile. La ritrovò nel mio Luciana, e si rifiutò di credere alla casualità della scelta. Come accennai a quella vicenda, seduti alla Chaumière, Luciana si irrigidì e stabilì che non ne avrebbe mai più parlato. Indicai lo scatolone, mi informai se avesse ripreso le sfilate. Scosse la testa. Doveva consegnare un abito ottenuto in prestito molto tempo prima.

Si vergognava per quel ritardo, confessò, e mi offrii subito, la sartoria non era lontana.

Guidai, mi scusai per il ritardo, riconsegnai.

Al mio ritorno, Luciana se n'era andata. Scomparsa per sempre. Ora, ritrovo alla Chaumière un'amica del barone, Vanna.

Chiacchiera con Jeanne d'Arc.

Chiedo di sedermi, domando un tè.

Jeanne d'Arc cammina via con quella sua andatura vibrante, i capelli a spazzolare il collo da ragazzo.

«Ti piace?» sorride Vanna.

«Si vede?» sorrido io.

Vanna riferisce le pene di Jeanne d'Arc, osserva che a Londra gli impieghi volanti non superano i quindici giorni.

È accaduto a tutti, anche a lei. Si arriva con i soldi di papà, si studia, si prende il diploma, un posto che dà illusione di libertà. Poi il permesso di lavoro scade, ma si vuole fermarsi, la vita in famiglia, al paese, appare chiusa, ormai insopportabile. E allora si accetta di diventare venditrice in un negozio di abiti, si viene beccati, e non rimane che la guardarobiera, la cameriera: i lavori abusivi.

«O ci si trova un inglese.»

Sì, risponde, anche lei l'ha trovato. Ma è una soluzione fortunata, au pair, pulizie in cambio dell'alloggio. E assoluta correttezza.

Conosce Luciana Bedogni? domando d'improvviso.

Non ricorda di averla incontrata. È a Londra da un anno, Vanna. S'incuriosisce, vuol sapere perché le ho chiesto se mai conoscesse Luciana.

Forse per l'atmosfera, per averla vista qui, l'ultima volta, rispondo, e racconto di Luciana, cominciando da Dunja, la sua amica. Tre anni prima, nella tribuna invitati di Wimbledon, Dunja aveva fatto un ingresso memorabile, con quel suo vestito di maglia aderentissimo.

Sicuri che simile fenomeno fosse ospite di qualche campione, ci eravamo limitati ad ammirarla.

D'improvviso, sempre sola, si è alzata per scomparire, lasciandoci alla disperazione.

Stavamo ancora dolendoci il giorno dopo, quando è riapparsa non meno svestita e radiosa, con un'amica ragguardevole: probabile mannequin, tant'era magra e teneva i piedi ad angolo.

Appostato nella fila vicino, le ho incredibilmente sentite parlare italiano, e ho bruciato la concorrenza, favorito dalla presenza in campo di Nicola: Dunja, la slava, stravedeva per lui, per veder lui aveva ottenuto i biglietti.

Luciana, la mannequin, ha proposto che cenassimo da lei. Tale, l'insistenza, che non mi sono rimasti molti dubbi sul programma successivo.

Allietata da spaghetti e microsolchi, in un bell'appartamentino d'affitto, la vicenda ha assunto infatti un tono molto confidenziale.

Nicola è scomparso con Dunja, io ho proposto di imitarli, incontrando sorprendente resistenza: certo, ero simpatico, ma non avevamo avuto modo di conoscerci. E, poiché insistevo: l'iniziativa era partita da Dunja, tanto diversa, incapace, lei, di controllarsi.

Mi restava la difficile carta delle confidenze, della comprensione. Prevedibile, è subito seguita l'infelice storia di questa mula bella e brava a scuola, abbandonata da un mascalzone alle chiacchiere del paese, emigrata con la paterna benedizione a dimenticare e guadagnarsi il brevetto di segretaria d'azienda.

Come l'hanno invitata a ritornare, alludendo a certa vantaggiosa richiesta di matrimonio, Luciana ha scritto una letterona sincera, e un'altra, telegrafica, ne ha ricevuta, con l'ultimatum.

Ha scelto Londra.

Così, ammette con tristezza, fa la sua vita, tutti la vogliono, e si sente sola. Mi interessa, domenica, assistere al match di polo, al Castello di Windsor?

Ci siamo dunque ritrovati a Windsor, insieme a Dunja e al mio amico Fabius, da lei definito piccolo e carino.

Quel grande prato splendeva verde ben più di Wimbledon, e a far corona c'erano soltanto inglesi vestiti all'inglese, giardinette piene di thermos, coperte, tavolini pieghevoli e ombrelloni. C'erano i cavalli imbrigliati agli olmi e strigliati da mogli e figlie travestite da mozzi.

Nell'intervallo, mentre calpestavamo disciplinatamente le zolle scotennate dagli zoccoli, Luciana mi ha presentato lo speaker del match, e una vecchia signora che sapeva tutto.

Con grandi sorrisi di simpatia, hanno chiesto di Anthony, per lasciarla un po' troppo in fretta alla notizia che era partito per la Francia, da più di un mese.

Terminato il polo, la cena al celebre pub sul fiume, Dunja ha preso il piccolo Fabius come dessert.

A me, Luciana prendeva, sempre più spesso, la mano. Oltre non si andava.

Incredulo per simile resistenza, e anche disoccupato, seguivo la corrente: non mi spiaceva farmi vedere con due ragazze tanto belle.

Durante l'ultimo défilé di Luciana, abbiamo conosciuto Grant, che ha proposto un provino a Dunja.

Ci ha rifatto la scena, appena a casa, e avrei scommesso un milione che non l'avrebbero presa, incapace com'è di fingere, nella sua organica sincerità.

Eccola invece sotto contratto, appartamento, scuola di recitazione, p.r. e tutta la trafila.

L'abbiamo vista sempre meno.

Luciana, intanto, si era data.

Vivevo praticamente a casa sua, non era difficile interpretare il ruolo di amico-amante che mi ero scelto.

Faceva compassione, così bellina e indifesa, addirittura alle prime armi, in amore.

Lavoro non ne aveva, per almeno due mesi. Né sfilate, né foto, da quando il famoso Armstrong le aveva chiesto il nudo artistico, e mi era ritornata a casa in lacrime, come se tutto il dolore della sua povera vita si fosse concentrato in una frase di lui, piuttosto ovvia.

La trascinavo in un giro di Londra accanito e forse vano, un controllo puntiglioso di tutti i suggerimenti di un vecchio libretto. Tanto diverse, le mie rotte, da quelle fin lì proposte dai suoi amici, affermava nel massaggiare i bei piedi dolenti, la sera.

Pensava a qualcosa di serio, Luciana?

Forse il suo istinto la portava a farlo, anche se io ero stato chiaro, non l'avevo certo illusa.

Con due mesi vuoti nell'immediato futuro, poche prospettive e ancor meno immaginazione, era fatale che mi si attaccasse: mangiava anche molto, la sera, quando la invitavo fuori.

Nell'attesa che quella sua specie di agente le procurasse un contratto, tentò anche di lavorare, cameriera in un ristorante, e presto in un altro. Non durava più di una settimana, non sopportava che un cuoco potesse pizzicarla. Il mio fastidio, per quella sua incapacità di accettare la vita, aumentava ancor più della compassione.

Ero sul punto di andarmene, che cominciarono ad accadere stranezze.

Nel mezzo della notte lanci di ghiaia tempestavano le persiane, oppure suonava il campanello. Mi affacciavo. Nessuno.

«Anthony!» ripeteva Luciana spaventata. Era ritornato, aveva saputo di noi, si sarebbe vendicato. Non lo conoscevo! Era capace di tutto, Anthony!

Mi affacciavo con maggior cautela, ma dell'innamorato non c'era traccia.

Giunsi a pensare a una iniziativa di Luciana. Mi conosceva ormai abbastanza per sapere che, in un simile pasticcio, non l'avrei lasciata.

Dovetti presto ammettere che non era, la sua, finzione, ma autentica paura, alle scampanellate, e al ricordo di certe violenze di Anthony respinto. Piangeva, negava l'indirizzo di lui, rifiutava di accompagnarmi alla polizia, per poi svegliarsi gridando che ci avrebbe uccisi.

Ne parlai a Dunja, domandai se ricordasse segni di squilibrio, se la storia di Anthony non fosse inventata di sana pianta. Anthony esisteva, assicurò Dunja, anche se l'aveva visto una sola volta.

Che tipo era? Tipo qualunque, ma ricco e baronetto.

E Luciana? Cosa voleva da lui?

«Luciana», stabilì Dunja, «non muove un dito. Forse va a fondo senza nuotare.»

Scoprì il suo bianchissimo sorriso per informarmi che l'avevano promossa al rango di star, dotata di Roll Bentley e di autista. Anche un piccolo telefono c'era in quell'auto straordinaria e, al comando, l'autista prendeva a destra, a sinistra.

«Mi sentivo come da piccola, a Zagabria. Ho fatto un gran bel piangere.»

Come annoiarla con le povere storie di Luciana?

Era stata una bambina ricchissima Dunja, e poi tutto era crollato, parenti uccisi, campo di concentramento, fuga, campo profughi, comparsa a Cinecittà, scuola di recitazione fasulla e tutta la trafila, sempre a letto con le persone sbagliate.

Adesso, continuava, le era toccato il destino di controfigura della Loren. «Una ignorante che ignora tutto.»

Dotata, anche, di un seno mediocre. Perché potessi controllare simile affermazione, tirava su il golfino di cachemire, e ne sbottavano due tette di vera gomma umana, gonfiate al punto giusto.

«È più bello il tuo», ammettevo inghiottendo. Perché non passava da Luciana, non le parlava, al primo momento libero?

Ma Dunja doveva pensare a se stessa, forse era finalmente arrivato il momento da afferrare con le unghie.

Luciana non faceva che commiserarsi. Minacciai di lasciarla, se non avesse reagito, in qualche modo. Prometteva, riluttava, sinché una notte mi telefonò disperata per i soliti lanci di ghiaia, e tenni duro, non corsi ad assisterla.

Avevo perso il sonno e scesi al Club, mentre fu lei, Luciana, ad arrivare stravolta in camera, per trovarci la contessa addormentata.

Non seppi mai cosa si fossero dette, le due ragazze. Luciana rifiutò di parlarne, indignata. La contessa ricordava vagamente una magra, che lei aveva gentilmente invitata ad aspettarmi, il letto era a due piazze.

Quell'incidente era stata la fine. Luciana si era negata più volte, con mio infinito sollievo. Tre mesi dopo, Fabius mi aveva comunicato l'incredibile notizia. Sposata. Con Anthony. Non ne conoscevo il cognome, rispondevo a Vanna incuriosita. E nel vederla assorta, mi domandavo se non avesse pensato a una storia immaginaria, una piccola crudeltà analogica per saperne di più, sul suo conto.

Domando quali sono i suoi programmi.

Ritorna a casa, a far la maglia e guardare uno show televisivo.

Mi offro di accompagnarla, e guido lentamente sino al bel quartiere silenzioso intorno a Bruton Square.

Mi invita a salire e, come rifiuto, mi carezza la mano. «Almeno un momento», insiste.

Sempre per mano, saliamo due rampe di scale, e prima di aprire il battente, mi sfiora con un bacio rapido.

Schiude una porta, una seconda e, nella prospettiva di un salotto si inquadrano due scarpe di cuoio forte, bicolori, col tacco. Scarpe da golf, sicuramente femminili. Qualcuno dorme buttato su un divano.

Senza rumore richiude lentamente la porta, mi riaccompagna.

«Non gli piace che porti ospiti, quando riposa.»

Posso telefonarle, domani?

Ho fatto cenno di sì, e sono scivolato via come un ladro.

Nel salire sull'auto, ho provato il disagio di chi si sente spiato da un ignoto. Ma come esser certo che la tendina del secondo piano non oscillasse per un soffio di vento?

Per la prima volta, dopo tanto tempo, ho provato un gran desiderio di sapere com'è finita Luciana.

XI

Arriva da Milano Alberto, un vecchio compagno di scuola che si avvia alla carriera universitaria: resta due giorni, per un seminario e una breve vacanza.

Sempre servizievole, il barone traccia programmi e, come gli dico che ad Alberto non interessano le donne, ridacchia divertito: allora, c'è la Popotte!

Aspettiamo Alberto a Heathrow, lo trasportiamo direttamente al ristorante. È mezzogiorno, il locale semivuoto, tanto che Charlie, il proprietario, ha tutto il tempo di prepararci i Pimm's, respingendo ironico l'aiuto del barone: non si affatichi troppo, la mattina!

Avuto conferma che siamo italiani autentici, Alberto addirittura professore, Charlie si allontana, alla ricerca di una lettera che dovremmo tradurgli.

Il barone si affretta a informare che la lettera è stata scritta dall'amico siciliano di Charlie, cameriere alla Popotte.

L'ultima sua impresa è stata di tagliarsi le vene, e subito svenire per lo spavento.

Dalle cucine era un fuggi fuggi di cuochi e sguatteri. Dal ristorante, i clienti si accalcavano eccitati verso l'ingresso delle cucine.

Il siciliano era a terra nel sangue, chino su di lui Charlie singhiozzava, il coltello in pugno.

Un avventore medico ha subito bloccato l'emorragia, e si è finalmente saputo che quello sciocco era geloso di un cuoco malese, assunto per i suoi begli occhi.

Il malese è stato immolato alla riconciliazione, Charlie e il ferito sono volati a Montecarlo, per una convalescenza e honey moon.

Richiamato Charlie da un'emergenza, il cameriere trascorre la meritata vacanza scrivendo lunghe lettere. Troppo comiche perché il barone rimanga serio nel tradurle, e Charlie non si offenda.

Composto praticamente in dialetto, su registri sentimentali ed erotici, quel pasticcio era in realtà arduo da affrontare. A restare compunti, nemmeno Charlie ci aiutava, struggendosi per i passaggi più avvincenti, sino a chiederne la ripetizione. Alla fine, eccitatissimo, se l'è presa col povero barone. Perché non si decideva finalmente ad aiutarlo, a lavorare?

Avrebbe potuto, Charlie, salire sul primo volo, precipitarsi dall'amato!

Con aria colpevole, il barone assicurava diligenza, e finiva per allontanarsi, insieme a Charlie placato.

Di tutta quella maionese, Alberto era decisamente infastidito. Trascinarlo in un posto simile, gli pareva francamente incomprensibile.

Stavo per dargli ragione, quando si è spalancata la porta: il tipo era altissimo, una faccia da etrusco e gli occhi viola sotto i capelli rosa shocking, il colore di certi folli parrucchieri della periferia parigina.

Poiché tutto il ristorante lo guardava, è arrossito di piacere, si è dondolato sui fianchi e «good appetite, folks», ha augurato con voce cavernosa.

Charlie si è fatto avanti a chiedergli che cosa desiderasse. Come ha risposto di essere il nuovo cameriere, l'ha afferrato per un braccio e trascinato in cucina.

Dieci minuti più tardi, ne è riemerso per rivolgersi al barone. Faccia quello che vuole, lo rasi a zero, magari lo decapiti, ma lo renda rispettabile. La Popotte non è certo lo show di Danny la Rue!

Confuso, il barone accennava a un indispensabile colloquio, più volte richiesto. Scadeva il visto, gli servivano i denari per dimostrarsi indipendente, piagnucolava, mentre Charlie aveva preso ad agitarsi in modo preoccupante.

Finalmente il barone ha trascinato fuori il rosa shocking, io ho pagato il conto e cercato di tranquillizzare Charlie.

Per strada, Gressoney stava arronzando il poveraccio: perché diavolo si era conciato a quel modo!

Piangeva ormai, con i suoi begli occhi viola, e ripeteva che gliel'avevano consigliato in molti, in Olanda, riteneva fosse quello il modo per fare colpo, in un ristorante particolare. Lo abbiamo confortato, soprattutto Alberto, ma, ormai sull'auto, è stato il barone a disperarsi.

Con la perdita di tempo del parrucchiere, e senza un penny, non avrebbe certo ottenuto il rinnovo del visto, finirebbe a ritrovarsi clandestino, rispedito a casa, a Vercelli. Bastavano, singhiozzava ormai, duecento sterline a dimostrare dell'indipendenza economica: per sola mezza giornata!

È stato il rosa shocking a cavarne tre dal portamonete, e mi son visto costretto a imitarlo, e a far pressione su Alberto per raggiungere le duecento.

Abbiamo depositato il barone commosso alla metropolitana, Alberto preoccupato per i suoi soldi da Mrs. Roseway, e mi sono ritrovato con il mio impegno di far stingere il rosa shocking, che mi aveva ormai confidate le sue pene: «Vengo da Scheveningen, chiamami Peter, tu sì che mi capisci».

Siamo stati respinti da due figari, finché non è stato Peter a suggerire un parrucchiere per signora.

Accolti, anche lì, con riserva, ci hanno isolati in un angolino, e il lavorante, oriundo italiano, non ha tardato a dedicarci oscenità nel nativo dialetto.

Com'è finalmente riuscito a stingerlo, mi ha consultato sul da farsi.

L'avrei lasciato nature, castano chiaro, ma Peter è stato pronto a insorgere, a pretendere, se non il rosa, un biondo platino.

Ci siamo consultati con Alberto, al telefono, e abbiamo finito per transare: biondo ossigenato, che è poi il colore ideale, con quegli occhi.

Il parrucchiere oriundo, ammutolito, si è impegnato con solerzia.

Ho ripreso il mio Times e, alla rubrica arrivi e partenze, mi sono bloccato su una foto: Dunja! Sbarcata da New York, insieme a Grant. Abitano al Savoy.

Ho gratificato di una lauta mancia l'oriundo, che non

finiva di ringraziare e scusarsi, incerto tra il nativo dialetto e l'inglese.

Nell'infilare il biondo su un taxi, verso la Popotte, l'ho pregato di farmi telefonare, appena vedrà il barone.

«Per cosa?» s'è informato, col suo bel sorriso.

«Lo sa lui», ho ribattuto, senza riuscire a star serio.

Peter ha schiacciato l'occhio, con aria complice.

«Non è vero che mi preferivi rosa?» ha domandato.

XII

Dunja mi è venuta incontro sulla porta della suite, e mi ha tanto stretto da farmi esclamare: «Aiuto!»

«Che bella che sei», ripeteva commossa e, poiché mi ribellavo a quell'imprecisione ha riso, accusandomi di essere sempre troppo serio. Non la vedo da tre anni, e faccio storie di grammatica!

Come quella volta, continua, che era salita da me per mostrarmi le tette. Li ricordo i tempi in cui era controfigura della Loren?

«Certo che mi ricordo.»

«Anche allora, serio come un professore. Hai preso l'Erotisme au Cinéma per confrontare che erano più belle le mie.»

Ascolto quel suo accento americano posticcio, fastidioso. Le dà un'aria di tensione, di fretta, che non sembra giustificata.

È molto truccata, e pare che da quella maschera fatichi a emergere la sua espressione autentica, di quando non aveva una lira, un letto, e non lo si poteva credere, tanto viva, sorridente, di buon umore.

Ripete che è felice, elenca auto, piscina, yacht, viaggi.

«Così non mi ha sposata», continua a raccontare, «anche perché il divorzio gli costerebbe troppo.»

In fondo è stata lei a non insistere. E so perché? Le faceva pena, confida, tanto ricco, con quel suo incredibile successo.

«Lo credi che è infelice? Senza di me, non andrebbe avanti!» Mi mostra una sua foto, a colori. Troppo abbronzato, troppo pettinato, le righine rosa della camicia tirate a compasso, il sorriso odontoiatrico e l'azzurro cielo irreale degli occhi.

«Ti piace?» domanda.

So che dovrei estasiarmi, congratularmi, ma proprio non mi viene, e riesco appena a dire: «Proprio un bell'uomo, Dunja.»

«Eppure», insiste, «è un uomo infelice. Ha bisogno di me per vivere.»

Non le era mai accaduto prima, di sentirsi indispensabile.

«Ti ricordi com'ero? Come una zingara, allo sbando, e depressa.»

Dovrei tacere, ma è più forte di me: «Sembravi molto allegra».

«Certo, sembravo», ammette. Ma si sentiva costretta a far sempre l'amore per riempire un vuoto: gliel'ha spiegato il suo psichiatra.

«Viaggia con noi.»

«Sempre?»

«Sempre.»

Si giustifica, Dunja, spiegando che le spese dello psichiatra sono deducibili dal reddito, e così è tutto più comodo. Domando se Grant è davvero malato, e lei risponde di no, non si tratta di una malattia.

«Ha bisogno di gente amica, di averla sotto mano quando vuole.»

Di colpo, non so più cosa dire, smarrito, a disagio, e mi viene d'istinto: «E Luciana?»

Dunja scuote la testa.

«Povera Luciana!»

Non so di Anthony? Non so che l'ha sposata? Povera Luciana, ripete, nuovamente, per farmi giurare che non la cercherò, non farò niente per impedirle di soffrire.

«Perché è come una spugna per la sofferenza, Luciana.»

Non ci vuole molto, a farmi sentire in colpa. La prego di essere sincera, di dirmi se, fino a che punto, mi ritiene responsabile.

«Non è stata vera colpa», riflette, «ma certo superficialità.» Una, due volte, poteva andare. Ma avrei dovuto sparire nel rendermi conto che lei, Luciana, si innamorava davvero.

«Speravo di darle la spinta giusta, prima di lasciarla», confesso, e mi butto a difendermi.

Perché mi ha impedito di intervenire, con Anthony? E la storia della contessa, la conosce, Dunja?

Risponde di sì. Domanda se non l'abbia mai più rivista, Luciana.

«Cinque minuti.» E le racconto la vicenda della Chaumière.

«Anthony la tormentava», giustifica Dunja e subito riprende a elencarmi le minacce, la ghiaia sui vetri, le telefonate notturne.

Perché non denunciarlo?

Aveva paura non le rinnovassero il visto, Anthony le aveva messo contro un funzionario.

«Questo, non l'ha mai detto.»

«Ripeteva che non aveva il diritto, con te.»

Doveva volermi bene, constata Dunja, e in fondo, si sentiva l'eroina di un fumetto. Sì, Anthony l'aveva strapazzata, qualche volta. Ma Luciana esagerava.

Dunja riflette, prende il suo specchietto. «Esagerava», ripete. «Cosa vorresti bere? È troppo presto, per un whisky?»

Sono riuscito a mormorare: «Grazie».

Come lasciar cadere d'un colpo una storia che pareva appassionarla, coinvolgerci tutti e due?

«Ma l'ha sposata?» ho insistito.

L'ha sposata in chiesa, conferma Dunja. Una gran festa, con tutta la nobiltà, e il party nel castello.

«E adesso?»

«Adesso fa la cameriera.»

«Hanno perso tutto?»

«Sono ricchissimi. Ma a lui piace così. La tiene solo per questo.»

Mi guarda, gli occhi sbarrati, e ripete: «La serva. Fa la serva».

Con le dita tormenta il suo enorme brillante, quasi volesse svitarlo dal castone.

Ho inghiottito il mio whisky, balbettato qualcosa di un impegno.

Faceva segno di sì, la testa voltata verso la finestra, le spalle appena scosse, come le cattive attrici quando fingono di piangere.

XIII

Appeso alla porta di camera, c'è un biglietto di Alberto. Il barone ha riportato i soldi! Insieme alla festosa notizia, la comunicazione che ha telefonato una ragazza italiana, non ha detto il suo nome, né lasciato il numero.

Sarà certo Vanna. Mi ha chiamato giusto a tempo perché le racconti la storia di Dunja, ne controlli la verosimiglianza, me ne liberi.

Alberto non mi lascerebbe finire. Il barone vi troverebbe certo qualcosa di comico. Il vero destinatario, a pensarci, sarebbe Luciana. Ma Vanna, almeno, conosce l'inizio della storia, ne era parsa molto interessata...

Era stata lei a chiamarmi, conferma, e mi invita subito a casa, sta guardando la televisione, è sola.

Filo a Bruton Square, e la trovo tutta bella, ben pettinata, ben vestita, golf e mocassini. Lui è in viaggio, resterà via non meno di tre giorni.

Offre il tè, i toast. Segue alla televisione la fine di un giallo di Simenon.

Ricorda, domando, la storia della jugoslava? Quella che si era messa con Grant, l'amica della mia amica italiana?

«Hai ritrovato l'italiana?»

«L'altra. Dunja.»

Dunja ha ricordato, accentuandole, le persecuzioni toccate a Luciana e concluse con la sua resa, e un matrimonio presto trasformato in schiavitù.

La terrebbe con sé, lo sposo, al solo scopo di farla soffrire, relegata nel suolo di autentica serva.

«Ti sembra possibile?»

Vanna tace, accenna di sì.

«E ti sembra possibile che mi abbia raccontato una simile storia, mentre la stessa, identica cosa, succede a lei?»

Vanna mi viene addosso quasi volesse colpirmi. D'un tratto trovo il suo viso poggiato sul petto, e rimango a carezzarle i capelli e a maledirmi, mentre piange.

Quando si è alfine calmata alza gli occhioni umidi, e mi domanda perché mai la povera Dunja avrebbe dovuto confessarmi, proprio a me, quello che le accade, che la disgusta e, forse, proprio per questo le piace.

«Con che diritto?» ripete. «Perché?»

Non so rispondere, e dir qualunque cosa pare ormai inutile. Mi scuso per quella visita sbagliata, affermo di dover ritornare a casa, invento un impegno.

Con voce mutata mi prega di restare. È molto desiderabile, tutta morbida in quel suo cachemire grigio.

Insisto, mi scuso nuovamente, ma il suo abbraccio è tanto abbandonato, disperato, che non riesco a respingerla.

Siamo rimasti assieme e tutto è andato bene, la cena, un vecchio film dei fratelli Marx, la passeggiata attraverso Green Park.

È stata lei, a insistere per casa mia, e non sono stato capace di dire di no.

Eravamo da poco a letto, che bussano alla porta. È Alberto, tanto insistente che apro, mentre Vanna gli volge la schiena.

Ha telefonato il barone. Peter l'olandese è in arrivo, insiste a volergli mostrare il nuovo colore. Non potrei prestargli la specchiera?

L'ho scacciato insultando.

Vanna ridacchiava. Ha voluto sapere chi fosse Alberto, e l'olandese, e tutta la storia. Rideva di cuore, e cominciavo a seccarmi quando si è riaperta la porta, ed è entrato l'olandese.

Come ha visto Vanna, ha scosso la testa con aria addolorata.

«Non cercava il mio amico?» ho balbettato.

«Veramente, ero venuto per lei.»

Potevo almeno, continua, chiarire l'equivoco a Mr. Gressoney?

Ha dovuto chiedere un congedo di due ore dal ristorante, e non fa certo buona impressione, la prima sera!

Il fou rire di Vanna era ormai inarrestabile. Ho pregato l'olandese di andarsene e lui si è esibito in un dignitoso inchino, ma, dalla porta: «Da lei non me lo aspettavo», ha precisato.

Ho abbracciato Vanna senza successo, finché non mi ha suggerito di dormire, almeno un poco.

Stavo sognando, quando lei mi ha scosso: «Voglio andarmene», ha stabilito.

L'ho pregata di non offendersi, di restare. Un momento di debolezza può capitare a tutti.

Mi ha interrotto furiosa. Il barone era entrato con gran cautela, per indossare i suoi abiti, le calze, le giarrettiere. Li rivoleva. All'istante!

«Sarà uno scherzo», ho balbettato.

«Uno scherzo cretino, ma non voglio andarmene nuda.»

Mi sono alzato, per scendere da Alberto. Dalla porta filtravano le voci.

«Lei non ha capito», ripeteva paterno Alberto. «A me questo genere non interessa.»

«Però l'olandese lo voleva», miagolava il barone, con voce di pianto.

«Non faccia il bambino. Ritorni a letto.»

Sono risalito da Vanna. L'ho pregata di fingere di dormire, almeno un minuto. Ho spento la luce, e in quella è entrato il barone.

Si è spogliato, nel buio. Si è avvicinato al nostro letto:

«Posso provare con la Vanna?» ha sussurrato.

È scoppiata a ridere. Ha riacceso, ha preso a rivestirsi. Prima di andare, ci ha mandato un bacio, con le dita:

«Ciao care. Telefonatemi!»

Di quel comportamento, il barone Gressoney è parso stupito.

«Cosa le ha preso?» si è informato.

«Pensa di trovarsi in un gruppo di checche, e questo la fa ridere.»

«Le donne sono matte», ha affermato il barone. «Buona-notte.» Un minuto dopo, russava.

Russava ancora, il mattino, quando Alberto è partito.

Sarebbe ora, secondo lui, che la mia vita, le mie frequen-tazioni, divenissero meno casuali.

Forse ha ragione, ma devo pure occupare i cinque giorni che mi separano dal servizio su Italia-Inghilterra di Coppa Davis. Così cerco ispirazione sul giornale, e mi accorgo che è il giorno della Gold Cup, ad Ascot.

Splende il sole, non ho nessun impegno sino a domani, una possibile gita a Dublino con Brian e Sue, per salutare Nicola, che gioca i campionati d'Irlanda.

Telefono a Brian in ufficio, caso mai potesse sganciarsi, e lui mi maledice e prega di puntargli dieci sterline su De Voos.

Mi vesto per benino, guido fuori città, seguo le frecce verdi e gialle che conducono all'ippodromo, attraverso i bo-schi di abeti.

Mancano soltanto due corse alla Gold Cup, e dal risto-rante sopra il peso ammiro i cavalli girare in tondo, sulla sab-bia fina chiusa nell'erba verdissima.

La gente si muove in larghe ondate multicolori, i guanti candidi dei bookmaker segnalano frenetici. Un'improvvisa ressa di fotografi si addensa intorno alla principessa Marga-reth, per poi stringersi all'attore di Dunja sorridente, in com-pagnia di un ometto poco vistoso. Sarà lo psichiatra? E Dunja, l'avranno lasciata a casa?

Come penso a Dunja, e a Luciana, la vedo.

Mi ci sono voluti trenta secondi per respirare, lasciare che il cuore esaurisse quella scarica violenta. Luciana! Palli-dissima, ancor più magra in quell'abito nero, sotto il cappello-ne di paglia col nastro. Camminava parlando fitto con due amici in bombetta e cilindro, e chissà qual era Anthony. Pre-sto Luciana è scomparsa tra la gente.

Fortuna, mi son detto, non l'avesse vista la povera Dunja, così raggiante, con quell'aria serena.

Ho ordinato un bicchiere di champagne, e l'ho bevuto adagio, in onore di Luciana.

Dal mio tavolo ho visto male la corsa, senza binocolo com'ero. È partito bene e rimasto in testa De Voos, il cavallo che da noi, con la Dormello Olgiata, aveva combinato poco. In seconda Petite Etoile, il favorito dell'Aga Khan. All'ultima curva Petite Etoile ha attaccato al largo, e ha fatto un canter.

Me ne sono andato di fretta, a evitare la ressa e, chissà, un incontro ormai vano.

Ho fatto un salto a una svendita di cachemire, che adocchiavo da un paio di giorni, a Knightsbridge. Era pieno di italiani e un romano, conosciuto tre anni prima a un party, mi invita a casa, a mangiare gli spaghetti con due ragazze.

La sua si chiama Amanda: è bellissima, dice.

Costa Azzurra 1950

Parte prima

Cannes

I

Il Carlton Lawn Tennis Club è situato di fianco all'Hotel Carlton, e ne è diviso da una stradetta dove si apre l'ingresso ai campi: rue Mérimée.

Non è facile, soprattutto durante il torneo internazionale, trovarci un parcheggio per una grossa Mercedes, e la manovra richiedeva tutto l'impegno di Siegfried von Bilden, lo stesso che giunse tre volte, prima della guerra, alla finale di Wimbledon. Il paraurti della sua automobile finì per appoggiarsi a quello di una Cadillac bianca, e indicando le racchette, i plaids, i panieri che ne sommergevano i sedili, Siegfried rivolse un'occhiata interrogativa all'amico che lo accompagnava, Jean.

«Neanche toccata», rispose Jean. E poi: «È la macchina di Barbara», spiegò. «Te la ricordi? La piccola americana col papà sempre vestito da yachtman, e Llewelyn, il maestro personale?»

Attento a non schiacciare una Fiat Cinquecento, Siegfried fece segno di no.

«Lo yachtman è morto tre anni fa», continuava Jean, «e Barbara ha una bella casetta dove invita le ragazzine più promettenti, a Cap Ferrat. No, è davvero appassionata», si affrettò ad aggiungere, a un'occhiata di Siegfried. «Appassionata e simpatica. Devi conoscerla.»

Scesero dalla macchina, e prima che il bigliettaio avesse il tempo di aggredirli, Tommy Burke corse ad accoglierli con vigorosissime strette di mano. Acceso dall'emozione e dal *rouge du pays*, il vecchio inglese non cessava di ripetere che non li aspettava più, che gli avevano fatto proprio un gran torto a non iscriversi al suo torneo: specialmente Siegfried, al suo rientro dopo la riammissione della Germania Ovest nella Federazione Internazionale di Lawn Tennis! «Così», si affannava Burke, «il torneo me lo vincerà quel maledetto di Rawley, giocando con una gamba sola. Ah, che finale avremmo potuto avere con lei, caro principe! E la gente che ci sarebbe venuta, fin da Parigi! Un americano contro un tedesco, per la prima volta, dalla guerra... Ah, pardon, cosa ho detto!»

Siegfried sorrideva gentilmente, senza quasi ascoltarlo: con crescente apprensione si rendeva conto di non conoscere nessuno tra i giocatori che occupavano i primi due campi o sedevano sulle panchine aspettando il turno di gara. E, certamente, quei ragazzi non sospettavano di trovarsi di fronte al maggior giocatore europeo di dieci anni prima... D'impulso, si diresse verso i tabelloni dei risultati, di fianco alla piccola club house, e con un'occhiata riassunse le vicende del singolare uomini. Erano in programma i quarti di finale. Rawley, testa di serie numero uno, aveva già passato il suo, giusto come Mitic, lo jugoslavo numero due. Il terzo favorito, Abdesselam, e il quarto, dovevano ancora conquistarsi l'ingresso in semifinale. Siegfried guardò l'orario, confrontò col tabellone.

La testa di serie numero quattro stava giusto giocando contro la cinque.

«Chi sono, Tommy?»

Burke sospirò:

«Luca e Roberto? Due piccoli italiani, due piantagrane. Li ho presi solo per le insistenze di Nelly e Hartman, che li avevano visti a San Remo e subito adottati, sicuri di vederli diventare chissà chi. Sa come fanno, quei vecchi fanatici. E adesso non gli va bene niente, e l'orario, e il raccattapalle, e la colazione...» Il povero Tommy fece una smorfia, aprì le braccia. «Però», gli parve onesto concludere, «per giocare giocano bene.»

Jean suggerì di non perdere un minuto, e tutti insieme si avviarono verso il campo chiamato Centrale per i due ranghi di poltroncine di vimini che lo circondavano.

Prima ancora di vedere i giocatori, Siegfried si trovò davanti a un gruppo di vecchi amici, riuniti al sole in un angolo dal quale lo sguardo abbracciava tutto il campo. Non fece in tempo a rallegrarsi, che il cuore gli si strinse: il barone Sturdza aveva perso tutti i capelli, e Nelly Strauss, la corrispondente della Associated Press, era incanutita. Ma peggio ancora fu rivedere Henri Cochet, quello che, già quarantenne, aveva costretto il giovane von Bilden a cinque set durissimi, e che adesso sembrava mascherato da tennista, in un paio di shorts troppo grandi. Siegfried se lo strinse contro, per nascondere il suo smarrimento: ma Cochet, resa la stretta, lo allontanò con le braccine nodose, lo guardò a lungo, scosse la testa, finché, con un'ultima e più decisa smorfia: «Ma tu non sei cambiato per niente, Siegfried», stabilì, suscitando un coro di approvazioni.

A interromperli, dalle poltrone sottostanti, giunse un deciso zittio. La ragazza che si era voltata portò una mano alla bocca. «Non mi ero accorta che foste voi», si scusò sottovoce. «Ma c'è già abbastanza tensione in campo...»

Jean, che approfittò dell'occasione per sederle accanto e presentarla a Siegfried come la Gertrude Stein del tennis, ebbe uno scappellotto, e Siegfried un bellissimo sorriso e un complimento a metà. «Mi ero innamorata di lei quando avevo le calze corte», disse. «Mi chiamo sempre Barbara, e questa è la mia amica Claudine, attualmente priva del cuore, che si trova in campo.»

La ragazza accanto a lei prese un'aria di compatimento, e restò fissa al gioco.

Solo allora, Siegfried vide i due ragazzi.

Il biondo stava per servire e il bruno era pronto a rispondere, piegato sulle ginocchia, aggrappato alla racchetta con una concentrazione rabbiosa, quasi disperata.

Dall'alto del seggiolone l'arbitro, proprio lui, il vecchio Hartman, aveva appena annunziato il punteggio. Luca conduceva per cinque a quattro, quindici pari, nella seconda partita, dopo aver vinto la prima.

Roberto batteva la palla per terra, attento a trovare il ritmo. La lanciò in alto, e mentre la racchetta mulinava velocissima, la camicia gli si tese sulla schiena inarcata, rivelando il disegno dei muscoli. Colpì piatto, seguì quel fulmine a rete e finì la stenta risposta con una volée secchissima, nell'angolo.

Stupefatto, Siegfried guardò Cochet. Il vecchio campione

rispose con una smorfia scettica e un gesto d'attesa: perché tanta fretta, nel giudicare?

Roberto serviva, questa volta da sinistra. Mise in rete una violentissima prima palla e, un istante prima di colpire la seconda si contrasse, trattenne il braccio, per paura del doppio fallo: venne attaccato sul rovescio, e non seppe far meglio che sparare fuori di tre metri un passante azzardato.

Siegfried sorrise, alla sconsideratezza di Roberto, al cipiglio di Luca, alla paura che i due cercavano di sfuggire osando troppo, incapaci di dominarsi. Sorrise, soprattutto, di sé. Dopo quel primo attacco sul servizio, quella volée folgorante, imprendibile, si era sentito perduto. Cosa avrebbe potuto opporre a un simile gioco? Al tennis brutale di quella gente giovane, nuova, diversa? Ora, nel vedere che Roberto tratteneva ancora il suo bel servizio e Luca non osava attaccarlo, Siegfried scoppiò a ridere. Scavalcò lo schienale della poltroncina di vimini, e andò a sedersi tra Jean e Barbara.

I ragazzi erano trenta pari: l'imminenza di una decisione, forse di un match ball, li aveva talmente terrorizzati da farli iniziare un lunghissimo scambio di palle tagliate che cadevano sempre più molli, vicino alla riga di metà campo. A ogni colpo di Luca, Claudine ripeteva tra i denti: «Attacca, attaccalo!» e finalmente, dopo una lunghissima attesa, Luca si decise ad aggredire la palla, la colpì con un diritto liftato che filò nell'angolo sinistro, imprendibile.

L'arbitro attese un istante di troppo ad annunciare il 30-40 che Roberto, le braccia alzate, già invocava a testimoni gli spettatori più vicini e addirittura il cielo. La palla era fuori, «due dita» andava ripetendo, addirittura urlava, in tre lingue. Quel giudizio incredibile lo costringeva a fronteggiare un match ball. «Un errore simile mi può costare la partita!»

Tanto protesa sulla transenna da rischiar di finire in campo, Claudine gridava a sua volta che il segno sulla riga era addirittura lampante, Barbara tentava invano di rimetterla seduta, e il gruppo dei tifosi di Roberto intonava coretti insoliti intorno a un court.

Mentre Roberto tentava invano di indurre il vecchio Hartman a scendere dal trespolo, Luca era rimasto a chiacchierare col raccattapalle, una ragazzina troppo ben vestita per non essere anche lei una tennista.

A un certo punto alzò una mano verso Roberto. «Hai finito?» domandò educatamente. Roberto gli rivolse uno sguardo incredulo, scosse la testa con aria di totale disgusto, e infine si accinse a servire, dopo una lunga occhiata circolare che pareva chiamare, ancora una volta, gli spettatori a testimoni dell'ingiustizia subita. Scaraventò la prima palla lontanissima dalle righe, ebbe un gesto d'ironia per il «No» dell'arbitro, ma poi, invece di gettar via anche la seconda, la colpì pianissimo. Luca ne seguì con aria incuriosita il rimbalzo, e si scostò senza colpirla mentre Hartman tardava ad annunziare la parità.

Incredulo, Roberto servì di nuovo, e di nuovo Luca si spostò senza giocare. Gli aveva regalato due punti consecutivi. Gli aveva restituito il vantaggio, quella palla per il 5 pari che Roberto riteneva sua, senza il minimo dubbio.

«Che imbecille!» commentò Claudine, e Barbara rincarò la dose: «E presuntuoso». Siegfried e Jean si guardarono e sorrisero.

Il match si era riacceso, e quel gioco decisivo, per quattro volte in equilibrio sulla parità, pareva non finir più. Luca non riuscì a ottenere un nuovo match ball, dovette cedere il game e si vide raggiunto, a cinque pari.

Per uno di quegli improvvisi ribaltamenti che sono il fascino del tennis, i ragazzi parvero allora liberati dall'angoscia. Roberto distese i suoi colpi in improvvise accelerazioni e Luca oppose a quella pressione contrattacchi improvvisi e un ritmo incostante: il servizio meno potente, il diretto meno sicuro, lo costrinsero a subire sempre più spesso, ad abbandonare l'iniziativa.

In svantaggio per cinque a sei, Luca riuscì a strappare la battuta all'avversario, con un net e una riga piuttosto fortunati ma poi, anche lottando alla morte, perse continuamente terreno, fino a cedere il set, otto-sei.

«Ecco, adesso sarà contento», esclamò Claudine alzandosi. «È riuscito a regalargli la partita, al suo amico Roberto. Basta, io me ne vado.»

«Tu stai qui, cara», le sorrise Barbara. «Non è affatto finito.»

«Barbara ha ragione», concordò Jean. «Quei due si conoscono troppo bene.»

I ragazzi stavano asciugandosi in una grande spugna giallina che portava le iniziali di Luca. Roberto bevve un sorso di tè, masticò una zolletta di zucchero, ne offrì un'altra all'amico.

Era sempre più sciolto, più sicuro, Roberto, e i suoi smashes, i suoi aces, strappavano l'applauso ai vecchi aficionados e a un gruppo di ragazzini che facevano corona a due bellezze vistose, addirittura frenetiche.

Sballottato dai cross, preso in contropiede, macchiato di rosso per una caduta, Luca non mollava, imprecava, senza mancar di riconoscere *bien joués* i punti più irresistibili di Roberto. Aveva perso il comando del gioco, il senso della partita, e si limitava a viverne gli episodi, reagendo d'istinto, di rabbia.

Sullo zero a due, spiazzato da un drop-shot, Luca si dannò a raggiungere una palla imprendibile, riuscì miracolosamente a frustarla, a tenerla giù lungo il corridoio, fino a sfiorare la riga.

«Out!» giudicò l'arbitro.

Luca lo guardò incredulo e, a Roberto: «Era buona?»

Roberto rimase un attimo indeciso. «Non l'ho vista bene, Luca. Facciamo due palle, se vuoi.»

Furibondo, Luca strappò le Dunlop dalle mani della raccattapalle, le servì deliberatamente fuori. Le riebbe, servì ancora fuori e, a testa bassa, si avviò a cambiare campo dalla parte opposta a quella dell'avversario, allibito.

«Più che dargli due palle...» si giustificò Roberto nel passare di fronte al gruppetto degli aficionados.

«Non potevo regalargliela, se non l'avevo vista...»

Nel silenzio, cadde la voce di Siegfried: «Pensi a giocare».

Roberto alzò gli occhi, sorpreso, prima di avviarsi a servire una dopo l'altra tre palle che Luca scaraventò contro la rete di protezione. Alla quarta, rimbalzata addirittura oltre il telone verde, un paio di fischi si alzarono dal gruppo dei ragazzini e, mentre Luca li guardava con provocazione, una voce suggerì: «Dàgli sei a zero, che impari!»

Fu lo stesso Roberto a disapprovarli, mentre Luca, per la rabbia, aveva quasi schiodato la riga di fondo, puntandoci il piede. Per quattro volte si catapultò a rete, con uno scatto incredibile dopo due ore di gioco e, vinto il game a zero, girò campo per ricuperarne altri due, punto su punto, e ritrovarsi in svantaggio di un solo servizio, tre a quattro.

Quegli attacchi all'arma bianca, carichi d'odio, scardinarono il bel gioco, sconvolsero la tattica di Roberto.

Alla prospettiva, sempre più probabile, di vedersi sfuggire un match che aveva creduto suo, la gola gli si chiuse e dovette farsi forza per formulare la più semplice delle frasi, chiedere a Barbara che gli portasse una bottiglietta di acqua minerale.

Nel passare, avvilito, davanti a von Bilden, gli parve d'intuire in quello sconosciuto una curiosa partecipazione alla sua sofferenza, alla sua paura. Appassionati, competenti che fossero, gli spettatori finivano sempre per distrarsi, o magari incrudelire. Quell'uomo no. Quello capiva. Ancora guardò Siegfried, e si sentì stranamente incoraggiato e insieme desideroso di mostrarsi all'altezza... Ma di che cosa? Di sé, di quanto sapeva fare.

Servì, deciso a non lasciarsi confondere dall'ostilità di Luca, dai suoi sguardi di disprezzo. Fece un enorme sforzo per non pensare, non sentire più niente. Non vedeva altro che la piccola palla bianca, e si accanì a tenerla in gioco, sentendo i colpi di Luca farsi via via nervosi, casuali.

«Si è contratto», pensò, «ha spinto troppo ed è stanco, più stanco di me. Devo tener duro questo game, non dargli angoli, non lasciargli l'iniziativa. Non devo aver paura a colpire, se ho paura alzo la palla e lui me la finisce.»

Ma Luca si era d'improvviso bloccato sulla linea di fondo, le guance accese, le labbra scolorite e semiaperte, quasi gli mancasse il cuore. Nell'impatto con la palla il suo polso cedeva, e i muscoli del braccio si tendevano, si irrigidivano per rinviare, alla meno peggio, molli rovesci che rimbalzavano cortissimi, non oltre la metà campo avversaria.

Roberto si avvide di quella debolezza e, al tempo stesso, ne fu contagiato. Incapace di infliggere due o tre schiaffi decisivi a quelle palline svuotate di forza, si avvilì a rimandarle, mentre, tra sé, incoraggiava Luca perché sbagliasse, e poi addirittura lo pregava, lo scongiurava. Quando ebbe sotterrato l'ultimo colpo, Roberto buttò la racchetta e gli corse incontro liberato, pieno di gratitudine, di voglia di abbracciarlo.

Luca aveva già teso la mano, ma per tenerlo distante. E mentre stringeva la sua, disse senza sorridere:

«Sei un bel ladro, Roberto».

II

Di tutte le auto parcheggiate in rue Mérimée non era rimasta che la Fiat Cinquecento.

Luca ne spinse indietro il sedile di guida e vi si abbandonò.

L'aria che entrava dalla capote aperta era molto dolce, odorosa di primavera, e gliene veniva un languore, una indifferenza per la sconfitta che si sforzava di combattere, ricordando l'incidente per la palla rubata, il comportamento di Roberto.

Più che l'insuccesso, era l'ipocrisia dell'amico, ad amareggiarlo: ma era possibile parlare ancora di amicizia, dopo quanto era avvenuto?

Sentendo nuovamente il disgusto che l'aveva indotto a buttare la partita, alzò gli occhi al cielo altissimo, rosa azzurro per il riflesso del tramonto sull'acqua. Lo splendore di quella luce lo distrasse, condusse i suoi pensieri al giardino della villa di Cap Ferrat, certo illuminato dagli stessi colori.

Indugiò a immaginarvi Claudine, forse rivolta come lui verso il mare, e ne rivide l'espressione partecipe, affettuosa, che la rapida partenza della Cadillac di Barbara gli aveva sottratta.

Dal finestrino aperto Claudine si era sporta fino a mezza vita, a gridargli:

«Non c'è solo il tennis!»

Era rimasta così, tutta protesa, ad agitare una mano, quasi volesse, nonché salutarlo, fermare la sua attenzione su quelle parole.

Claudine aveva certo ragione: non c'era solo il tennis, nella vita. Non doveva racchiudere la sua vita nel piccolo, rozzo simbolo di una partita di tennis, e sentirsi annientato per una sconfitta che non scalfiva certo il suo valore di uomo.

La comprensione, la stima che tutti avevano voluto partecipargli, dopo il match, dimostravano proprio il contrario.

Barbara poi, forse spinta da Claudine, era arrivata ad aspettarlo, fuori dallo spogliatoio, per dirgli che era stato troppo signore, e troppo sfortunato. Qualità, aveva aggiunto, forse disadatte a vincere, ma ideali per essere suo ospite, alla villa, come e quando avesse voluto. Perché, anzi, se non era troppo stanco, non si faceva vivo subito, quella sera stessa?

Il piacere dell'invito era contraddetto dalla presenza di Roberto. Ma cosa obiettarle quando, nell'andarsene, come si trattasse di un particolare, «Porta anche Roberto», gli aveva sorriso Barbara.

Alla frase di lei – adesso, lo capiva – aveva reagito fuori tempo, nell'istante in cui Siegfried proponeva di allenarsi in doppio, naturalmente con Roberto.

«Con Roberto, in doppio, ho chiuso», aveva risposto, a denti stretti.

«Lei fa tutti gli errori che facevo io, alla sua età.»

Quella loro somiglianza – aveva aggiunto bonario – gli avrebbe alienato i favori dell'entourage, non appena avesse cominciato a vincere. Non che si giocasse per la gente, per gli altri: al contrario! Ma era pericoloso eleggersi protagonisti e insieme registi dello spettacolo, decidere di vincere o perdere un match, e addirittura nel modo ritenuto più elegante.

«Per finire di annoiarla, col rischio di rendermi magari antipatico», aveva concluso il principe, «le dirò che il suo amico Roberto è stato forse meno chic, ma certo più tennista di lei. Abbia pazienza, Luca. E non si faccia aspettare, per il doppio di domani. Al Tennis Club Gallia, alle due. Insieme a Roberto.»

Sembrava proprio – sbuffò Luca – che tutti li considerassero indivisibili, come i fratelli siamesi. E in fondo, a pensarci meglio, qualche fondamento di questa convinzione si sarebbe potuto trovarlo: non erano tutti e due italiani, di diciannove anni, classificati addirittura allo stesso posto, quattordicesimi ex aequo della prima categoria? Ma, per stare al gioco, quello sciocco avrebbe dovuto capirlo che c'erano obblighi insieme ai diritti, e che bisognava comportarsi di conseguenza, e non come un superuomo, uno al quale tutto è dovuto... Arrivava, finalmente, in ritardo di un buon quarto d'ora, impegnato a incipriarsi col suo borotalco, dopo che già gli aveva consumato tutto lo shampoo. Veniva avanti con la sua aria di nato stanco, Sheila che gli reggeva le racchette da una parte, un raccattapalle con la borsa dall'altra, occupatissimo a carezzare le pieghe del suo più bel golf, un autentico cachemire che aveva commesso l'errore di prestargli.

Lo fissò con l'intenzione di metterlo a disagio, e fu sicuro di esserci riuscito quando lo vide scherzare improvvisamente con Sheila. Roberto si bloccò a due passi dalla macchina, sostenne il suo sguardo ironico. Sorrise debolmente.

«Posso ancora salire?» disse.

«E perché no?»

«Sai: un ladro.»

Luca aprì lo sportello e prese dalle mani di Sheila le sei racchette che Roberto si trascinava sempre dietro, sebbene tre soltanto fossero in buono stato. In francese, Sheila gli comunicò che c'erano anche le sue scarpe, dimenticate e ritrovate da Roberto. Si vide costretto a ringraziare, e Roberto, pronto, s'informò: poteva ritenersi perdonato?

«Non è questione», cominciò Luca, attento che Sheila trovasse posto tra le racchette e le sacche. Non era questione di perdono, continuò prendendo verso la Croisette. Il problema vero riguardava non soltanto la loro amicizia, ma la coscienza di Roberto. «Io, in buona fede, ti ho reso un punto importantissimo. Tu non hai voluto fare lo stesso.»

Per tutta risposta, Roberto osservò che la strada di casa era la prima a sinistra.

Luca lo guardò esterrefatto: «Non hai sentito?»

Certo, che l'aveva sentito. Ma cosa poteva rispondergli? Quella palla non l'aveva vista. Doveva ammettere che fosse buona? Era possibile, possibilissimo. Non gli aveva forse offerto di rigiocarla? E allora, che altro poteva aggiungere. Che gli aveva rubato un punto? «Se ne sei proprio sicuro, se ti può consolare, lo posso dire, anche di fronte a Sheila. Ho rubato il match.»

Luca scosse la testa.

Sheila aveva cominciato con Roberto una lunga conversazione in inglese e Luca capì soltanto che si trattava della palla contestata. Li interruppe, pregandoli di lasciar perdere, di non parlarne più.

Roberto volle avere l'ultima parola, e osservò che per lui tutta quella storia non sarebbe neppure cominciata.

Bruscamente, Luca frenò davanti alla casa dov'erano andati ad abitare. L'aveva scoperta lui stesso, leggendo gli annunci economici, dopo che Burke gli aveva proposto un'alternativa: camera e prima colazione al Carlton, oppure pranzo e cena gratis, ma niente alloggio.

Roberto si era adattato contro voglia allo squallido casone operaio, dove avevano una stanza per mille franchi la settimana. Lo chiamava ironicamente il Castello Sforzesco, e non si divertiva quando Luca, al tennis, raccontava disinvolto aneddoti sui vicini.

«Eccoci al castello.»

«Pensa alla lapide che ci metteranno. "Dietro a queste mura soggiornò il fortunato vincitore di Luca il Grande." Non hai proprio senso storico, Robertino.»

Sheila si era già avviata, trascinandosi le due sacche.

«Lasciagliele portare», decise Roberto. «Se vogliamo fare la parte dei ricchi che snobbano il Carlton mettiamoci anche un minimo di stravaganza.»

Sheila si arrampicava su per le scale strette, facendo i gradini a due a due, con le lunghe gambe che le uscivano dai bermuda. Dagli antri aperti sui ballatoi qualche faccia olivastra di nordafricano si affacciava a guardarla, a guardare i due ragazzi fasciati dai morbidi maglioni bianchi bordati di celeste e di blu, i colori del Tennis Milano.

Al terzo piano, davanti a una porta con il cartoncino «Luca & Roberto, World Champions», la ragazza lasciò le sacche e ci si sedette sopra sbuffando. Stesse attenta alle pieghe, la minacciò ridendo Luca.

Quella sera stessa – promise Sheila –, avrebbe lavato e

stirato camicie e shorts: per la semifinale del doppio i suoi uomini sarebbero stati i più eleganti!

Intenerito, Luca offrì di aiutarla, ma Roberto si oppose: sapeva benissimo che avevano un impegno con le sorelle Olivier.

Le due frenetiche, che avevano fatto un tifo indegno? – s'informò Luca. Ci andasse pure da solo, il loro campione!

Roberto spiegò che la più giovane era soltanto gelosa di Claudine: l'avrebbe visto, se non era una sua ammiratrice! Luca si fece ancora pregare. Infine ammise di aver espresso, durante una delle loro chiacchierate notturne, un giudizio favorevole su certe qualità delle Olivier. Ma che fare di Sheila?

Le proposero di mangiare al posto loro, con un doppio tagliando gratuito, al Marysol. Sheila si dichiarò affamatissima, contentissima di accettare.

III

A un tavolo della Chaumière, le sorelle Olivier bevevano Martini, e avevano riempito i bicchieri vuoti di noccioli d'oliva e mozziconi di sigaretta.

Mentre Roberto si scusava per il ritardo, Luca osservò quei segni di disinvoltura con fastidio che la prima frase di Julie trasformò in irritazione.

«Questa volta, valeva la pena di aspettare. Anche se vi stanno divinamente, non potevate mica venire in shorts.»

Lo sguardo fisso agli occhi lucidi di Julie, Roberto rideva. Ordinò altri Martini, e denunziò Luca come un maledetto proibizionista, uno che tentava di opporsi alla sua passione per i cocktail.

«Fossero solo i cocktail!» Tutti i piaceri della vita, osservò Julie, sembravano vietati, e non solo agli sportivi, ma anche alle povere ragazze. Perché non accordarsi tra loro, in segreto, e tirare una bella riga sopra i vecchi precetti?

Roberto brindò alla proposta, e Luca si rivolse ad Annette, la sorella minore. Lei si limitava a guardarlo, sbarrando gli occhi sotto il trucco eccessivo: lo ascoltava con aria rapita, e, improvvisamente, rideva, buttando indietro la testa e scuotendo i lunghissimi capelli.

Finito un secondo giro di Martini, Julie propose un ristorante vicino a Cap d'Antibes. A Cannes non ci voleva niente, a perdere la reputazione, e poi quel posto era un sogno, a picco sul mare, isolato. C'era una collezione fantastica di blues, e una piccola pista molto buia.

Luca dichiarò di non saper ballare, Roberto lo smentì: «Solo se non ha bevuto». Annette si fece finalmente sentire: «Ti muovi come Gene Kelly, sul campo».

Impossessatosi della Citroën, Roberto cominciò a far

sfoggio, su per la Corniche, delle sue qualità di pilota: le due incoscienti lo incitavano con urla selvagge, fastidiosissime per Luca.

La leggera nausea di quella gimkana aumentò a tavola, di fronte a una bouillabaisse scadente.

Roberto sembrava trovare tutto di suo gusto, e presto si trovò a comporre elenchi di parolacce italiane, che le sorelle ripetevano, a voce troppo alta.

Eccitata dal gioco, Julie ne iniziò presto un altro, sotto il tavolo. Roberto si fece tutto rosso, Luca scarlatto, per le occhiate dei camerieri e dei clienti.

Con il dessert domandò il conto, e Julie glielo strappò di mano e insistette a pagare, in onore del suo campione: «Zitto, tu che hai perso», intimò.

Cercava di discutere, di farle accettare almeno metà della somma, che quella già si era alzata, e lo trascinava fuori, il suo campione, verso il mare: «Un tuffo gelato scalda meglio il cuore».

Sembrava tanto divertita, Annette, che Luca abbandonò ogni tentativo di deplorazione.

«Sa almeno nuotare, tua sorella?» indagò.

«Va sotto con Cousteau, dall'estate scorsa.»

Non ribatté. Una mano stretta a quella di lei, affrontò il sentiero verso le rocce.

Gridava, alternandoli, i nomi di Julie e Roberto, ma gli rispose soltanto, dopo i primi tentativi, una risatina di Annette.

Rallentò via via l'intensità e la frequenza dei richiami, finché tacque, immobile, a pochi metri da un precipizio che sembrava ingoiare il sentiero.

«Non saranno finiti lì dentro?» si volse a sussurrare.

Annette aveva teso un braccio: «Non c'è pericolo, guarda».

In uno spiazzo d'erba, tra i pini, giacevano Roberto e Julie, ben vivi.

Luca ne distolse gli occhi, e poiché Annette sembrava ipnotizzata, la incitò bruscamente: «Su, torniamo».

«Torniamo dove? Non è lo stesso, qui?»

Le sedette a fianco, tentò invano qualche frase, strappò un filo d'erba, ci soffiò dentro. «Ma cos'hai da guardarmi in quel modo?» sbottò alla fine.

«Perché sei il mio tipo di uomo, bello e romantico.»

Gli stava tanto addosso che non poté fare a meno di baciarla. Scivolarono per terra e vi rimasero finché Luca credette necessario affrontare i ganci della sottana. Non riuscì a venirne a capo e si rialzò, le carezzò una guancia. «Non è la sera giusta.»

«Cos'è che non va?» Annette lo fissava sbalordita. «Sono io che non ti piaccio?»

«Ma no, sei molto carina, bella, anzi. Non si tratta di questo...»

Ispirato, cominciò a raccontarle di Claudine. Si conoscevano da tempo, giravano il mondo, sempre insieme, sui campi, negli alberghi: una autentica vita more uxorio. Disse proprio così, ma ad Annette non fece nessuna impressione.

«Ma allora», si lamentò, «o ha raccontato una storia il tuo amico, che volevate uscire in quattro, o era inutile che mi facessi la corte, che venissi fin qui.»

Cominciò a piangere, e non ci fu verso di consolarla.

«Chissà per chi mi hai presa, se mi tratti così», ripeteva.

Stava ancora singhiozzando, quando arrivarono gli altri. Senza chiedere spiegazioni Julie s'infuriò. Strinse la sorellina sottobraccio e si avviò parlandole fitto e voltandosi di tanto in tanto, a fulminare Luca.

Il viaggio di ritorno fu spiacevole. Nemmeno col suo repertorio di barzellette Roberto riuscì a sgelare le Olivier. L'una fianco all'altra, irrigidite, non aprivano più bocca, e, appena a Cannes, li sbarcarono in fretta.

Soltanto allora, sporgendosi dal finestrino, Julie si rivolse a Roberto e lo attirò verso di sé quel tanto che bastava a baciarlo.

* * *

«Ma non le ho fatto niente di niente! Proprio perché non le ho fatto niente si è offesa, quella scema.»

Erano sceme e vacche, tutte e due, ribadì Luca, strappandosi di dosso i calzoni, e facendoli volare per la stanza.

Dal letto, una sigaretta tra le labbra, Roberto lo osservava.

«Per me mi vanno benissimo, così come sono», ridacchiò. E, a una sua nuova sfuriata: «La tua Claudine, come cervello, non mi sembra Einstein. E, per il resto...»

«Per il resto cosa?!» Luca non lo lasciò finire. «Il nome di Claudine, insieme a quelle là, non ti permetto di farlo.» Claudine, continuò, era diversa, lontanissima, un'altra mentalità, la sensibilità di una bambina.

«Perché, caro Roberto», terminò di insegnare, «non c'è mica sempre da andare a letto, non c'è solo quello, nella vita.»

«Ah, no, d'accordo. Ci sono addirittura delle sette mistiche, in India, che suggeriscono la masturbazione, per la pace dell'anima.»

Luca strinse i pugni e si fece avanti, ma i gesti osceni di Roberto, spinto al fou rire dalla sua stessa battuta, lo scoraggiarono.

«Se sei proprio ubriaco è inutile, con te. Farmi anche sfottere, dopo tutto quello che ho mandato giù, oggi...»

Spense la luce e s'infilò sotto le coperte.

Stava contando la centoventunesima pecora che Roberto, in tono conciliante, s'informò: «Non dormi?»

Gli rispose un «No» burbero, ma non proprio reciso, che l'incoraggiò a confessare:

«Mi dispiace, per quello che è successo».

«Anche a me».

«Ero in buona fede, Luca. Almeno a questo devi credere».

«Ci credo».

«Davvero?»

«Se me lo dici».

«Te lo giuro, Luca. Guarda, a mente fredda preferirei aver perso».

Seguì un breve silenzio. Fu Luca, ancor più accorato, a riprendere. Solo da amici, solo volendosi bene, sacrificandosi l'uno per l'altro, ce l'avrebbero fatta: e ben prima che in singolare! Cucelli e Del Bello giocavano ancora splendidamente, d'accordo: ma erano vecchi, ormai sui trent'anni... Se Roberto si fosse deciso a capirlo, se non si fosse più scatenato dietro la prima che passava: se davvero avesse voluto... La Coppa Davis, ecco dove potevano arrivare in poco tempo! «Cosa credi», continuava. «Credi che non piaccia anche a me andare fuori la sera con una ragazza? Ma non si può farlo sempre, bisogna sapersi tenere, sacrificare. Non si possono avere due cose alla volta. Il gioco è troppo importante, troppo bello: pretende rispetto. Capisci adesso perché, Claudine a parte, non ho fatto come te, stasera? Lo capisci?»

Un respiro sempre più calmo gli rivelò che Roberto dormiva. Allora, con un sospiro, si distese bocconi e cercò di imitarlo.

IV

Palleggiavano, in quattro, Luca e Jean di fronte a Siegfried e Roberto. Era stato il principe, a decidere di rimescolare le carte, di cambiare formazioni. «Un po' di novità non può che giovare, soprattutto a un vecchio ménage come il nostro», aveva buttato a Jean, ridendo. Per qualche minuto, Luca non si rese conto di quanto avveniva, fisso a ricordare il viso di Claudine, l'espressione di Barbara... Sì, certo, Claudine era molto sensibile: ma piangere a quel modo, in pubblico! Non si era nemmeno fermata, incontrandoli sulla porta del Gallia, a un richiamo di Roberto.

Aveva tirato su col naso ed era scappata via. Era rimasto interdetto, e ancora più sorpreso nel vedere Barbara tutta sorridente insieme a quelle due virago delle direttrici.

Come spiegare il suo atteggiamento naturalissimo, la sua conversazione spiritosa, mentre Claudine, rannicchiata nella Cadillac, si teneva le mani sugli occhi?

Proprio la disinvoltura di Barbara, e una intensa, fulminea consapevolezza del suo fascino, l'avevano trattenuto: per un istante dubbioso, addirittura, che Claudine stesse fingendo.

Ma perché fingere? E che cosa, poi?

Pian piano, l'assurdità di quella situazione, e la necessità di fissare la palla, lo ricondusse al gioco. Solo allora si accorse di aver potuto distrarsi grazie al tennis di Siegfried, tanto geometrico da metter ordine perfino nei suoi colpi ineguali. Gli occhi del principe non abbandonavano un attimo la palla, che colpiva con violenza e dolcezza insieme. Era il piazzamento delle gambe, il senso della posizione rispetto alla palla e ai limiti del campo, la presa di racchetta adeguata alla muscolatura del polso e, in più, qualcosa di unico, di innato, a consentirgli quel gioco ideale, ma pericoloso, addirittura proibitivo, per chi si fosse azzardato a imitarlo.

Provò a cambiare il ritmo, l'effetto della palla, ma Siegfried era sempre in posizione e i suoi colpi non si accorciavano. «Era forse», si domandò Luca, «quel che si chiama un muro, uno che rimanda tutto con precisione inumana?» Fece, per prova, una smorzata, e Siegfried scattò, leggero, per nulla impedito da quei calzoni lunghi che, addosso a un altro, sarebbero parsi antiquati. Scattò, arrivò sulla palla, la rigiocò gentilmente sul diritto di Luca, e iniziò a colpire delle volées perfette, a braccio teso, dapprima uniformemente morbide ma, alla fine, violente.

Siegfried non si scusava, come fanno molti, a ogni colpo vincente: profittava dell'avversario per allenarsi quanto meglio poteva, senza inutili cortesie. Quando si mise a servire, continuò per cinque minuti buoni e, alla fine: «Siete pronti?» domandò.

Con due dita, delicatamente, impresse alla racchetta capovolta la rotazione di una trottola, per poi annunziare che gli era toccata la scelta del servizio.

«Ci giochiamo il tè al Carlton?» lo provocò Luca.

«E anche i dolci, spero!» fu pronto a rispondergli Siegfried.

I suoi primi, splendidi colpi, lasciarono pochi punti a Jean e Luca, superati in velocità. Luca, allora, decise di rischiare al massimo, ebbe fortuna, e riequilibrò il punteggio.

Roberto si credette subito in dovere di imitare l'amico, e Siegfried, che non aveva mai aperto bocca se non per lodare gli avversari, lo ammonì. «Gioca incrociato. E controlla la palla, accompagnala.»

«Non l'ho mai fatto, è Luca che gioca così: io picchio.»

«Una ragione in più per cambiare, almeno in allenamento», stabilì Siegfried.

Con la preoccupazione di quella nuova tattica, Roberto divenne falloso. Siegfried lo lasciò pasticciare, poi si spinse a suggerirgli una presa meno chiusa, per il diritto.

Tutti quei consigli, quei cambiamenti – ragionò Luca – potevano diventare pericolosi, alla vigilia della semifinale con gli iugoslavi. A un ultimo, clamoroso errore di Roberto, si decise a comunicare a Siegfried le sue preoccupazioni.

Siegfried rispose che non considerava probabile una fulminea involuzione tecnica.

«Il vero guaio per voi», commentò, «è l'emotività. Credete di liberarvene lasciandovi trascinare e peggiorate la situazione. L'unica scelta tattica, soprattutto per lei, Luca, è controllare di più i colpi, picchiare solo sulla palla sicura. Altrimenti», concluse ridendo, «sarete sempre esposti ai rischi delle passioni.»

Senza commenti, Luca ritornò al suo gioco. Roberto, dall'altra parte, continuò a seguire i consigli del principe e ad accumulare sbagli. «Va benissimo così, non importa», trovò modo di sorridergli Siegfried quando ebbe sciupata l'ultima palla. «Mi assumo io tutte le responsabilità. Anche quella dei pasticcini.»

*   *   *

Con i cucchiaini d'argento a far da righe, e le zollette di zucchero a rappresentare i giocatori, Siegfried aveva tracciato un immaginario campo da tennis, e discuteva di tattiche, di doppi, senza convincere Luca.

Jean gli nascose i cucchiai, sobillò Sheila e Roberto a mangiare lo zucchero, e lo stratega dovette arrendersi, e si associò a un gioco di supposizioni sull'identità dei clienti del Carlton.

Il barman venne più volte convocato, a far da giudice, e Roberto manifestò il suo divertimento per l'intimità con Jean.

«Ma allora, si può diventare campioni anche con qualche Martini!»

In un nuovo sport di Tennis-Martini, confermò Siegfried, Jean sarebbe riuscito imbattibile, e Jean ammise che il barman era da cent'anni uno dei suoi più generosi creditori.

«La nostra vera, grande amicizia, inizia però con lo sbarco alleato.»

Forse guidato da un sesto senso, raccontò come avesse preso terra proprio di fronte al Carlton e, per non correre rischi di nessun genere, si fosse affrettato a mettere al riparo i suoi algerini.

Con circospezione, pistola alla mano, aveva raggiunto l'albergo, era scivolato dentro l'unica porta non sbarrata: pallido ma impeccabile nella sua giacca bianca, il barman stava diritto dietro il banco, pronto a servirlo.

«Non ho mai capito», concluse, «perché abbiano assegnato a me la sua medaglia.»

Tutti ridevano, e Sheila saltò su: «E i nazisti?»

Per una volta, Jean non trovò la battuta. Fu Siegfried, a rispondere.

«Qualche tedesco, forse, non lo era. E rispettava le consuetudini civili, come i bar e i Martini.»

«Peccato che mio padre non fosse al corrente», osservò Luca. «Avrebbe potuto evitare Buchenwald.»

«Spero che sia tornato», riuscì a dire Siegfried. E, al cenno affermativo di Luca: «Ne sono contento per tutti».

Jean chiamò il cameriere, pagò.

Ancora a disagio, si separarono, davanti alla Mercedes.

Luca decise che avrebbe fatto due passi, insieme a Sheila. Incoraggiato dal principe, Roberto si mise al volante.

V

«Ti metti mica lo smoking, Luca?»

«Tu come ci vai? Vestito da autista?»

Roberto terminò di annodarsi la cravatta, poi gli si rivolse con severità. Sarebbe stato meglio finirla con quelle ironie a buon mercato sui prussiani. Aver avuto un nonno garibaldino, addirittura ricordato dal d'Azeglio, non autorizzava ad aggredire in quel modo chiunque parlasse tedesco.

«Guarda che non ti permetto», si ribellò Luca.

«Già tu non permetti. Da un po' di tempo usi il diritto di veto, come all'ONU. Cos'è questa novità? E saresti tu, tra noi due, il democratico? Perché non basta, sai, il papà a Buchenwald, per prendere la patente di democratico.»

«D'accordo. Ma dov'era, il tuo, intanto?»

Luca ribadiva una sua convinzione: non opporsi ai fascisti significava collaborare. Ma questa volta il problema era un altro. Erano i tedeschi, e Siegfried. L'aveva fatta, Siegfried, la guerra? Oppure era stato in campo di concentramento? O si era rifugiato in Svizzera come Hesse, in America come Mann? Si interruppe, non ricordando altri esempi.

«Non lo so e non mi interessa. Comunque non è di sicuro uno di quelli delle camere a gas, lo vedi da te. Titolo a parte, salta subito fuori la classe dell'uomo, del campione.»

«Per me resta tedesco.»

Con un calcio, Roberto, fece volare una pantofola.

«D'accordo è tedesco», gridò. «E allora, cosa dovremmo fare? Chiuderlo in un campo da tennis recinto da filo spinato, e costringerlo a giocare solo lì, con gli altri tedeschi?»

Per capire che uomo fosse Siegfried, avrebbe dovuto sentirlo, cos'era stato capace di dire, in quella stessa camera. Certo che l'aveva invitato, ribatté a un suo sorriso.

«Non solo l'ho invitato, ma mi sono anche scusato per il tuo comportamento.»

Luca non lo lasciò continuare. Non aveva nessun diritto – stabilì – di far delle dichiarazioni al posto suo: tanto più quando, a scusarsi, non avrebbe dovuto esser lui. Di dubbio gusto gli pareva, anche, averlo fatto salire in casa, dopo il battibecco del Carlton. «Comunque», concluse, «cos'ha detto, di tanto interessante?»

«È arrivato a offrirci il suo aiuto per l'invito a Montecarlo», sbottò Roberto. «E non solo. Ha anche fatto capire che ci siamo, ti sei fatto imbrogliare dal tuo amato Burke. Ci avesse già conosciuti, Siegfried, non staremmo qui, a litigare, ma in una bella stanza del Carlton, con tanto più spazio!»

A bocca aperta, Luca lo fissava.

«Ma scusa, Roberto. Perché?»

«Perché, cosa?»

«Perché tutto questo interessamento, tutte queste cortesie? Cos'è: Papà Natale?»

«Sei talmente egoista», s'infuriò Roberto, «che non arrivi neanche a concepirla, la generosità!» Perché mai Siegfried non avrebbe dovuto aiutarli? Li aveva presi in simpatia, si divertiva a giocare con loro, a stare con loro. «Tanto che», concluse soddisfatto, «questa sera vengono da Barbara, lui e Jean.»

«E allora, non ci vengo più io.»

VI

Primule e violacciocche. Ne avevano fatto un gran mazzo,
strappandole al giardino di una villa disabitata, e se ne vanta-
rono, nell'offrirlo.

Barbara ringraziò sorridendo, si allontanò per cercare un
vaso.

Con la cravatta di Luca, che era servita a legare i fiori,
Claudine annodò i capelli e rimase tutta trasognata a guardar
fuori dai vetri.

Luca le andò vicino:

«Cos'hai, cara?»

«Niente. Voglio star sola».

Ritornò verso gli invitati stretti intorno a Jean, che aveva
terremotato le collezioni di una rivista di tennis e ne sfogliava
le pagine per commentare le foto degli incontri, dei giocatori.
A sentirlo raccontare, pareva che nessun segreto dei protagonisti, anche il più intimo, gli fosse ignoto.

Affascinato da quelle storie di campioni che scendevano
in campo da un letto per tornare subito a coricarsi, Roberto
osservò che, a quei tempi, ci si doveva divertire di più. Luca
non lo lasciò finire.

«Ma in quel modo, non era sport!»

«E adesso?» ribatté Siegfried. «Adesso diventerà profes-
sionismo, e quindi lavoro. Si giocherà soltanto per guadagnare
dei soldi.»

«Se uno non nasce ricco, non vedo cos'altro possa fare.»

«Ci sono sport più adatti ai poveri.»

Furono interrotti dagli altri che volevano sentire Jean.

Aveva pescato dal portagiornali una copia del Nice
Matin.

«Abbiamo anche i campioni del presente che già stanno

passando alla storia», annunziò. «Li riconoscete? Dietro a loro, in secondo piano, agli osservatori meno attenti sfuggirebbe un personaggio che ha invece moltissima importanza. Una ragazza sui sedici anni, inglese, di nome Sheila. Supponete che, un giorno, Sheila mi confidi i suoi segreti. Mi racconti come i due giovani campioni sono diventati amici. Quali siano i suoi rapporti con loro. Vedete che gli aneddoti che vi ho raccontato, e che avete accolto con poca fede, diventano attendibili.»

«E se Sheila tacesse?» domandò Roberto.

«Potrei sempre avere la storia da un'altra parte. Dalla tua, magari un po' parziale, verrebbe fuori di certo.»

«Vorremmo saperla, questa storia», fece Barbara. «Allora, chi è innamorato di questa Sheila? O di chi è innamorata lei? Si accettano puntate, io sono il bookmaker.»

Luca si alzò. «Non mi sembra divertente, soprattutto perché Sheila non è qui. E poi», aggiunse in tono più fatuo, «l'ha detto anche Siegfried, che adesso è diverso. Io amo il gioco, Sheila ama il gioco, Roberto ama il gioco.»

«E se io amassi Sheila?» sorrise Roberto.

«Il bookmaker», disse Barbara, «dà a cinque Luca innamorato di Sheila.»

«No, per favore, smettiamola», pregò Luca. «Vi giuro che non sono innamorato di Sheila.»

«Ma di chi, allora?» insistette Barbara.

Luca sbuffò, alzò le mani e scappò in giardino, mentre tutti ridevano.

Sdraiata su un dondolo, Claudine giocherellava con la sua cravatta. Le sedette vicino, e vide con disappunto che era riuscita a scucirla.

«Allora, perché non l'hai detto?» lo attaccò lei.

«Detto cosa?»

«Ho sentito, sai? C'è la finestra aperta.»

Luca alzò le spalle.

«Devono pur passare il tempo.»

«Sei innamorato davvero di quella Sheila?»

Si vide costretto a raccontarle l'incontro con Sheila, a San Remo. Era stata invitata chissà come, ma non era riuscita a ottenere un soldo per Cannes. Così, lui e Roberto l'avevano portata in Cinquecento, e quando erano andati ad abitare al castello, non se l'erano sentita di abbandonarla. Sheila giocava alla direttrice di casa, teneva in ordine la biancheria, rifaceva i letti.

«Soprattutto il tuo.»

E Claudine riprese a lamentarsi, a ripetere che Luca mentiva, e lei non credeva una parola di tutte quelle storie. Non era possibile tenersi in casa una ragazzina tanto carina, con quegli occhi da furba, per pura bontà. Nessuno dava niente per niente, in questo mondo malvagio. Strinse le labbra e, prima di scoppiare in lacrime: «Luca, sono disperata, voglio morire!»

Luca la attirò a sé, cominciò a passarle lentamente la mano sui capelli.

Con la semplicità e la pazienza di chi racconti una fiaba a una bambina, ripeté tutta la storia di Sheila, e, alla fine, si dichiarò disposto a giurarle che non mentiva. Oppure – si spinse a concederle – se proprio non si fidava più di lui, perché non domandare a Roberto? Non aveva che da raggiungerlo, in sala, a pochi metri, per ascoltare le stesse risposte, la stessa, identica storia.

Finalmente, Claudine cessò di piangere e, tirando su col naso, gli disse che gli credeva.

Luca fu prontissimo ad abbandonare il suo ruolo di consolatore, per assumere quello di detective: «Ti sembra logico», indagò «disperarti in questo modo, addirittura voler morire, solo perché ti viene in mente che Sheila mi piaccia?»

«Sono fatta così, è più forte di me», tornò a piagnucolare Claudine.

Ma Luca non si accontentava, ripeteva che una gelosia immaginaria non basta a giustificare tanta angoscia.

«C'è sotto qualcos'altro», affermò. «Se hai davvero fiducia in me, se mi vuoi bene, devi dirmelo.»

Claudine scuoteva la testa, muta, e si sarebbe forse rimessa a piangere, se un rumore di freni non l'avesse fatta balzare in piedi, trasformata.

«Eva e Ulla», gridò. «Hai sentito la macchina? Sono Eva e Ulla che arrivano!»

Rientrò in casa e di corsa attraversò la sala ripetendo: «Eva e Ulla arrivano!»

Tutti le si precipitarono dietro.

Furono abbagliati dai fari di una grossa auto che si rivelò per la Cadillac di Barbara. Ne scese Rawley, piuttosto sorpreso dell'accoglienza.

Piano, ma non tanto che Luca non sentisse: «Sei stanca, cara. Perché non vai a riposare?» suggerì Barbara a Claudine.

Quando furono rientrati in sala, Rawley rifiutò un whisky: ne aveva già bevuti due – spiegò – e non voleva concedere un vantaggio eccessivo al suo prossimo avversario. Perché, anzi, Roberto non pensava ad annullare l'handicap, da buon sportivo?

Roberto si versò uno scotch e lo sollevò verso Rawley per brindare al loro incontro. Ma fu Siegfried a vuotare d'un colpo il bicchiere, dopo averglielo tolto di mano. Come si poteva – domandò – approfittare di un avversario tanto inesperto?

Rawley lo guardava, con i suoi begli occhi ironici. «Io? Io non ci penso proprio», sorrise. «Buòna notte a tutti, signori.»

Barbara si alzò, contrariata, mentre gli invitati decidevano di aver fatto troppo tardi. Roberto, Luca e Siegfried seguirono invece Jean a vedere il mare. Dalla balaustrata ammirarono i riflessi delle luci di Villefranche sull'acqua calmissima, finché Jean non scoprì, dietro il muretto della darsena, un barchino. Roberto propose una remata, discese nel barchino con Jean e ancora una volta Luca fu preceduto da Siegfried nell'opporsi al progetto. I due, però, erano già ai remi, e Siegfried, all'ultimo istante, saltò a bordo facendoli quasi rovesciare.

Luca si allungò sul dondolo. Forzò gli occhi nel buio, finché non li vide più, e si allontanò e tacque anche la voce del timoniere, Siegfried.

Solo allora si accorse che Barbara lo fissava, e balzò in piedi, trovandosela quasi addosso.

«Perché non vai da Claudine?»

Senza rispondere, camminò verso la casa, si fermò incerto a metà corridoio. Da una porta socchiusa filtrava la luce: «Claudine?» tentò.

«Luca, vieni!»

Abbandonata sui cuscini, nel mezzo di un lettone coperto di fumetti, la bella gli sorrideva.

Un ringhio improvviso lo immobilizzò, e spinse Claudine al fou rire: era certo l'unico al mondo, ad aver paura di Satchmo!

Il cocker cercava di indietreggiare, per quanto gli permetteva un guinzaglio cortissimo, legato al piede del letto.

Luca insistette: davvero non mordeva, quella belva?

Claudine lo abbracciò, lo fece piegare su di lei. «Non sono più infelice», cominciò a ripetere, arruffandogli i capelli. Addirittura felice sarebbe stata se lui avesse giurato di nuovo che non c'era niente con Sheila. Lo giurava? Per renderla felicissima avrebbe però dovuto invitarla a cena la sera dopo. Perché anzi non correva subito da Barbara, a chiedere il permesso?

Luca s'impuntò. Quale permesso? Non era maggiorenne, Claudine? E allora, perché s'intrometteva, Barbara?

Claudine scosse la testa, lo baciò ancora. Sarebbe stato saggio? Avrebbe domandato a Barbara?

Luca accennò di sì.

VII

« Mi hai rovinato, Sheila, sono le undici! In campo devo essere, non a letto! »

La scenata cessò di colpo, quando, aperta la finestra, Roberto si accorse che pioveva. Allora tornò ad avvolgersi nelle lenzuola, e si riaddormentò subito.

Luca continuava a radersi. Quando fu pronto, scrollò invano Roberto e finì per lasciargli le chiavi della macchina sul comodino.

A piedi si avviò verso il tennis. Le strade erano semideserte e il club sembrava addirittura abbandonato, con i campi ridotti a pozzanghere rossastre.

Si avvicinò al tabellone sul quale le gocce avevano diluito l'inchiostro, macchiato i nomi dei giocatori. « Il programma di gara », annunziava un biglietto, « è rinviato alle ore quattordici. Al termine del singolare si svolgeranno, se possibile, alcuni doppi. »

Il singolo di Roberto era l'ultimo in programma. Sarebbe stato difficile, fare in tempo per il doppio.

Nello spogliatoio, nudo e infreddolito, dovette lottare contro il desiderio di una doccia. Di un bel getto bollente, decise alla fine, sarebbe stato degno soltanto dopo un completo interval training, più cinque minuti di punizione per l'alcool e le ore piccole.

La cosa peggiore, continuò a divagare, indossando la calzamaglia, non erano i due cognac, ma proprio il sonno perduto. Beato Roberto, che si svegliava e dormiva a comando, beata Claudine, capace di alzarsi anche alle due.

Indugiò a immaginarla, i begli occhi chiusi, difesa dal cocker liberato dal guinzaglio. Chissà cos'aveva, di tanto importante, da confessargli? E se ne sarebbe poi ricordata, svanita com'era?

Riscaldato dagli strati di lana che era andato via via indossando, si avventurò lungo i vialetti, incominciò a correre, l'attenzione rivolta a una invisibile, profonda spia dell'equilibrio muscolare.

Il suo cuore aumentò i battiti, e Luca ritmò la respirazione in brevi sbuffi rumorosi. A più riprese scattò, facendo volare ghiaia e schizzi, e, sulle centosessanta pulsazioni si arrestò a inspirare, a rilassarsi, gli occhi fissi su uno dei mille sassolini del viale, come insegnava il suo prediletto testo yoga.

L'abitudine a quegli esercizi era ormai tale, che li considerava una premessa indispensabile al gioco. Allegramente, Roberto lo accusava di aver sostituito le pratiche ginniche a quelle religiose, di non sapersi sottrarre all'influenza dei suoi vecchi maestri del Gonzaga.

A furia di stare insieme, aveva però cominciato a imitarlo: senza troppo impegno, e con l'aria scettica che metteva in tutte le attività prive di vantaggi immediati.

Luca stava forzando l'articolazione della spalla, quando sentì un passo sulla ghiaia. Era Siegfried, sorridente, elegante nel suo impermeabile di cuoio.

«Molto bravo. Ho appena finito anch'io. E Roberto?»

«Roberto dorme.»

«A quest'ora! Ma tu, Luca, non fai niente perché si comporti da atleta?»

«Ho sempre fatto quello che potevo e anche un po' di più. Ma c'è un limite.»

«Non sono d'accordo. Tra compagni di doppio ci dovrebbe essere qualcosa al di là di un interesse comune.»

«Perché non prova a dirle a Roberto, queste cose? Magari a lei darà retta: le novità lo entusiasmano sempre.»

«Non parlare così, Luca.»

Luca si raddrizzò, tutto teso.

«E perché non dovrei? Cosa ne sa lei, chi è lei, per parlarmi a questo modo?»

Siegfried scosse la testa.

«Sono un vecchio giocatore, Luca. E speravo di diventare amico tuo, come di Roberto.»

Fece dietrofront e si avviò verso l'uscita.

Luca si trattenne a fatica dal rincorrerlo per chiedergli scusa. Restò immobile finché Siegfried non fu scomparso.

Allora entrò in spogliatoio e si lasciò andare su una panca, affranto, davvero troppo stanco per un così breve allenamento.

Quando, più tardi, tornò a casa, la Cinquecento, ferma dove l'aveva lasciata, gli fece supporre che Roberto dormisse ancora. Invece, nella camera vuota, trovò un biglietto. «Vado a Montecarlo, dove non ha piovuto, ad allenarmi con Siegfried e Jean. Siegfried dice che al Carlton non si potrà giocare per tutto il giorno. Comunque, se i campi asciugassero, telefonami al Country Club. A proposito. Siccome nel doppio libero di Montecarlo non possono giocare le stesse coppie iscritte nella gara per Nazioni, il Butler Trophy, Jean chiede se vuoi fare coppia con lui. Ma non te lo consiglio. Sarà difficile che riusciate a battere Roberto & Siegfried, i favoriti. Meglio che ti riposi, per spalleggiarmi nel Butler! Roberto.»

Luca accartocciò il foglietto, andò alla finestra e lo buttò fuori: aveva ripreso a piovere.

VIII

Claudine gli corse incontro ansimante. Luca si scusò, le spiegò che la colpa del ritardo era di Roberto, e insistette per pulire col fazzoletto le scarpine impolverate.

In ginocchio com'era, rimase affascinato a guardarla. Si sarebbe degnata di cenare con lui a Villefranche? Claudine acconsentì, e insieme camminarono lungo il molo, tra i pescatori che rientravano dal largo con le ceste piene di sardelle argentee.

Claudine pareva distratta e alla fine confessò che, se Rawley non aveva cambiato idea, anche Barbara avrebbe cenato a Villefranche: non era meglio proseguire per Nizza?

A Nizza, poi, scelse per il passeggio la Promenade des Anglais, dove un fotografo le chiese subito di posare, sullo sfondo di una palma. Orgoglioso del suo successo, di tutte quelle occhiate che credeva dirette soltanto a lei, Luca le propose un aperitivo al Ruhl. Ma Claudine aveva un brutto ricordo di quell'albergo e dichiarò di preferire le stradine della città vecchia, dove contava di comperare un paio di espadrilles color mauve. Anzi, doveva comprargliele il suo Luca, perché non aveva portato i soldi da casa. Perché – si smentì subito, senza cambiar voce – non aveva una lira, era poverissima e, non fosse stato per Barbara, non avrebbe saputo come mangiare.

Luca credette di essere tenuto a mantenere il solito tono. «Ci penserei io, Cenerentola», le assicurò, con una mano sul cuore.

Ma ne ricevette un'occhiata tagliente, uno sguardo che non le aveva visto mai.

Nel cercare le espadrilles, si persero lungo l'intrico di viuzze del quartiere vecchio e fecero tardi. Decisero quindi, di cenare in un ristorante tipico, dove Claudine domandò subito se potessero prendere le ostriche, che amava ancora più del caviale. Inebriato dal rosé, paterno, virile, Luca sorrideva: i cinquecento franchi svizzeri che aveva appena ricevuti da casa gli consentivano ben altre follie. Claudine, gli occhi scintillanti, gli carezzava la mano.

Fuori, poi, gli diede addirittura un bacio. «Sei molto più chic di Barbara», stabilì.

Luca restò interdetto, ma Claudine aveva già cambiato pensieri, era tutta felice, voleva sapere dove l'avrebbe portata, il suo uomo! Luca, trionfante, cavò di tasca i due biglietti che avevano causato il suo ritardo all'appuntamento: erano per un concerto di Cortot. Claudine parve tanto sbalordita che Luca si arrischiò a chiederle se non conoscesse il famoso pianista.

«Non solo non lo conosco, ma non ho mai visto un concerto. Barbara mi ha portato una volta all'opera. Una tale barba!»

Luca fece l'atto di buttare i biglietti, ma Claudine si oppose. Chissà quanto erano costati! E che spettacolo elegante doveva essere! Ci sarebbero andati subito, dall'inizio: era curiosissima di assistere a un concerto.

Si ritrovarono nella grande sala semivuota del Palais de la Méditerranée. Luca comprò il programma, illustrò, per quanto era possibile, Debussy e Chopin. Finì anche per trovare incantevoli gli stupori di Claudine e l'assicurò che si sarebbe divertita.

La poverina fece del suo meglio durante il primo pezzo ma, a metà del secondo reclinò il capo sulla spalla, addormentata. Luca decise di non disturbarla, e di assumere un atteggiamento di sfida agli sguardi sorpresi di qualche spettatore. Quando, poi, con gli applausi, Claudine si svegliò di soprassalto, preso dal fou rire la trascinò via per mano, tra le lamentele dei vicini di posto.

Di loro due, dichiarò appena fuori dal teatro, era Claudine la più intelligente e la più sincera: anche lui trovava Cortot noiosissimo, ma non avrebbe mai avuto il coraggio di gridarlo, come stava facendo. Da quel momento – decise – doveva essere Claudine, a scegliere dove andare. Claudine si entusiasmò:

a ballare, subito! E trascinò Luca fino a una cave, dove prese a illustrargli con orgoglio i disegni astratti e le gambe dei manichini che pendevano dal soffitto. C'era persino uno scheletro, sopra l'orchestra. Infine lo trascinò in pista, nonostante le sue proteste. E poiché suonavano uno slow, e Claudine gli si era avvinghiata in silenzio, sull'esempio di altre coppie Luca decise, in uno slancio, di baciarla. Da quel momento fino alla chiusura del locale, continuò poi ad agitarsi in balli sconosciuti e ad abbracciare Claudine con crescente naturalezza.

Che tale sensazione non fosse dovuta al luogo, alla musica, ebbe modo di controllarlo in auto, sulla strada verso il Cap Ferrat, quando si accorse che, per la prima volta, il silenzio non gli trasmetteva l'antico, paralizzante disagio. Allora, non appena la strada si allargò in un parcheggio, frenò la Cinquecento, prese Claudine tra le braccia, e le confessò la sua gratitudine.

La ragazza gli rispose con un sorriso, poi, di colpo, cominciò a piangere. Inutile cercare di consolarla. Cosa c'era dunque? Luca le passò un fazzoletto, le comandò di soffiarsi il naso, di dirgli la verità.

In un club simile – incominciò col dichiarare Claudine – non ci sarebbe andata mai. Quale club? Quello in cui Luca l'aveva vista il giorno prima e dove Barbara insisteva perché accettasse un posto da hostess. Ma una hostess doveva vivere per gli altri, ricevere gli ospiti, intrattenerli sul campo e fuori, sorridere da mattina a sera.

«Piuttosto», si ribellò Claudine, «piuttosto faccio la puttana vera! Almeno dormo fino alle due e guadagno venti volte tanto.»

Luca era indignato. Cosa le veniva in mente? Certo esagerava, quel posto non poteva esser peggio di un altro: e perché non tentare, almeno per qualche giorno? Non l'avrebbero più lasciata andare? Com'era possibile! A buon conto – tagliò corto – ne avrebbe parlato di persona a Barbara, e subito.

Si ritrovò le unghie di Claudine vicinissime agli occhi: guai, se avesse aperto bocca! Doveva giurare, anzi, di non dir niente a nessuno. Se davvero l'amava, se era diverso dagli altri, doveva tacere, e starle vicino.

Luca promise, giurò, riprese a baciarla, e con la mano risalì lungo la coscia fino alla giarrettiera. Dolcemente, Claudine lo trattenne. «Devo essere sicura di te», gli sorrise. Poi constatò che si era fatto tardi. Se Barbara era ancora in piedi, doveva essere furiosa.

IX

Guidò fino a casa in stato di grazia: la Cinquecento sembrava scivolare lungo la strada come un canotto, e lui si sentiva leggerissimo, simile in tutto al corpo astrale descritto dal suo testo buddista.

«Non c'è dubbio», si ripeteva salendo le scale, «sono innamorato.»

Entrò in camera, sorrise a Roberto e, assorto nelle sue visioni, cominciò a spogliarsi.

Abbandonata la lettura di un libro giallo, Roberto rimase a guardarlo per un buon minuto.

«Divertito?» indagò alla fine, con aria ben disposta.

Luca fece segno di sì e si abbandonò sul letto, gli occhi chiusi. Ma con profondo fastidio dovette accorgersi che la presenza di Roberto implicava necessità quali l'ascolto, forse addirittura la conversazione.

Al Country Club di Montecarlo – aveva preso a raccontare – c'era una doccia canadese fantastica, a getti incrociati, e un'altra, una vera e propria pompa, per l'acqua di mare. Lui non aveva avuto il coraggio di imitare Siegfried, felicissimo tra quei fiotti gelati: ma era rimasto un quarto d'ora a farsi punzecchiare dalla girandola degli schizzi. Dopo la doccia, era arrivato un inserviente con gli accappatoi tiepidi, quello di Siegfried addirittura con le iniziali ricamate, perché una passata vittoria nel torneo gli dava diritto a un box particolare, all'incisione del suo nome su una lastra di marmo e, appunto, a un accappatoio personale. Dopo l'inserviente era venuto il masseur, e infine un cameriere con i succhi di frutta e il tè. E non bastava! Terminata la toilette erano scesi al bar, e avrebbe immaginato, Luca, chi aveva conosciuto? La principessa Antoinette di Monaco e la figlia di Churchill, che erano al club insieme al marito di Antoinette, il tennista Noghès. Lui, si era affrettato a sfoggiare il suo baciamano, e non era certo riuscito antipatico: anzi! Ma se l'immaginava, Luca? Un flirt con una principessa, e magari addirittura a corte! Durante il torneo, sembrava che i reali di Monaco si facessero vedere spesso, al tennis, e davano anche un ricevimento, per un numero limitatissimo di giocatori. Siegfried, che era di casa, aveva promesso di procurare gli inviti. Anche per lui, certo. Contrariamente a quel che lui, Luca, poteva pensare, Siegfried lo teneva in grandissima considerazione: tanto che s'era informato sul perché della sua assenza. E a proposito: cos'aveva fatto, invece di stare con loro?

«Sono uscito con Claudine», fu costretto a confessare Luca.

Roberto balzò in piedi. Con Claudine! E aveva il coraggio di raccontarlo a quel modo? Ma allora, tutti i bei discorsi sulla preparazione, sul doppio, valevano soltanto per lui?

Luca ribatté che Claudine era una ragazza rispettabile, provocando l'ilarità di Roberto: anche Julie, a suo modo, era rispettabilissima!

«Ritira immediatamente quel paragone. Ritira, hai capito?»

Roberto s'informò se Luca faceva sul serio, e, alla sua risposta affermativa, si scatenò, lo accusò di predilezione dolosa per le pastorelle beatificande, di isterismo e, in una parola, di comportamento insopportabile. Né era lui solo a pensarlo – insistette – e nemmeno Siegfried, come Luca fu pronto a insinuare. Addirittura Rawley, che dei fatti altrui s'occupava poco o niente, aveva domandato cosa avesse, che lo contrariava. La sua presenza? Benissimo! Si sarebbe affrettato a togliere il disturbo al più presto anche perché non era difficile, come forse Luca s'immaginava, trovare magari cinque, magari dieci compagni di doppio, e magari più forti di lui.

Quando Roberto ebbe concluso la sua tirata, spegnendo simbolicamente la luce, Luca si avvicinò al suo letto. Con aria solenne e vagamente minacciosa, gli intimò di chiedere scusa.

Roberto saltò su, scoppiò a ridere. Ma allora non si era proprio accorto, non si era visto allo specchio!

Riluttante, Luca si decise a fronteggiare la specchiera e, dopo un ultimo tentativo di serietà, fu costretto a ridere anche lui. Le tracce di rossetto di Claudine gli macchiavano non solo il colletto della camicia, ma tutta una guancia.

X

Luca e Sheila entrarono di corsa nel club mentre l'arbitro annunziava l'incredibile vantaggio di Roberto: «Tre a uno nella prima partita. Non si cambia. Servizio Rawley».

A trattenerli, tutta affannata, si staccò dalla sala-stampa Nelly, l'amica giornalista. Tornava – disse – dal club di Montecarlo, dove aveva discusso le condizioni del loro invito. A Sheila – proseguì Nelly – si era trovato fortunatamente un alloggio in casa di una signorina inglese. Per Luca, invece, non era riuscita a ottenere di meglio che la colazione al club, e un forfait di mille franchi in un hotel dignitoso.

«Certo, non è un grande invito», ammise Nelly. La colpa, però, non era tanto degli organizzatori, quanto della Federazione Italiana, che non aveva voluto iscrivere Luca e Roberto alla gara più importante, il doppio valevole per il Butler Trophy. A rappresentare l'Italia ci sarebbero stati Cucelli e Del Bello, e come seconda coppia, Gori-Pautassi, non certo più forti di loro: al contrario! Purtroppo gli inviti a disposizione per gli italiani erano soltanto quattro, giusto quelli del Butler.

Luca ringraziò la povera Nelly, che non sapeva più come scusarsi. «Sono sicurissimo che hai fatto tutto il possibile», disse. «Certo che non giocare il Butler è un peccato, anche per l'invito. Io me la caverò, ma Roberto si troverà male.» In fondo, non pareva anche a Nelly che i signori di Montecarlo l'avessero sottovalutato, uno come Roberto, semifinalista del singolare e probabile vincitore del doppio di Cannes?

Con aria sempre più imbarazzata, Nelly confidò che Roberto aveva ottenuto condizioni migliori: nell'iscriversi con lui alla seconda gara di doppio, quella libera, Siegfried aveva preteso che lo alloggiassero all'Ermitage, come tutti i giocatori più forti.

«Le iscrizioni al doppio libero», si affrettò ad aggiungere, «non sono ancora definitive.» Quindi, Luca e Roberto avevano tutto il tempo di tornare insieme, e vincere magari una bellissima coppa: per regola, le altre formazioni non potevano essere le stesse del Butler, ed erano tutte male assortite, poco affiatate. «E poi», concluse in fretta Nelly, «avete tanti anni davanti per portarvelo a casa, il Trofeo... Siete così giovani, beati voi!»

Si allontanò, con la sua aria indaffarata, mentre Luca rimaneva a guardarla a bocca aperta. Sheila lo prese sottobraccio e lo pilotò verso il Centrale.

Rawley era risalito da uno-tre a quattro pari. Roberto ne attendeva il servizio e Luca notò subito che, davanti a tutta quella gente, aveva perso la sua bella naturalezza. C'era, nella sua camminata, nei suoi sorrisi, l'intenzione di recitare il personaggio del grande campione. Fu proprio questo atteggiamento a costargli, dopo un passante fantastico, un paio di errori che, in circostanze normali, avrebbe forse evitati.

Rawley conservò senza difficoltà il servizio e si avviò a cambiar campo con quella sua aria rilassata e impenetrabile, dietro le lenti scure.

Dava il massimo sulla propria battuta, l'americano, e tentava poi dei colpi azzardati per rompere quella dell'avversario. Questa tattica, tipica dei giocatori cresciuti sui campi d'erba e di cemento, metteva a disagio Roberto, lo sottoponeva a una insolita tensione. Luca notò che cambiava campo in fretta, e che sudava più del solito. Quando si fu fermato dietro alla sedia dell'arbitro ad asciugarsi, Siegfried gli parlò brevemente e infine si lasciò andare a battergli sulla spalla.

«Chissà che bel consiglio!» mormorò Luca a Sheila.

Dovette subito riconoscere di essersi sbagliato. Adesso infatti, Roberto serviva lungo, non permettendo a Rawley di anticipare senza un rischio eccessivo. Poi, costretto l'americano in fondo al campo, gli si accaniva sul rovescio, curando la lunghezza più che la velocità del colpo, e soltanto quando l'avversario accorciava il tiro, si decideva ad attaccarlo. Vinse così il gioco, mandò a Siegfried uno sguardo d'intesa, e ne ebbe un sorriso.

«Chissà quando si accorgerà anche di noi?» sbottò Luca.

«Per farci notare, sarebbe stato meglio che fossimo arrivati all'inizio», lo rimbeccò Sheila, e applaudì vivamente un passing di Roberto, che Luca giudicò «più fortunato che bello».

«Non sarai diventato invidioso?»

Lui, invidioso di Roberto? si risentì Luca. Come poteva pensare una sciocchezza simile?

«Mi dà soltanto fastidio», precisò, «perché finirà lo stesso col perdere, sarà stanco morto, e andremo sotto, in doppio. Tutti questi applausi sono io che li pago. Come sempre.»

XI

Fu Siegfried a buttargli l'accappatoio, e a togliergli la sigaretta di bocca.

Per un giovane come lui – stabilì – strappare un set a un campione doveva essere considerato un successo. Perché allora, quell'aria seccata? Il sei a uno subìto nel terzo set? Ma quella caduta improvvisa era la logica conseguenza dei suoi metodi d'allenamento, della sua leggerezza. E Siegfried si lanciò in una critica implacabile, mentre Roberto, sopraffatto, lo ascoltava senza reagire.

Per discrezione e insieme per fastidio, Luca era scivolato fuori dallo spogliatoio, si era affrettato verso il Centrale insieme a Sheila che sembrava presa anche lei da un colpo di fulmine per il principe. Non la finiva di vantarne la scienza tennistica, di ammirare la sua eleganza, il suo distacco nel consigliare Roberto. Rawley, che certo si rodeva per quegli interventi, non aveva mosso un muscolo, né trovato il coraggio di lamentarsi presso l'arbitro.

«Si vede proprio che io non ho un futuro», finì di osservare Sheila. «Con me, Siegfried ha giocato solo cinque minuti e non mi ha fatto neanche una critica. Peccato, perché, per una volta, ha ragione Daniela Holey: è anche un gran bell'uomo.»

Queste considerazioni spinsero Luca al furore. Propose ai due iugoslavi, che non chiedevano altro, di cominciare subito il palleggio, e per cinque minuti si accanì sulla palla quasi volesse farla a pezzi. Una parte del pubblico cominciò a manifestare la sua impazienza e, a quelle sollecitazioni, Burke dichiarò che avrebbe chiesto a Roberto di scendere in campo, nonostante il regolamento gli concedesse mezz'ora di riposo.

Dopo una decina di minuti, infatti, Roberto entrava sul

Centrale tra gli applausi dei sui sostenitori, guidati dalle sorelle Olivier. La doccia e un rapido massaggio l'avevano ritemprato e colpiva la palla senza fatica. Quello che non gli riusciva, invece, era di isolarsi dalla gente premuta contro la rete di protezione: d'un tratto si sentiva permeabile ai suoni, addirittura a qualche parola pronunziata a voce alta. Fece uno sforzo per concentrare l'attenzione sulla palla, ma dopo qualche colpo sorprese nei propri occhi l'immagine dei guanti di Julie Olivier: gialli chiari, mentre sua sorella Annette li aveva bianchi.

Si volse allora a Luca, per parlargli, per trovare con lui l'attenzione necessaria alla partita: ma Luca era assente, pareva cercasse qualcuno tra il pubblico. Per due volte, dopo aver vinto il sorteggio, Roberto dovette domandargli se voleva servire per primo, col sole alle spalle, e non riuscì nemmeno a replicare all'incredibile risposta: «Se vuoi, per me è lo stesso».

Sconcertato, Roberto sbagliò due facili volées, che costarono a Luca il break, la perdita del servizio. Nel cambiare campo se ne scusò, spiegò che non riusciva a concentrarsi. E Luca, con un sorrisetto: «Succede anche a me: dev'essere il tempo».

Gli iugoslavi, per fortuna, erano lenti a mettersi in azione, e sbagliavano molto. La partita si trascinò avanti alla meno peggio, i ragazzi in svantaggio di un solo servizio, ma disuniti, privi di continuità. Luca faceva bellissimi colpi, e subito sembrava disinteressarsi alla meccanica del doppio, che vuole una costante intesa, una volontà comune col compagno. I servizi degli avversari lo coglievano troppo avanzato, quelli di Roberto incurante di coprire il corridoio, oppure il centro. Sui pallonetti, poi, restò un paio di volte a osservare il compagno che, sorpreso in contropiede, si dannava inutilmente dietro la palla. L'out del campo, infatti, era cortissimo, tanto che Roberto, in una delle sue corse, finì addirittura contro la rete metallica e si graffiò una mano.

«Non prendertela così», commentò Luca. «Per quello che conta, questo doppio!»

Pur di vincere, Roberto, sarebbe stato disposto a sopportare qualsiasi stravaganza. Giurò che, in cambio di quel match, avrebbe dato un anno di vita, e continuò a impegnarsi alla morte, a incitare Luca, a proporre finte, scambi a forbice, trovate tattiche di ogni tipo per sloggiare gli avversari dalla rete. Ma Luca giocava come fosse solo, rispondeva a monosillabi, guardandosi intorno e riprovando a vuoto i gesti dei colpi falliti.

Roberto, pian piano, fu assalito da un senso di inutilità, dalla distrazione che aveva provato all'inizio. Abbandonò il suo lavoro d'équipe, raccolse applausi per qualche colpo azzardato, sottolineò, anche, la responsabilità di Luca, cambiando campo dalla parte opposta.

Persero così il primo set sei a quattro, e tra la delusione dei pochi spettatori rimasti, regalarono addirittura il secondo agli iugoslavi. Dopo aver stretto la mano gli avversari, rimasero soli, al centro del campo.

«Sai cosa ho pensato, tutto il tempo?» disse improvvisamente Luca. «Ho pensato che per giocare come giochiamo, faremmo meglio a smettere.»

E voltò le spalle a Roberto.

XII

Non aveva ancora finito di leggere il biglietto che un raccatta-palle gli aveva consegnato all'uscita del campo e già aveva deciso: Claudine era vittima di Barbara.

«Ti prego di non venire a prendermi», aveva scritto, con grafia affrettata, la ragazza. «È meglio rinviare la cena. Barbara è molto infuriata per il ritardo di ieri notte, e vuole che resti a casa con lei. Ci vediamo a Montecarlo. Baci C.»

A confermarlo nel suo sospetto gli venne in aiuto il ricordo di Satchmo, il cocker legato al piede del letto. Trattare in quel modo una povera bestia suggeriva una crudeltà, un desiderio di possesso che non poteva non estendersi alle persone: e non era quello il solo indizio, a riflettere meglio.

In un momento di sconforto, Claudine stessa non si era forse lasciata andare a rivelargli che Barbara la costringeva ai lavori casalinghi più faticosi? Non si trattava, come Luca aveva creduto, di obbligarla a sdebitarsi dell'ospitalità: quello che Barbara esigeva era un segno visibile di sottomissione. Le poche righe che teneva tra le mani lo confermavano.

Luca non riusciva però a far coincidere i propri sospetti con l'immagine di Barbara, la cortesia, addirittura la tenerezza, che gli aveva sempre dimostrate: com'era possibile che quella stessa donna arrivasse a maltrattare Claudine fino al sequestro?

Si avviò verso lo spogliatoio ormai vuoto.

Restò a lungo sotto la doccia, si pettinò con cura.

Senza quasi veder la strada, chiuso nei suoi pensieri, prese la direzione di Cap Ferrat.

Come avrebbe osato affrontare Barbara, con che diritto le avrebbe chiesto conto dell'indipendenza di Claudine? Domande simili, a una donna come lei, erano impossibili, senza il rischio di una lite, di una rottura. Ma cos'altro fare, arrivati a quel punto?

Per non mettere sotto un ciclista, si vide costretto a una frenata che sbloccò un tantino i suoi pensieri, lo spinse alla diplomazia.

Avrebbe invitato fuori Claudine: a cena, al cinema, dove non importava. Nessuno, nemmeno Barbara, poteva opporsi a un invito così innocente senza rischiare il ridicolo.

Si rallegrò per un attimo, ma subito capì che non c'era scampo. Avrebbe dovuto pagare di persona, magari fino all'estrema conseguenza di prendere Claudine con sé.

Il suo coraggio non faceva che calare: gliene rimase un filo, appena sufficiente per attaccarsi al campanello della villa.

Aveva contato fino a cinquantaquattro, quando sulla porta apparve finalmente Rawley. Senza lasciargli tempo di parlare:

«Le signore sono uscite», annunziò. «Com'è poi finito il doppio?»

Luca aprì le braccia.

«Posso almeno offrirti un whisky, per tirarti su?» sorrise Rawley.

«Grazie. Ero venuto solo per salutare. Sarà meglio che vada a letto.»

Non appena Rawley fu scomparso, Luca si domandò per la prima volta quanto ci fosse di vero negli aneddoti che venivano attribuiti a lui, a Barbara, a Siegfried. Vicende magari accadute anni prima, e per di più distorte attraverso il racconto, finivano per prevalere sulla realtà quotidiana, sulla norma che i pettegoli rifiutavano proprio perché troppo simile alla loro stessa vita. Che divertimento ci sarebbe stato a riferire che Rawley aveva atteso la finale scorrendo la cronaca del Nice Matin o addormentandosi su una pagina di Simenon? Molto più solleticante descrivere una colossale vincita al poker, o ai dadi, magari truccati, meglio se alla presenza di una ragazza Gould o Rothschild.

Le sue stesse fantasie, e le apprensioni che gliene venivano, non erano forse effetto di pochi incontri, addirittura di poche frasi? E quegli indizi non erano troppo deboli per assumere un atteggiamento rigido, definitivo, soprattutto impietoso? Le amicizie, le antipatie della sua vita passata, a Milano, erano legate a contatti ripetuti, a un ambiente che conosceva da anni. L'apparizione nella sua vita di personaggi dei quali aveva letto, al più, sulla stampa specializzata, aveva sollevato, insieme, una ventata d'eccitazione e polvere fittissima. Anche Barbara. L'aveva forse sequestrata davvero, Claudine, o era invece lei stessa, quella pazza, a cambiare umore e programmi, in un baleno?

L'unico punto fermo, l'unico riferimento al passato – si convinse, mettendosi al volante – rimaneva Roberto, la loro amicizia. Sebbene non fossero cresciuti insieme, avevano avuto lo stesso genere di esperienze, di incontri: avrebbero potuto scambiarsi i ricordi come facevano con i maglioni, le cravatte, che finivano per non sapere più di chi fossero.

Ma sarebbe bastata la nascita, la scuola, certe abitudini, a giustificare la loro somiglianza? O non c'era qualcosa di più profondo nella loro intesa, nel loro sodalizio sportivo?

Le liti, la reciproca insopportazione, gli sembrarono improvvisamente paradossali. O invece ancora, proprio l'esser tanto simili aveva stancato Roberto, l'aveva spinto alla ricerca di novità? Di solito era vero il contrario: le amicizie sono fatte di interessi comuni. E non c'era dubbio che Roberto avesse tralignato, avesse tradito lo scopo fondamentale della loro amicizia, quello che li aveva spinti a un inverno di sacrifici, di ore strappate allo studio per allenarsi, visto che alla prima occasione aveva sbandato, si era buttato a rincorrere i risultati più facili. Prima – e questo era meno grave, era umano – Julie. Adesso Siegfried, e quello che Siegfried rappresentava: il successo sportivo, ma soprattutto la società, il lusso, forse la corruzione.

Nuovamente, Luca si ammonì a non lavorare troppo di fantasia. Quello che non poteva tollerare, era il sospetto di un tradimento per interesse, per la camera di un grand hotel e due pasti à la carte.

* * *

Chino sulla sua valigia, Roberto si voltò appena a dirgli «ciao».

«Come mai tutta questa fretta?»

«Non mi va più di vedermi in questo posto.»

«Certo, è molto meglio l'Ermitage.»

«Spero che tu sia d'accordo, almeno su questo.»

«Meno d'accordo sul modo.»

Roberto si scostò dalla valigia, fece fronte a Luca.

«Cosa vuoi dire?»

«Lasciamo perdere...»

«No, Luca. Adesso tu mi spieghi.»

«Io? Sono io a doverti delle spiegazioni? Per che cosa? Perché hai trovato uno che ti fa invitare all'Ermitage, che ti presta la fuoriserie, per questo decidi di metterti in coppia con lui e di piantarmi?»

«Ma come, piantarti? Sei stato tu a dirmelo, che è inutile che giochiamo più insieme!»

«Certo! Ma tu, con un bell'anticipo, avevi già pensato a iscriverti al doppio libero con un altro, pur sapendo benissimo che non ci avrebbero ammessi al Trofeo Butler, e che quindi io sarei rimasto senza compagno!»

«Del Butler, l'ho saputo per ultimo. E anch'io da Nelly, proprio come te.»

«Anche questo, hai il coraggio di dirmi. Ma lo sai come si chiama uno come te? Lo sai?»

Erano vicinissimi, e Luca, sentendo che le parole gli si rompevano in gola, afferrò Roberto e lo scrollò, urlando.

Si ritrovò proiettato contro il muro.

«Così imparerai, a fare queste scene isteriche», balbettava Roberto, il pugno ancora chiuso.

Luca aprì la porta e corse giù per le scale.

Parte seconda

Montecarlo

I

Luca stava appoggiato alla balaustrata più alta delle tribune. Sotto di lui le terrazze del Country Club di Montecarlo digradavano fino ai tre campi centrali. Dietro ai campi, oltre la siepe di compatti cipressi che segnano i confini del club, si alzava la distesa blu del mare.

Visti tanto dall'alto, i giocatori appaiono piccolissimi, ed è facile, per chi abbia superato i cancelli d'ingresso, provare un senso d'irrealtà nel vederne l'accanimento, e i gesti di disperazione o di esultanza.

Una simile impressione sembrava a Luca la conferma lampante delle sue più recenti conclusioni filosofiche: per conoscere la realtà, per analizzarla, bisogna starne fuori, distaccati.

A Villefranche, nella pensioncina dov'era andato ad abitare, non gli era stato facile discutere, di argomenti così fini.

I clienti di Chez Fernande erano pescatori e giocatori di belote: brava gente, legata però a una vita sanguigna, terra terra.

Fernande, la padrona, era già meglio disposta alla conversazione, ma i suoi argomenti prediletti restavano l'amore e lo sport. Leggeva da cima a fondo l'Equipe e tutta la presse du cœur, conosceva a memoria i risultati dei tennisti, così come le vicende delle principesse e delle attrici.

L'unica volta che lui si era avventurato più in là, indagando: «Tu pensi che noi vediamo quel che vediamo, o quello che immaginiamo?» Fernande l'aveva profondamente deluso.

«Non è roba per me», aveva ridacchiato. «Perché non provi a chiederlo a Bernadette, quella della Madonna?»

I tre giorni passati in quel posto, in una cameretta disadorna, un vero alloggio da marinaio, gli avevano permesso di riprendersi, di fare a se stesso il solenne giuramento che, prima dei tornei di Montecarlo e di Beaulieu, non avrebbe lasciato la Costa Azzurra.

«Non lasciare incompiuto», era diventato uno dei suoi motti prediletti, affisso a tappezzare la stanza, così come «in interiore homine habitat veritas» e «sii solo, e sarai tutto tuo».

Stava, infatti, un po' discosto dagli spettatori, e osservava scettico il doppio tra Siegfried e Roberto, e due avversari non proprio irresistibili.

Si ritrovò a imprecare, la mano alzata, a un intervento sballato di Roberto, finché, vedendo il principe che lo incoraggiava, si rese conto di non essergli più compagno, e nemmeno amico.

A Villefranche, quando non meditava sul testo yoga o su Schweitzer, non aveva saputo risolvere i suoi dubbi.

Era stato facile immaginare Roberto avido soltanto di successo e al tempo stesso incapace di calcolarne i limiti con autentico cinismo. Come aveva potuto pensare che Siegfried sarebbe stato un investimento più vantaggioso di lui? Come poteva puntare, Roberto, su un campione ancora grande, ma prossimo alla fine della carriera e per di più straniero? Non era mai accaduto che un doppio famoso fosse composto da giocatori di diversa nazionalità. Roberto aveva mostrato non solo poca correttezza, ma nessuna lungimiranza nella scelta.

Se questo ragionamento limitato al gioco era valido e gli consentiva di darsi ragione e di consolarsi un pochino, altri pensieri tornavano ad assediarlo, anche se aveva sempre odiato i pettegolezzi di spogliatoio, dove soltanto chi vince è capace di generosità. Tipicamente, era stato proprio un giocatore battuto ad attaccare Roberto.

«Quel che non ho capito», aveva detto, a conclusione di altre ironie, «è perché li hanno lasciati iscrivere nel doppio, Siegfried e Roberto. Nel misto, dovevano metterli!»

Era seguito un coro di risate e invano Luca si era affacciato dal suo spogliatoio a chiedere a denti stretti: «Perché?»

Rassicurato da uno sguardo agli altri, il pettegolo aveva

finito di spiegare: «Perché? Ma perché giocavano uno in fondo e uno a rete, uno dietro e l'altro davanti».

Nuove, più volgari risate, avevano ferito Luca quasi fossero dirette a lui: e la sua collera si era improvvisamente risolta in un brivido di debolezza, di smarrimento.

Subito dopo, e ancora più tardi, ragionando tra sé, aveva incominciato col rifiutare quell'insinuazione, ma gli era presto toccato riconoscerla quantomeno possibile, e confessarsi di averla lui stesso, fin lì, respinta per paura di sentirsene implicato. Implicato in che modo? non finiva di domandarsi. Se Roberto era stato capace di acconsentire a una relazione con Siegfried, doveva portarne in sé da tempo la possibilità, l'inclinazione. Luca non aveva mai considerato, nemmeno in astratto, un simile problema, e il suo punto di vista su rapporti come quello era confuso, misto di impietose ironie scolastiche e di spogliatoio, di smorfie disgustate e di imbarazzati silenzi familiari. La virilità che Roberto aveva sempre ostentato, la capacità di sedurre che lui gli aveva sempre invidiata, gli parevano in tale contrasto con l'insinuazione da renderla incredibile. D'altra parte, come escludere che la sessualità di Roberto si fosse orientata altrimenti? Ma poteva, un simile mutamento, apparire d'un tratto, senza che niente lo facesse presagire nelle azioni, negli atteggiamenti precedenti? Non doveva forse trovarsene una traccia, un sospetto, proprio nelle loro liti, nella crescente difficoltà di tollerarsi? E il suo stesso volere Roberto attento, puntato ai soli scopi del gioco, a contrasto e addirittura a negazione dei suoi desideri di divertimento, di indipendenza, di libertà, tutto quel che di esclusivo doveva riconoscere nel proprio atteggiamento, giustificato fin che si vuole dalle regole del tennis, lo era poi altrettanto da quelle della vita?

Elencò i ricordi di vita comune con Roberto, li sommò, li mescolò, come tante carte di un solitario. Si ritrovò ancor più sollevato che felice per non aver trovato un solo, minimo indizio di attrazione sessuale.

Come era più semplice, credette di concludere, la vita degli altri tennisti. In una situazione come la sua si sarebbero affidati a spiegazioni elementari, valide nei ristretti limiti del campo. E Luca commiserò se stesso, mentre al contempo si sforzava di constatare una realtà: sotto i suoi occhi Roberto stava vincendo un doppio, insieme al compagno che gli aveva preferito.

Provò a immaginarsi nei panni di Siegfried, a risolvere le combinazioni di gioco che via via si presentavano, e dopo pochi minuti fu costretto a dichiararsi battuto. Siegfried era impeccabile, giocava sempre il colpo giusto nella maniera più semplice. In uno slancio di invidia ammirata, desiderò eguagliare quella abilità, quella logica.

Arrivato silenziosamente accanto a lui, qualcuno lo guardava. Era Barbara, e gli sorrideva con un sorriso che era forse soltanto di saluto, di simpatia, ma che lo fece arrossire, gli tolse addirittura la parola, quasi la ragazza avesse potuto scoprire i suoi segreti.

Rimasero zitti, guardando il gioco, sinché Barbara non spinse le braccia contro la balaustrata, piegò le gambe in una leggera flessione e: «Perché non vieni più a trovarci, Luca?» domandò. «Claudine ce l'ha un po' con te. Ha paura che tu abbia un nuovo flirt. Ciao.»

Luca la guardò camminare via, con la sua andatura elastica, sinché non scomparve nella porticina dello spogliatoio.

II

Sopra la porta d'ingresso al Centre Court di Wimbledon, una scritta in lettere dorate ammonisce: «Che tu possa incontrare la vittoria e la sconfitta, e trattare queste due bugiarde con lo stesso viso». Non sono molti, però, i tennisti che sembrano notare quei versi di Kipling. Per ogni campione la sconfitta è un piccolo disastro, una piccola morte simbolica: qualcosa che si rifiuta, contro la quale si mobilitano tutte le scuse possibili, tutti gli appigli.

In questo tipo di giustificazioni, Roberto era abilissimo: da un particolare magari insignificante, il pianto di un bambino in tribuna, una nuvola in cielo, riusciva a imbastire tutta una costruzione che, alla fine, lo assolveva dalle sue responsabilità.

Era stata questa, tra le altre, una ragione delle loro liti. Luca, infatti, non solo era spietato nell'analizzare le sconfitte sue e quelle degli altri, ma non sembrava appagarsi nemmeno delle vittorie. Dopo successi che avrebbero dovuto entusiasmarlo, o almeno smuoverlo un tantino, Roberto l'aveva visto appartato, la faccia tra le mani, gli occhi fissi. Né c'era verso di distrarlo, di fargli capire che esagerava, nel prendere le cose a quel modo. «Non capisci che non ha senso», era saltato su, una volta, «accontentarsi di vincere?»

Roberto era rimasto a bocca aperta, poi era scoppiato a ridere: «Cosa bisognerebbe fare, secondo te?» aveva scherzato. «Non sbagliare mai?»

«Esatto», aveva risposto Luca. E gli aveva voltato le spalle.

Ora, salendo le lunghe scalinate che portano dai campi centrali agli spogliatoi, tra i complimenti dei giocatori, di persone dell'ambiente, sotto gli sguardi di aficionados, di curiosi, di donne, Roberto si sentiva felice. Aveva vinto, e la vittoria aveva un sapore buonissimo, che era inutile definire, analizzare: raggiante, si voltò verso Siegfried, per partecipargli la sua gioia.

Siegfried alzò le sopracciglia, con aria divertita: cosa c'era di bello?

«Abbiamo vinto», sorrise Roberto.

«Ah sì, un bel successo», commentò il principe. «Sono proprio curioso di vedere le percentuali.»

Fu Roberto, questa volta, a prendere un'aria sorpresa, ma preferì non fare commenti. Il linguaggio di Siegfried, di Jean e dei loro pochi amici gli era spesso incomprensibile: non solo perché il principe insisteva nel preferire il francese all'inglese, o all'italiano che, Roberto aveva scoperto, conosceva benissimo, ma soprattutto per i continui riferimenti, le citazioni di persone, fatti, opere, che lui ignorava. Qualche suo modesto tentativo di informarsi era finito tanto ingloriosamente che, ormai, preferiva stare zitto, o abbozzava al più un sorriso vagamente consapevole.

Siegfried non parve sentire il bisogno di spiegazioni: ma, appena dentro gli spogliatoi, prese dalle mani di Jean un foglietto stampato con i nomi dei colpi fondamentali: diritti, rovesci, servizi, volées. Sotto l'intestazione di ciascun colpo, una linea sottile divideva la successione di quelli vincenti, i winners, da quelli sbagliati, faults. Siegfried scorse rapidamente il foglio, guardò Roberto con aria severa, e fu subito costretto a sorridere per il suo stupore. «Cambiati», gli suggerì, «che poi faremo i conti.»

Insieme a una maglietta candida prese dal suo armadietto matita e occhiali e cominciò a far calcoli: dopo dieci minuti di quelle misteriose operazioni era ormai tanto assorto che Roberto dovette posargli una mano sulla spalla, per farsi notare.

Siegfried alzò gli occhi e: «Cos'hai fatto?» si sorprese.

«Come?»

«Perché ti sei rivestito?»

«Ma se me lo hai detto tu, Siegfried!»

«Oh sì.» Siegfried passò una mano sulla faccia. «Ma non da spettatore. Di bianco, dovevi vestirti.»

«Per cosa?»

Siegfried prese il respiro lungo. «Roberto», cominciò, cercando le parole, «il tennis è una cosa seria. È un'attività difficile, dura, che richiede sacrifici. Non si tratta soltanto di battere dei giocatori bravi, addirittura dei campioni. Dobbiamo battere noi stessi. Ogni giorno. Oggi, vedi, mi spiace rovinare la tua soddisfazione, sei stato meno preciso di quanto puoi essere. Guarda qui: non l'avevi mai vista, una percentuale sui colpi?»

Roberto aprì le braccia.

«La tua risposta di rovescio», continuò Siegfried, «ha un trentun per cento di errori e solo sette per cento di colpi vincenti. Cosa vuol dire? Vuol dire che questo rovescio lo devi cambiare, impugnarlo eastern, come ti ho suggerito la prima volta che ti ho visto in campo. Il servizio, poi, va ancora peggio. Ci sono quattro doppi falli e solo due aces: anche piuttosto inutili, perché giocati in momenti di scarsa importanza. Mentre proprio un doppio fallo ci ha fatto perdere il servizio, nel secondo set, per fortuna a quattro-uno. Quanto ai secondi servizi, sono troppo corti, all'ottantasei per cento, addirittura: e questo è un fatto che riguarda solo l'allenamento.»

Alzò gli occhi, a controllare l'espressione sgomenta di Roberto.

«Be'», ammise, «i colpi al volo sono andati un po' meglio e le risposte di diritto addirittura bene. Quasi bene», corresse, «in rapporto al momento favorevole nel quale hai giocato quelle vincenti.»

Sotto quella pioggia di numeri, Roberto non si era difeso: dichiarò che capiva poco, non aveva mai creduto che del gioco si potesse dare un'interpretazione statistica.

Siegfried spiegò che il sistema era stato inventato dal suo amico Lacoste, il famoso crocodile, campione del mondo negli anni Trenta. «E perfezionato da me, che ho introdotto delle varianti nel valore di punti eguali giocati in circostanze diverse.»

Si arrestò a sorridere dello stupore di Roberto.

«Voglio dire», continuò, «che un quaranta a trenta nel primo gioco ha un'importanza di gran lunga inferiore allo stesso punteggio a cinque pari nel terzo set.»

Jean, uno dei pochissimi esperti del sistema, era per solito tanto gentile da annotare lo *score* di tutte le sue partite, consentendogli così importanti rilievi statistici.

«Senza conoscere i miei punti deboli, non potrei mai migliorarli», constatò Siegfried. «E, d'ora in poi, sarà bene che cominci anche tu a fare lo stesso lavoro.»

Per prima cosa, c'era da allenarsi con maggior impegno. I due set di doppio disputati non bastavano certo a preparare i singolari che li attendevano il giorno dopo.

Senza commenti, Roberto si avviò al suo armadietto. Si rivestì, provando per Siegfried, insieme all'ammirazione, anche una punta di risentimento. Aveva passato la mattina a fare footing sulla Corniche. A colazione, era stato costretto a contentarsi di un filetto, per via del doppio. E adesso anche l'appuntamento con Annette Olivier, alle sette, sembrava compromesso.

«A meno che non mi aspetti», cercò di incoraggiarsi Roberto, mentre Siegfried, una a una, spostava le corde della sua racchetta fino a farle tornare rigorosamente parallele.

III

Al pensiero che Roberto potesse accorgersi di lui, Luca si appoggiò alla balaustrata facendosi schermo al volto con le mani. In quella posizione osservò Roberto e Siegfried avvicinarsi all'ufficio del direttore di gara, ricevere una scatola sigillata di Dunlop, avviarsi verso i campi di allenamento.

Appena furono fuori vista, si riscosse: a lui erano arrivati, soltanto il giorno prima, a negare tre palle vecchie, e il suo senso di giustizia non riusciva a sopportare simili discriminazioni. Con aria aggressiva si fece dunque avanti, a domandare a sua volta un campo e palle: fu subito esaudito. Rientrò negli spogliatoi, per trovare un partner, ma nessuno sembrava aver voglia di allenarsi. Le sue ricerche non furono più fortunate sulla grande terrazza del ristorante: corse, anzi, il rischio di finire nel raggio d'azione di un malese, un brocco soprannominato la colla, proprio per la sua insistenza ad allenarsi con chiunque gli capitasse a tiro.

Un po' fuori mano, si fermò a guardare il gioco: due doppi femminili che interessavano soltanto gli spettatori più tenaci e qualche amica delle protagoniste. Come un'ora prima, al suo ingresso al club, si sentiva tagliato fuori, estraneo all'ambiente. Ebbe voglia di andarsene, lungo il corridoio che porta all'uscita comune, discosta da quella dei giocatori, ma la prospettiva della camera di Villefranche lo indusse a rimanere. E poi, perché smarrirsi in quel modo: quante altre volte gli era capitato di non trovare un partner?

Riprese la rassegna del pubblico attorno ai courts centrali e incontrò, d'un tratto, lo sguardo di Sheila: stava allungata sull'erba, del tutto indifferente alla partita che si svolgeva a pochi metri da lei. Guardava addirittura dalla parte opposta,

verso due raccattapalle che litigavano dietro al tabellone segnapunti. Le fece cenno, e Sheila si alzò di scatto, corse verso
di lui. «Arrivo, il tempo di prendere la racchetta!» rispose
pronta al suo invito.

Il campo loro destinato era uno di quelli che, per la cattiva manutenzione, si chiamano campi di patate: all'estremità
del club, nascosto insieme con altri due da un sipario di bambù assicurato alle reti metalliche di recinzione.

Da dietro a quel leggero schermo giungeva, nitido, il suono delle corde: e, prima ancora di vederli, Luca intuì che erano Siegfried e Roberto le due figure bianche che palleggiavano. Gliene venne un disagio tanto intenso da dover sostare un
momento sulla porticina d'ingresso. Quando si accorse della
sorpresa di Sheila, le sorrise a rassicurarla e spinse decisamente la maniglia: al cigolio, Roberto si voltò di scatto e sbagliò
immediatamente il colpo. Luca salutò Siegfried, si strappò
dalle labbra un borbottio per Roberto e cominciò a interessarsi vivamente all'altezza della rete.

* * *

Una volta di più, Roberto era alle prese col rovescio eastern: la nuova presa invocata da Siegfried. L'apparizione di
Luca, che dopo l'incidente di Beaulieu pareva essersi volatiliz-
zato, lo confuse fino a impedirgli di connettere i colpi. Preparava tardi, toglieva gli occhi dalla palla al momento dell'impatto.

Con ansia e disagio crescente aveva atteso quell'incontro,
se l'era figurato in cento modi diversi; aveva, infine, cercato
di liberarsi da quelle fantasie definendo Luca «un nevrotico
capace di qualsiasi stravaganza». Siegfried aveva ascoltato impassibile. Jean si era limitato a un'alzata di spalle. Davanti a
quel riserbo, a quell'indifferente ironia, la lite con Luca era
parsa retrocedere d'incanto ai tempi delle baruffe di scuola,
quando abitudini quotidiane, sodalizi strettissimi, si dissolve-
vano, scomparivano rapidamente, così come erano nati... E
poi – si diceva Roberto – anche a volerci tornar su, senza far

drammi, non l'aveva sopportato abbastanza, non era stato fin troppo paziente con Luca, lui che di pazienza non ne aveva avuta mai? Certo, aveva provato rimorso per quel pugno: e anche rabbia, per essersi lasciato trascinare, invece di elencargli le proprie ragioni, tante che l'avrebbero annichilito, anche con tutti i suoi sofismi, e quella mania insopportabile di aver l'ultima parola! Ma rimorso e rabbia non potevano continuare in eterno, non si potevano attribuire torti e ragioni per tutta la vita. Era andata così e tanto peggio per lui, per Luca: alla prima occasione, al primo incontro, gli avrebbe teso la mano, fatto capire che il passato era morto e sepolto.

Ora Roberto si rendeva conto nell'affanno del gioco che tutte le sue preoccupazioni non erano per nulla risolte: l'incontro con Luca lo riportava indietro di tre giorni, a quando aveva temuto di ritrovarsi di fronte all'amico. E non certo per paura di una reazione violenta, di un possibile pugilato, che gli avrebbe almeno tolto la vergogna di quel destro non restituito. Quello che lo terrorizzava era invece il silenzio di Luca, l'aria tra il prete e il martire che gli era abituale quando credeva di aver subìto un torto, e che era per un istante affiorata nel suo saluto stento, a mezza bocca. A un simile atteggiamento non aveva mai saputo opporre altro che irritazione, subito dissolta in una resa totale quanto rapida, convinto com'era, in fondo, che la ragione fosse in qualche modo dalla sua, ma che al tempo stesso la natura, la mentalità dell'amico reclamassero non soltanto comprensione, ma compassione.

Era proprio questa abitudine a dargliela vinta che l'aveva logorato, e la lite, il pugno, erano stati soltanto il tentativo di troncare un rapporto che fatalmente avrebbe finito per rendere nevrotico anche lui.

Ma allora, se tutto era così chiaro, perché era stata sufficiente l'apparizione di Luca a gettarlo nella confusione più completa? Nel vederlo tanto distratto dal gioco, Siegfried fu costretto a chiedergli cosa intendesse fare: continuava con la nuova presa di rovescio, o tornava alla vecchia?

Roberto sembrava addirittura incapace di rispondere. Alla fine, l'aria sbalordita del principe gli consentì di rendersi conto della propria assenza, di confessare, a bassa voce, in modo che Luca non sentisse: «Stavo pensando ad altro: scusa Siegfried».

Siegfried si avvicinò, gli prese la mano e, con precisione, cominciò a spostargli le dita chiuse sull'impugnatura della racchetta.

IV

«Hai giocato bene, Sheila», concluse Luca lasciandosi scivolare sulla panchina. Era già quasi buio.

«Ho fatto del mio meglio», si schermì lei, ancora affannata. «Con te», aggiunse, «tutto mi riesce meglio, più facile.»

Luca rise, e questo bastò a Sheila per indispettirsi:

«Ritiro tutto, non ti posso davvero soffrire. Sei di nuovo in lite con Roberto, tra l'altro. Sempre per quella stupida palla?» finì di indagare, con aria già conciliante.

Con profondo sollievo, Luca si rese conto che avrebbe finalmente potuto rendere partecipe qualcuno delle sue sofferenze. Era stato più volte sul punto di confidarsi con Claudine, ma l'avevano trattenuto i sospiri che lo raggiungevano puntuali traverso il telefono. Come domandare aiuto a chi non faceva che chiederne? Claudine ripeteva di aver bisogno di lui «come dell'aria», e sarebbe stata «pazza di gioia» solo a vederlo, ma ignoti ostacoli sembravano impedire la realizzazione di un desiderio tanto semplice. Il mistero del suo isolamento, poi, non faceva che complicarsi dopo il recente invito di Barbara.

Luca si scosse da quei pensieri con una racchettata alla scatola di Dunlop, un colpo che suonò sordo nell'aria ferma, azzurrina del crepuscolo. Sheila interpretò quel segno di stizza come un riferimento a Roberto: «Non è stato onesto con te», stabilì, «ma tu dovevi perdonargli lo stesso. Non è bello, vedere che non vi salutate. Mi sono sentita male io per tutti e due. Lo sai», continuò, stirando le labbra, «che non ero mai stata felice come in questi ultimi quindici giorni? E grazie a voi. Perché volete rovinarmi quei bei ricordi? La settimana prossima torno in Inghilterra, e forse non vi vedrò più e...»

Cominciò a piangere, con singhiozzi profondi che le tagliavano il fiato, le arrossavano il volto.

Luca le circondò le spalle, cominciò a carezzarle i capelli. «Come faccio, Sheila, a prenderti in braccio? Sei troppo grande!»

Non doveva – continuò – fare in quel modo, non era poi terribile, definitiva, la lite con Roberto. Mentre ripeteva per farle coraggio affermazioni alle quali non credeva più tanto, se ne sentiva a sua volta confortato, e i suoi rapporti con Roberto e gli altri, il futuro insomma, gli sembravano meno angosciosi. Con tenerezza, gratitudine, avvicinò le labbra alla guancia di Sheila, le diede un bacio.

Sheila, trionfante, saltò in piedi: avrebbe parlato lei a Roberto, l'avrebbe convinto, costretto a fare le sue scuse. Luca, con fermezza, decise che il momento non era ancora arrivato. Dovevano, piuttosto, pensare a se stessi: non parlare più di cose spiacevoli, festeggiare la prossima vittoria nel misto con tè e torta. Sheila lo abbracciò e baciò a sua volta. E così, stretti l'uno all'altra, li sorpresero gli inservienti, giunti silenziosi sulle espadrilles di corda blu per togliere le reti. Camminarono via impettiti, sotto quegli occhi maliziosi e, appena fuori dal campo, si misero a correre verso la club house.

Davanti ai tabelloni appena sorteggiati, ancora freschi d'inchiostro, del singolare juniores e del doppio misto, sostarono a cercare i loro nomi. Insieme al suo, Luca individuò subito quello di Roberto e si rese conto della possibilità di incontrarlo in semifinale. Con un dito poggiato al cartone bianco, Sheila tracciava una immaginaria successione di vittorie, nel misto. Luca dovette afferrarle la mano e riportarla indietro, al secondo turno: i loro avversari successivi erano Beverly Baker e Philippe Washer. Davvero troppo forti.

Sottobraccio scesero al bar. Erano tutti lì, Claudine, Barbara, Jean e Roberto, a fare corona alla principessa Antoinette. Luca installò Sheila sull'unico sgabello libero e con curiosità, poi con irritazione, si volse al gruppo degli amici. Anche occupati a chiacchierare, a brindare, come potevano non averlo visto? Erano vicinissimi, a pochi metri soltanto... Con un cenno al barman, a voce un po' alta, ordinò: «Una bottiglia di champagne anche per noi».

Fu Claudine a voltarsi, e Luca la sbrigò con un sorriso per dedicarsi tutto a Sheila, che reggeva la sua flûte con aria perplessa. «Non l'avevo mai provato», confessò sottovoce e, dopo il primo sorso, domandò se poteva lasciarlo, perché proprio non le piaceva. Luca insistette e Sheila bevve ancora, come fosse una medicina. Si rassegnò allora a ordinarle un gelato. Mentre il barman decorava di frutta e panna una coppa enorme, la voce di Jean si alzò dal gruppo:

«Altro che champagne! Adesso sì, che è una vera seduzione!»

Le mani strette alla sbarra di ottone del banco, gli occhi fissi davanti a sé: «Bisogna pur conquistarseli, i compagni di doppio», scandì, a voce alta, Luca. Poi tornò a occuparsi di Sheila, s'informò se almeno il gelato le piacesse. Specialmente le amarene – rispose lei – erano squisite.

V

«Non capisco proprio perché si debba ritardare la cena. È l'unico pasto autentico che può permettersi un giocatore di tennis. Comunque», concluse nel telefono interno la voce di Siegfried, «tra dieci minuti ti aspettiamo sotto, Jean e io.»

Roberto si affrettò verso la porta girevole dell'hotel, uscì e sul grande orologio del Casinò controllò che l'appuntamento con Annette Olivier era passato da un'ora.

Di corsa, risalì lungo il vialetto dei giardini pubblici, sino alla fontana, dov'era fissato l'incontro: Annette, constatò, doveva proprio essersi stancata. Per accertarsene del tutto, si spinse fino all'edicola dei giornali, comprò la Gazzetta, cercò di consolarsi ripetendo che la presenza della ragazza gli avrebbe creato un nuovo problema, con Siegfried e Jean.

Come avvertirli che non avrebbe cenato più con loro, a pochi minuti dalle nove? Confortato dalla menzione del suo nome nella rubrica tennis e dalla vittoria dell'amata Juve, Roberto stava decidendosi a tornare, quando una giovane donna gli passò vicino, attrasse la sua attenzione con un'andatura leggera, elastica, da giocatrice di tennis, appunto! La seguì, la raggiunse in pochi passi, le si mise al fianco: «Vuole proprio fare una gara di corsa?»

Senza fermarsi, lei gli sorrise gentilmente. Era in ritardo, andava a lavorare.

«A quest'ora?» insistette lui. «E cosa pensano i sindacati di una simile crudeltà? Perché non si ribella? Organizziamo uno sciopero.»

Erano arrivati al teatro.

«Lavoro qui», spiegò la donna. «Sono col Ballet de Paris.»

«Ma allora», si entusiasmò Roberto, «facciamo quasi lo

stesso mestiere! Io gioco al tennis... Perché non viene a vedermi domani?»

«Perché non viene lei, a teatro?» gli sorrise ancora una volta. «Arrivederci.»

Roberto rimase a guardarla, ammirato.

Una ballerina! Ecco il perché del suo portamento, di quelle gambe, di quelle braccia aggraziate ma non certo deboli. In un istante immaginò tutta una storia d'incontri, separazioni e nuovi incontri. Lui ormai campione, lei finalmente prima ballerina. O lo era fin d'ora? A conoscere il suo nome, avrebbe potuto lasciarle un invito per il torneo.

Scorse le locandine senza trovarci un suggerimento: avrebbe dovuto assistere allo spettacolo, rivederla in scena, informarsi... Incominciavano alle nove e mezza: alzò gli occhi all'orologio. Le nove! Si mise a correre verso l'Ermitage, vi fece un ingresso un po' troppo vivace, per quella hall silenziosa, e prima ancora di salutare Siegfried e Jean, affondati nelle poltrone d'angolo, si scusò.

Jean sorrise, Siegfried conservò l'espressione infastidita.

«Non vorrei che quella d'incontrare gente che conosci prima dei nostri appuntamenti diventasse una regola, Roberto.»

«Ma sono venti minuti», tentò di difendersi.

Siegfried si alzò, si avviò verso la sala da pranzo. «Mi costringi proprio a essere noioso», stabilì. «Ma sarebbe forse più elegante che tu dedicassi a noi le attenzioni che hai per la tua bella persona: o per qualche sciocchina, tipo quella che hai appena visto.»

* * *

«Vincerli!» rispose con allegria a Siegfried che gli chiedeva le sue intenzioni, per i matches del giorno dopo. «Vincerli tutti: singolare, doppio, e singolare juniores.»

Con aria misteriosa, Siegfried smazzò le carte, ne fece scegliere quattro a Roberto, le allineò, restando poi a meditare.

A mezzanotte passata erano soli, nella bridge room presidiata da un cameriere immobile.

«Non credi che ce la farò?»

Siegfried poggiò pesantemente le mani sulle carte, scosse la testa. «Perché? Credi a queste cose?»

«Credo ai maghi.»

«Solo quando ti dicono quello che desideri.»

E, sparpagliate le carte: «Roberto, non ti sembra arrivato il momento di fare sul serio?»

Le partite – insistette Siegfried – non si giocano solo sul campo. Era fuori, era prima, che si doveva cominciare a vincerle. Esattamente come in guerra, erano indispensabili esercitazioni, conoscenza del nemico, rifornimenti e un piano ben studiato da seguire e da non mutare finché si dimostrasse rovinoso.

«Mi sembra non solo presuntuoso, ma addirittura sciocco, affrontare tre partite da giocarsi a ore diverse, in diverse condizioni di alimentazione, di stanchezza, con la pretesa di vincerle tutte. Devi cominciare a chiederti non cosa desideri, ma cosa puoi permetterti di desiderare.»

«Il doppio. Voglio vincere il doppio.»

«Sei anche cortigiano. Proprio completo.»

«Siegfried», rise Roberto, «ho detto che voglio prima vincere il doppio, poi il singolare juniores, e infine, quello libero. Anche se, nel libero, temo che la tua presenza mi ostacolerà.»

«Basta», concluse Siegfried, aprendo le braccia. «Vedremo domani.»

VI

Guidando verso Villefranche, si domandava come uno stesso gioco, una eguale passione, fossero comuni a gente disparata quanto i suoi commensali: al suo stesso tavolo erano venuti a sedersi Cucelli, Del Bello, uno studente americano e un giovane francese senza arte né parte. Dieci anni prima, un giocatore invitato a Montecarlo non avrebbe messo piede in quel ristorante popolare: tutti o quasi tutti giocavano per la gloria, per avere il nome iscritto sulla grande lastra di marmo all'ingresso del club. Dopo la guerra i tennisti erano cambiati, e molti, pur faticosamente, cominciavano a vivere del gioco. Ma non era solo l'interesse a spingerli. Quando uno era in campo a soffrire, a imprecare, pieno di paura, malconcio di stanchezza, c'era qualcos'altro a muoverlo, qualcosa che Luca non riusciva a cogliere nitidamente, che andava oltre la ragione... Alle sue riflessioni, sul lungomare che dal club porta in città, Sheila aveva riso.

«Ma uno gioca perché gli piace, Luca! E poi per viaggiare. Chi vuoi che se la possa permettere, delle mie amiche, una vacanza simile, in un posto tanto bello! Io, alla mattina, la luce che entra dalle finestre, mi chiedo se è vera.»

«Perché ci piace», si ripeteva Luca. Per quelle tre settimane sulla Costa Azzurra Sheila aveva affrontato, se non proprio la fame, una dieta non certo adatta ai suoi sedici anni. E adesso che la sua ospite la sommergeva di biscotti e marmellate, le toccavano altre limitazioni: non uscire la sera, giocare interminabili ramini, ascoltare noiosissime chiacchiere sui costumi riprovevoli della gioventù. «D'altra parte», aveva osservato, «con chi potrei andare fuori? I soli amici che ho siete tu e Roberto. Daniela Holey, che è l'unica della mia età, non la finisce mai di parlarmi delle sue conquiste e di uomini del

Sud pronti a insidiarla dietro a ogni palma. Io, di quei canni-bali, non ne ho ancora trovato uno. Sarà perché sono così magrolina.»

Sheila scopriva il mondo. E Cucelli e Del Bello, del tutto indifferenti a quanto si svolgesse oltre i confini del club? Cu-celli era un bravaccio che, in altri tempi, sarebbe corso dietro a un qualsiasi capitano di ventura, salvo saltargli contro al primo ordine sgradito. Il tennis, per quei due, era certo un mestiere: solo, Cucelli ci faceva baruffa, mentre Del Bello pas-sava la maggior parte del tempo a lagnarsi di sfortune, magari autentiche, che avevano lo stravagante effetto di farlo ingras-sare.

E Garrett, e Chatrier? Lo studente americano stava intac-cando una borsa di studio, prevista per i corsi di scienze socia-li alla Sorbonne. Il francese voleva qualcosa di vago ma sicura-mente brillante, che si accompagnasse a una affermazione eco-nomica e non fosse, in fondo, un vero lavoro.

Erano davvero stranamente assortite, quelle cene intorno a tovaglie sporche, in un arraffio di cibo, tra scherzi volgari, barzellette oscene.

Eppure, sul campo, quegli stessi uomini aprivano agli oc-chi degli spettatori spiragli sublimi: bastava un loro gesto, a volte, per scatenare gli applausi, la gioia. Il difficile – pensava Luca – era conservare quello stato di grazia nella vita di ogni giorno e, soprattutto, nel tempo. Doveva essere terribile in-vecchiare, assistere, ancora giovani, alla propria morte di atleti.

Per una volta, l'immagine di Siegfried non gli si presentò come quella di un nemico.

Quella mattina, quando l'aveva trattato tanto duramente, nel club deserto, Siegfried pareva desideroso di amicizia, di comprensione. Ma il suo modo pedante, la sua aria di profes-sore che, sotto sotto, vuol mettersi alla pari per meglio coman-dare e soprattutto la sua intrusione in una faccenda che non lo riguardava? Subito Luca si sentiva riprendere dall'ira.

Andava in cerca, Siegfried, di amicizie nuove, della confi-denza dei giovani? Perché, allora, disprezzare la tavola comu-ne dei tennisti? Valeva la pena di sottolineare una differenza di classe che già saltava all'occhio da sola? No, Siegfried non cercava amicizia. Aveva bisogno di non restare solo, ma finiva per prendersi da sé quel che sembrava domandare. Quanto era più umano Cucelli che, all'uscita del ristorante, gli aveva detto:

«Caro Luca, io me ne sono sempre fregato, dei pettegolezzi. Ma se è vero che vi siete litigati fino a darvele, o anche se non è vero, diglielo, a Roberto, che un torneo di doppio, con Siegfried, non può certo far male. Ma che sia uno!»

Già, dirglielo! Sebbene non volesse mai più giocarci, mai più averlo come amico, un consiglio, una parola utile, non gliel'avrebbe certo negata, a quello stupido. Ma com'era possibile? Non solo Roberto non gli faceva nemmeno caso, ma era arrivato a ridere di lui, dopo le ironie di Jean, al bar! E proprio in faccia a Claudine! Gelosa com'era, quella, chissà cosa stava pensando, della sua amicizia con Sheila.

Fermò di fianco a una bitta d'attracco e rimase fisso alle luci della casa di Barbara, oltre il braccio d'acqua tra Villefranche e Cap Ferrat.

Quando si decise a scendere dalla Cinquecento, carico di racchette, vide Fernande che travasava il vino da un enorme bottiglione, e lo assaggiava con aria compiaciuta.

«Lasciane almeno un goccio, Fernande!» la provocò.

«Sei riuscito a vincere, campione?»

«Un trionfo!» Il suo avversario, aggiunse a voce più bassa, non era molto forte, e nemmeno troppo giovane: sulla quarantina.

Toccata, Fernande cominciò una critica di quelle persone che non sono mai contente di se stesse, non fanno che lamentarsi, mentre invece dovrebbero ringraziare i santi, nate come sono con la camicia, belle e in buona salute. «Tu, per esempio: non solo sei giovane e hai vinto, ma hai anche una ragazza che ti cerca. Cosa vuoi di più?»

Non la lasciò finire.

«Chi è?»

«Molto bella, ma smorfiosa. Anche matta, con tutti quei misteri. O è sposata?» E Fernande consegnò un biglietto e iniziò una dissertazione sull'adulterio.

«Vieni subito», lesse Luca. «Davanti al cancello miagola tre volte e io uscirò appena posso. Claudine.»

Fernande pesava tutta sul banco, con aria partecipe.

«È venuta un'ora fa con la macchina di quegli americani che stanno a Cap Ferrat. Da sola. Va' piano!» gli gridò dietro, mentre lui già s'infilava in auto.

Guidando, nel breve tragitto, Luca ebbe modo di riflettere: e se si fosse trattato di uno scherzo? Miagolare tre volte! E se fossero tutti nascosti dietro ai cespugli, pronti a deriderlo? Se davvero ci fosse stato qualcosa d'importante, Claudine l'avrebbe pur trovato, il modo di comunicarglielo, al tennis. A meno che non si trattasse di Sheila! Luca si sentì rabbrividire alla prospettiva di una discussione, dei vaneggiamenti che sembravano la specialità di Claudine gelosa.

Fermò la macchina ben distante dalla villa, si avviò lungo il muro di cinta, e presto fu a un passo dal cancello. Il giardino era deserto, le cromature della Cadillac di Barbara scintillavano sotto la luna: a destra della casa, un rettangolo di mare brillava verdastro, illuminato dalle luci della veranda. Nell'ombra di un pino, Luca rimase a lungo immobile. Cautamente, si arrischiò allo scoperto, esplorò i possibili nascondigli, e, infine, tentò uno, due miagolii: gli riuscivano così bene che presto si ritrovò a miagolare come un vero gatto. Claudine apparve, arrivò al cancello silenziosa, scivolò fuori e lo abbracciò, la bocca tanto vicina che Luca non poté non baciarla.

Gli rese in fretta il bacio.

«Non c'è tempo. Barbara sta giocando a carte. Ho deciso. Vengo a stare con te. Domani, alla stessa ora, sarà a vedere i balletti. Vieni a prendermi.»

«Claudine, Claudine», ripeteva Luca, sopraffatto.

«Cosa?»

«Non ti sembra meglio parlarne ancora?»

«Ti vuoi tirare indietro?»

«No. Ma perché tutti questi misteri?»

«Sì o no. Per l'ultima volta.»

Non seppe trattenersi dal baciarla ancora.

VII

Alle undici di mattina, Roberto cominciava a palleggiare contro Remy, il campione di Francia, mentre anche Siegfried scendeva in campo.

Remy era tanto regolare e resistente che avrebbe potuto correre tutta la mattina senza sbagliare mai, lungo la linea di fondo: a rete, ci andava solo all'inizio, per misurarne l'altezza, e alla fine, a stringere la mano all'avversario.

A mezzogiorno Roberto vide Siegfried uscire dal campo, vittorioso, mentre sul suo tabellone segnapunti uno scarno quattro si allineava al quattro di Remy. Alle dodici e mezzo era sei pari, e non osava più avvicinarsi a rete abbagliato dal sole altissimo.

Dalla fossa dei tre campi centrali lanciava, di tanto in tanto, sguardi imploranti a Siegfried, seduto a un tavolino del ristorante: sentiva la pelle bruciargli, i capelli incollati alla fronte, la camicia zuppa, le calze sgradevolmente impastate di sudore e terra rossa.

A chiunque sarebbe parso chiaro che, troppo affannato per condurre un forcing, incapace di attirare Remy a rete, Roberto avrebbe finito col perdere.

Soltanto lui, ubriaco di rabbia e di sole, rifiutava di ammetterlo: si sfiancava in palleggi bestiali, e cercava gli occhi di Siegfried, impassibile, all'apparenza.

Non era nelle abitudini del principe ritirarsi di fronte alle difficoltà, e Roberto attese invano una parola magica, che gli spalancasse le difese di Remy, o gli consentisse, almeno, una resa meno massacrante.

Il Roberto che alla fine cadde sul petto di Siegfried, era molto diverso da quello di tre ore prima: una specie di naufrago smarrito, scavato, desideroso soltanto di abbandonarsi, di non volere più, non muoversi più.

Roberto sentì il suo braccio cingergli le spalle, sollevarlo, quasi, su, verso gli spogliatoi: docilmente, si lasciò imporre doccia, pollo tritato, spremuta d'arancia, sinché venne il masseur, a liberarlo dai tremiti, dalle sorde chiazze della fatica.

Soltanto quando si fu ripreso, ormai in piedi, e cominciò a lagnarsi per l'imminenza del doppio, Siegfried parve concedersi una piccola vendetta.

«Anche se la sfortuna li elimina, i veri campioni si rifanno nel doppio», lo vide sorridere e, sugli shorts immacolati, ricevette una pacca della sua tesissima Dunlop.

VIII

Luca arrivò al tennis in tempo per assistere alle sconfitte di Roberto.

Gioì, all'inizio, dell'andamento del doppio. Gli avversari erano gli stessi che a San Remo, dieci giorni prima, avevano perso in meno di un'ora contro lui e Roberto.

Osservando Siegfried e il suo compagno presi sul tempo, in posizione falsa, impacciati, si disse che, forse, Roberto avrebbe finalmente capito, a sue spese, quel che si era sempre rifiutato di ammettere o che aveva, al più, riconosciuto per evitare di discutere. Non era la somma dei valori individuali a fare la forza della coppia, ma qualcosa di più sottile, una sorta di connessione umana, prima ancora che tecnica.

Confidò la sua convinzione a Sheila, che al solito non perdeva un punto delle partite di Roberto, e che trovò subito modo di giustificarlo: aveva tutti i diritti di esser stanco, dopo quella maratona contro Remy!

Come sempre – ribatté – Roberto aveva sacrificato al proprio egoismo le chances del suo compagno. Ma per essersi accorto di aver preso, involontariamente, le parti di Siegfried, subito rimase a disagio, irritato. Non poté del resto non ammirare il comportamento del principe: non si rivolgeva al compagno se non per lodarlo nei rari casi meritevoli o per incoraggiarlo quando cadeva in errori che avrebbero reso furioso chiunque.

La stessa osservazione non sfuggì a uno dei tanti giocatori che assistevano e subito un altro trovò modo di ribattere che, se Siegfried era così tenero, una buona ragione doveva pur averla.

A quella bassezza, Luca reagì, batté le mani al primo punto di Siegfried con un calore che sorprese, primo fra tutti, lui stesso. Si strappò dal suo posto, e trascinò Sheila in un lungo giro di campi che li ricondusse al punto di partenza: giusto in tempo per assistere alla fine del doppio che Roberto, ormai incapace di seguire il servizio a rete, perse miseramente con un doppio fallo.

* * *

In condizioni normali, l'avrebbe vinto tranquillamente quel singolare junior, il quarto di finale della Coppa Macomber che invece stava andando maluccio, contro un avversario combattivo ma tanto prevedibile da poterci giocare a occhi chiusi. Luca riusciva infatti a controllare quel noioso, a rompergli il ritmo, e andare in vantaggio, ma ne veniva puntualmente raggiunto ogni volta che i suoi pensieri abbandonavano l'incontro, rivolti all'appuntamento con Claudine.

Si forzava, allora, all'attenzione, ripetendosi che quella partita gli avrebbe permesso di far meglio di Roberto, battuto nell'altro quarto di finale. Ma non era questa l'idea più adatta a galvanizzarlo: che merito ci sarebbe, in fondo, ad arrivare più avanti di un Roberto sfinito, che si era limitato a mettere in gioco la palla, a lasciarsi dominare da un avversario non certo migliore di quello che lui vedeva agitarsi con tanto zelo?

Si sforzò di giocar bene, almeno per Sheila, che assisteva preoccupata e si affannava a ricordargli, a ogni giro del campo: «Guarda soltanto la palla!»

Ma non c'era verso, nemmeno quella abituale forma di ipnosi riusciva ad aiutarlo. «Almeno ci fosse Claudine, almeno avessi una ragione per giocare», seguitò a ripetersi, finché si ritrovò battuto senza avere, in verità, preso parte più che tanto al suo incontro.

Mentre poi, con una buona mezz'ora di anticipo, guidava verso Cap Ferrat, ripensava al breve incontro con Barbara, subito dopo la sua partita. Stava uscendo dal campo, quando se l'era trovata davanti: «Ma allora non vieni proprio più a trovarci!» gli aveva detto. E poiché lui, ancora frastornato, restava zitto: «Claudine langue», aveva aggiunto, lasciandolo subito a ripetersi che era stato davvero troppo goffo. Ma d'altra parte, che cosa avrebbe avuto, da dirle? Che stava aspettando che uscisse, al solo scopo di portarle via Claudine?

Su questo pensiero rimase bloccato, sinché incominciò il suo solito lavoro di aggiramento. Non gli pareva possibile, in fondo, che tra Barbara e Claudine esistesse una relazione simile a quella di cui molti sospettavano Siegfried e Roberto. In Barbara era certo palese un desiderio di comando, di possesso, spinto sovente oltre la normalità: non l'aveva sentita intimare alla povera Nelly Strauss, una delle sue amiche più fedeli, più sottomesse, di andare fino a Montecarlo, per comperarle un gelato introvabile al club? E Wladimir, il segretario del circolo, quante volte lo aveva visto portare a spasso Satchmo, il cocker di Barbara, escluso dal tennis come tutti gli altri cani: a disagio, povero Wladimir, sotto gli sguardi impietosi degli autisti che, di fianco alle limousines, attendevano il ritorno dei padroni.

Le prepotenze di Barbara – si ripeteva Luca – erano in fondo i capricci di una bambina troppo ricca, educata senza sculaccioni: capricci alle spalle di individui che parevano quasi goderne. Con chi si dimostrasse poco disposto ad assecondarla, Barbara era invece cortese, a volte troppo: quelle sue rapide apparizioni, quelle frasi buttate in fretta e con sorridente ironia, non erano forse il segno di una timidezza che riaffiorava non appena l'amazzone uscisse, per dir così, dalle sue riserve di caccia? Dovette sforzarsi per resistere a un'ondata di simpatia e considerare da capo il rapporto tra Barbara e Claudine: secondo Claudine, le amicizie di Barbara non erano altro che un continuo tentativo di sopraffazione. E, questo doveva riconoscerlo, non poteva trattarsi soltanto di fantasie, se la poverina era costretta, invece che a un normale congedo, a una vera e propria fuga. Quanto avrebbe preferito, Luca, una soluzione meno macchinosa: una visita a Barbara, un'allegra spiegazione, oppure una sola domanda, disinvolta, naturale: «Sono pronte le valigie?» Insomma, se Claudine era per Barbara una semplice ospite, come tanti giocatori che avevano soggiornato prima di lei in casa sua; se al di là dei suoi obblighi di buona educazione, di gratitudine, non c'erano altri debiti, altri legami, perché tutte quelle difficoltà, quei sotterfugi?

A quei pensieri, a quelle supposizioni, Luca reagì, d'un tratto, come reagiva nel gioco a una situazione stagnante. Accelerò al massimo, si buttò in una decina di curve, sino a infilare il rettilineo che conduceva alla villa di Barbara quasi fosse la dirittura dell'Autodromo di Monza. Con una frenata che fece sbandare la povera Cinquecento, annunziò il suo arrivo agli abitanti della villa: tanto meglio, se c'era anche Barbara!

Tutto quel fracasso rimase senza esito: allora, dopo un minuto, Luca si mise a premere sul clacson, finché si rese conto dell'assurdità di quel tentativo. Fosse stata in casa, non avesse cambiato idea, l'avrebbe certo sentito arrivare, Claudine, non avrebbe tardato neppure un minuto a mostrarsi. Era lì, deluso ma, al tempo stesso, sollevato, quando la ragazza apparve sulla porta, gli fece cenno di non fare troppo baccano e di entrare. Aveva – spiegò – due valigie troppo pesanti.

«Allora, sei proprio decisa?»

«Perché? Non si vede?» lo aggredì Claudine. Se era lui ad avere cambiato idea, era pronta a chiamare un taxi: in quella casa non voleva starci un minuto di più.

Afferrata una delle due valigie, enormi, piene fino a scoppiare, Luca si avviò alla macchina. «È successo qualcosa con Barbara?» s'informò al ritorno dal primo viaggio.

«Niente di niente. Soltanto che sono stufa di farle da serva, a quella sfruttatrice. E non mancherò di dirglielo, alla prima occasione.»

Per un buon chilometro, Luca non riuscì ad aprir bocca. Non riconosceva più, in quella ragazza scatenata, la sua Claudine facile a commuoversi, debole, ombrosa. Non riusciva a capire le ragioni di quell'improvvisa cascata di risentimenti e ne chiese, alla fine, il perché.

Per tutta risposta Claudine gli buttò le braccia al collo: era stato, confessò, il timore di rimaner sola, senza nessuno che le volesse bene, a trattenerla per tanto tempo. Ma adesso! Adesso che aveva lui, incomincerebbe una nuova vita: Luca non si sarebbe pentito, di averla presa con sé. Lo guardava, tutta seduzione, lo accarezzava anche, allegra, addirittura sfrenata nel buttarglisi addosso per mordicchiarlo e fargli il solletico, rendendogli ardua la guida.

Arrivarono comunque a Villefranche e Claudine fu presentata a Fernande che propose, secca, una camera doppia al posto di quella che Luca aveva occupato sino ad allora.

«Le teniamo tutte e due!» si entusiasmò subito Claudine, ma non ebbe per tutta risposta che la precisa diffida a usare ferri da stiro e altri strumenti elettrici in stanza. Subito dopo, scuotendo il capo in segno di totale deplorazione alla notizia del singolo andato male, Fernande si avviò a preparare la cena: sempreché, aggiunse ormai dalla cucina, non avessero deciso di passare la serata in qualche locale più chic.

Doveva proprio essere di cattivo umore – concluse tra sé Luca – incapace di sospettarla insensibile al fascino di Claudine.

Per la prima volta nella sua vita si trovava a dividere una stanza con una donna, e non una qualunque, ma proprio la sua ragazza, da un momento all'altro addirittura la sua amante! Quest'idea, più che esaltarlo, accentuò il suo disagio per il contegno di Fernande e le reazioni di Claudine, non appena ebbe richiusa la porta: «Ti ospita gratis, per essere così disinvolta, quell'affittacamere?»

Fernande, si affannò a spiegare, nascondeva un cuore d'oro sotto la sua ruvidezza. Claudine e lei non avrebbero tardato a fare amicizia.

«Conosco il genere», tagliò corto Claudine. «È una di quelle che diventano più facilmente amiche dei giovanotti. Io, comunque, la tratterò come una signora, così ognuno resterà al suo posto.»

Nel silenzio che seguì Claudine armeggiò con le valigie, decisa a cambiarsi per la cena, e a Luca che le offriva galantemente di aiutarla, rispose di no, non era nelle condizioni migliori per quel genere di effusioni.

Un po' sorpreso, Luca scese a intrattenere Fernande, senza troppo riuscirci. Raggiunse allora il suo tavolo e si sedette, le spalle al mare, gli occhi fissi alla finestra illuminata della stanza di Claudine.

Quando infine la vide apparire, una mezz'ora dopo, stentò a riconoscerla, sotto il trucco che la invecchiava di anni, e invano cercò di cancellare dal proprio stupore ogni sfumatura critica. Era il suo vestito a non piacergli? lo aggredì subito lei.

«Diciamo», balbettò Luca, «che non ti avevo mai vista, truccata così...»

Era stata di Barbara, la colpa, che per esempio le aveva sempre impedito di allungarsi gli occhi, di usare l'ombretto. E perché, se non per nera, gretta, rivoltante gelosia? Perché solo Barbara doveva sembrare bella, solo lei doveva avere successo, naturalmente. Ma grazie al cielo erano cose finite, morte, sepolte: si sarebbe visto, adesso, chi era la più affascinante!

Con allegria, Luca le suggerì la prudenza: attenta alle mele avvelenate, se Barbara era tanto cattiva. Subito Claudine considerò seriamente quel pericolo: non era vero – disse – che cose simili succedano soltanto nelle favole. Almeno al cinema, una storia del genere l'aveva vista con i suoi occhi. E riprese: Barbara non era solo gelosa della sua bellezza, ma soprattutto di lui. Una volta tanto era qualcosa di più della solita infatuazione per i ragazzi che regolarmente cercava di portar via alle amiche, nella sua smania di imporsi, di sopraffare, ma una vera e propria cotta. E, a Luca ormai esterrefatto, rivelò con accanita meticolosità i retroscena della villa, fino a delineare una versione del personaggio di Barbara in tutto simile alla matrigna di Biancaneve.

Superata la prima curiosità, stufo di tutti quei pettegolezzi, Luca cercò più volte di cambiare argomento. Sperò di riuscirci, quando chiese a Claudine se volesse uscire o preferisse andare subito a riposare.

Riposare, prima di mezzanotte! si sorprese lei. Perché non tornavano piuttosto a Nizza, nella stessa cave dove si erano tanto divertiti l'altra volta? A ballare, ci sarebbe andata volentieri ogni sera: e anche al pomeriggio. Avrebbe ballato sempre e non era da escludere che, tra non molto, si decidesse a salire sul palcoscenico del Lido, o delle Folies.

IX

Nella sua grande stanza all'Ermitage, Roberto sfogliava il *Traité de Chorégraphie* di Serge Lifar. Indugiando distrattamente su qualche schizzo, si domandava se dovesse sentirsi prigioniero, oppure, giusta l'opinione di Siegfried, innalzato a un grado di maggiore libertà. Non era stato proprio lui – aveva domandato il principe – a scegliersi, insieme alla gloria, gli obblighi del mestiere? La conversazione era avvenuta verso le dieci di mattina, quando Roberto, ancora tutto rotto, era stato costretto ad alzarsi e seguire Jean e Siegfried lungo i green del golf. Dopo mezz'ora di corsa, proprio lui, il più giovane, si era abbandonato sotto un olivo, deciso a non continuare. Oltre ai campi di garofani e ai tetti, fra le rocce della scogliera, brillava l'asfalto della strada per Cannes. Nell'aria c'era lo stesso odore di pini e olivi di quella notte. Come non pensare a Julie, ma anche ad Annette, e, perché no, in fondo, a tutte e due insieme? Ma era subito arrivato Siegfried, a blandirlo, a discutere, a ricordargli, come esempi, decine di campioni del passato. Non era servito opporgli che il miglior italiano, Cucelli, si allenava pochissimo.

«Chi è Cucelli?» aveva ribattuto Siegfried. «Ha mai passato i quarti di finale a Wimbledon?»

Era stato costretto a tacere e Siegfried gli aveva chiesto se credesse sufficiente contentarsi del proprio talento. Non gli sembrava troppo facile, mediocre? C'erano, sì, persone che cantavano romanze nei caffè concerto o dipingevano marine, anziché cantare e dipingere veramente. C'era gente che, come Cucelli, si contentava di essere il primo nel proprio Paese. E se un simile tennista fosse nato nell'arcipelago polinesiano? Dal suo letto di frasche, sarebbe balzato per brandire di tanto in tanto la racchetta, sconfiggere uno sfidante e abbandonarsi nuovamente all'ozio!

La vita del tennista, Roberto doveva decidersi a capirlo, era molto diversa: bisognava lavorare duramente, tutti i giorni, in modo da crearsi dentro l'automatismo, le riserve, il mestiere, insomma, per superare i momenti di debolezza, d'ispirazione insufficiente. Cosa credeva facessero, ad esempio, i ballerini, tanto simili a loro, agli sportivi? E, sorpresa una luce di interesse negli occhi di Roberto, si era diffuso a parlare dell'ambiente dei balletti, che gli era famigliare.

Così erano arrivati al *Traité de Chorégraphie* tempestivamente recapitato a Roberto con la dedica: «A edificazione del futuro Nijinsky del tennis».

Presto annoiato dalle illustrazioni di grand écart e fouetté, Roberto pensava soltanto alla sua ballerina, alla sconosciuta dei giardini pubblici. Si chiedeva come si chiamasse, la sperava étoile o almeno tra le più brave. Ma in fondo non l'avrebbe deluso nemmeno vederla relegata nell'ultima fila: egualmente carina, e anche più disponibile per un'avventura non troppo impegnativa.

Da un momento all'altro doveva arrivare Jean, per la lezione di francese.

Sarebbe stato proprio – gli venne da ridere – il precettore ideale per Luca. Quella sua mania di classificare, confrontare, spostare nel tempo oggetti, persone, titoli di libri, di opere, di chissà che, lo avrebbe fatto impazzire di entusiasmo e di spirito di emulazione.

A lui, invece, Jean dava sempre più fastidio. Con tutte le sue arie, pareva che non valesse poi troppo, non solo come tennista, ma anche come scrittore. Quando era andato a cercare nella migliore libreria di Montecarlo il suo libro, si era sentito rispondere che non ne conoscevano neppure il titolo e, dopo molte ricerche, che l'editore l'aveva ritirato dal commercio. Ma a parte questo, a parte le sue dubbie qualità di scrittore, quello che faceva rabbia era il suo modo di comportarsi. Jean lo trattava come un'appendice di Siegfried, come un cane o un cavallo del principe, con un misto di condiscendenza e di superiorità.

Non era servito neppure che lui lo battesse ogni volta nei set che Siegfried arbitrava, tutto divertito da quella rivalità. Al bravo Jean, tanto più anziano, si sarebbe dovuto assegnare almeno uno handicap – era arrivato a sostenere il principe. A stento, Roberto si era trattenuto dall'osservare che anche vent'anni in meno avrebbero meritato maggiore indulgenza.

Le attenzioni di Siegfried, i suoi consigli, le sue amicizie, avrebbero certo finito per far di lui non soltanto un campione, ma un personaggio raffinato, ammirato, proprio come il suo maestro. Ma come mai un uomo tanto sensibile non si rendeva conto che era impossibile cambiar vita d'un tratto, dedicarsi a quella specie di ascesi che pareva dovesse essere il tennis, e per tutta vacanza calarsi nello studio del francese e addirittura considerare anche le carte, anche il bridge, un'utile ginnastica mentale? Che differenza c'era, in fondo, a parte gli alberghi, l'eleganza, tra una vita come quella e il lavoro?

Roberto se lo stava chiedendo quando, puntualissimo, con un sorriso agli angoli della bocca, Jean apparve nel vano della porta. La differenza fondamentale, capace di tagliare in due parti l'umanità – rispose alla domanda – consisteva nella natura coatta del lavoro. Capiva, adesso, Roberto, il perché della propria stanchezza, della insopportazione? Ma non c'era da preoccuparsi: con un precettore come lui capace addirittura di interpretazioni mimiche del *Traité*, anche lo studio sarebbe sembrato un gioco. Si poteva cominciare dall'entrechat. E Jean si librò e ricadde in buono stile, reggendo il libro tra le braccia.

* * *

Le auto che li sfioravano, scivolando verso l'ingresso dell'Opéra, il fruscio degli abiti e dei saluti e poi, dentro, lo scenario dorato della sala: tutto si fondeva, in toni e suoni smorzati, a dargli un'impressione di agio, di eleganza.

Soltanto due settimane prima, a Nizza, per le insistenze di Luca, si era lasciato trascinare a una *Carmen*. Ma, in quell'occasione, non era riuscito a sentirsi che un qualunque spettatore: dello spettacolo, noioso la sua parte, e addirittura del pubblico, come i poveracci che adesso facevano ala all'ingresso.

Questa sera, impeccabile nell'abito nero di Jean, Roberto si associava con scioltezza ai saluti che Siegfried andava distribuendo, e fu piacevolmente sorpreso di essere riconosciuto e di riconoscere visi non ignoti, certo appassionati di tennis.

Seduto tra i suoi amici, si alzò per l'arrivo dei principi: si domandò quanti altri, nel pubblico, li conoscessero di persona, fossero addirittura sul punto di pranzare a corte.

Il sipario si aprì infine sul *Lago dei Cigni* e sulle prodezze di Rossella Hyghtower, la sconosciuta della sera prima: al piacere di Roberto si aggiunse così la rivelazione di aver incontrato, forse addirittura un po' affascinato, una ballerina étoile.

A stento si trattenne dal partecipare il suo segreto a Siegfried, limitandosi a osservare, durante il primo pas-de-deux tra la Hyghtower e Karpinsky: «Fantastico!»

Equivocando, Siegfried si affrettò a proporre: «All'intervallo andiamo a salutarlo!»

Grande com'era, Karpinsky pareva riempire tutto il suo camerino. Si alzò di scatto, trascurando gli altri visitatori, e abbracciò Siegfried, gli restò a lungo davanti, ancora un po' ansante, a tenergli le mani strette tra le sue. Di Roberto si occupò un momento solo, per chiedere molto paternamente se fosse un allievo del principe. Subito dopo riprese a chiacchierare con Siegfried, e Roberto, appoggiato allo stipite, ne approfittò per adocchiare il camerino di Rossella: erano bastate a rivelarglielo le corbeilles che ne traboccavano, e alle quali, via via, altre venivano ad aggiungersi. Fu tentato di staccare il biglietto della più vicina per entrare a offrirla: lo trattenne l'improvvisa apparizione della danzatrice.

«Ha capito», gli sorrise al momento delle presentazioni, «perché non potevo far tardi?»

Quando un inserviente giunse ad avvisare che l'intervallo era terminato, Karpinsky promise che avrebbe restituito la visita, al tennis.

Già nel corridoio, Jean cominciò a stuzzicare Roberto. Quanto a Siegfried, si limitò a osservare che, per una volta, un suo ritardo sembrava aver trovato giustificazione.

Incoraggiato, Roberto si scatenò ad applaudire, quasi facesse parte della claque e, nel ritornare all'hotel, non frenò più il suo entusiasmo per lo spettacolo, gli interpreti, il balletto in genere.

Niente vietava di ritornarci, osservò Siegfried. Jean aggiunse che se non fosse Roberto ad andare ai balletti, sarebbe sempre potuto accadere il contrario. Si separarono, nella hall, dandosi appuntamento per l'indomani mattina, alle otto e mezzo.

* * *

Chiuse accuratamente la porta della sua camera, intascò la chiave e scivolò fuori dall'hotel.

Si rendeva conto che, uscendo di nascosto, commetteva una scortesia verso Siegfried, ma era altrettanto sicuro che, se gliene avesse parlato, una inevitabile discussione avrebbe finito per trattenerlo.

Appena dentro la grill room del Casinò vide Rossella, Karpinsky e i loro amici, e, con improvviso impaccio, si sedette un po' lontano, ordinò un cognac, e attese che si accorgessero di lui.

Ma le luci smorzate e soprattutto la conversazione del gruppo, gaia, a giudicare dalle frequenti risate, non gli erano favorevoli e, dopo un quarto d'ora, di fronte al suo bicchiere vuoto, fu assalito dallo scoraggiamento. Si sarebbe dato per vinto, se il pianista non avesse iniziato un concertino e se proprio Rossella non si fosse alzata, trascinando con sé un vecchio signore.

Con sorpresa, Roberto si accorse che ballava come una comune mortale: non che avesse immaginato di vederla spiccare balzi e piroette, ma gli pareva curioso che si muovesse con passi ancor più semplici di quelli che lui stesso conosceva.

La constatazione, insieme al ricordo dei loro rapidi incontri, gli confermò che Rossella si era mantenuta naturale, alla mano: non chiedeva di meglio che uscire dal suo ruolo di vedette per abbandonarsi ai divertimenti che poteva offrire la vita.

Sempre più a suo agio, attese che avesse finito di ballare, e attraversò la piccola pista per invitarla a sua volta, con un bell'inchino.

Subito le confessò di sentirsi un po' emozionato: era la priva volta che teneva tra le braccia una grande ballerina!

«Speravo che l'emozione fosse per l'incontro con la ragazza dei giardini», scherzò Rossella. A lei – aggiunse – non faceva tanta impressione ballare con un celebre tennista quanto con uno sfacciato che le aveva rivolto la parola senza conoscerla. Roberto non attendeva di meglio, per scatenarsi:

«Perché non si lascia rapire, da quello sfacciato? Non è stufa, di star chiusa qui dentro?»

Nemmeno per sogno, rise lei: ci si trovava benissimo. Anzi, perché non si sedeva anche lui al tavolo dei suoi amici?

Vi fu accolto con simpatia e con una certa curiosità. Non avrebbe dovuto già essere a letto, un giovane tennista? gli fu chiesto. E, più preciso: «Sono già a dormire, Siegfried e Jean?» s'informò Karpinsky.

Siegfried era proprio diventato di manica larga, commentò alla risposta affermativa di Roberto.

«Io», gli sorrise, «sarei molto più geloso. Ti terrei sotto chiave.»

A quella frase, e soprattutto a quel tu improvviso, Roberto si sentì arrossire e Rossella, che se ne accorse, gli domandò di farla ballare e se lo tenne vicino sinché il suo ostinato mutismo, la sua aria cupa, non la costrinsero a sgridarlo. Davvero non trovava più niente da dire, da opporre a una piccola malignità come quella di Karpinsky? Avrebbe dovuto provare a lavorarci, con quel serpente! E, tanto per rimanere in tema, aveva sentito di quel vecchio, famoso critico, che dopo una stroncatura si era visto affrontare in pubblico da un Karpinsky particolarmente premuroso di restituirgli due forcine e un bigodino: smarriti, affermava, nel vano tentativo di rincorrerlo in un locale di pessima fama?

Roberto si sforzò di sorridere, riconobbe che Rossella aveva ragione e in un istante di goffa sincerità giunse a confessarle, con rinnovato rossore, il suo disagio per il luogo, la personalità di Karpinsky: «Dovrei poterla vedere fuori di qui, al tennis, nel mio ambiente. Le assicuro che sarei un pochino meno noioso e riuscirei magari a raccontarle qualcosa di allegro».

Dinanzi a quella resa totale, Rossella gli si strinse un poco di più e finì per accettare che le lasciasse in albergo, la mattina dopo, un biglietto per il tennis: non poteva prometterlo, ma avrebbe fatto del suo meglio per andarci. Voleva, ora, riaccompagnarla al tavolo? Roberto la seguì, le baciò la mano, strinse quelle degli altri. Il saluto di Karpinsky, cordiale ma distratto, gli permise di allontanarsi con disinvoltura, persuaso a metà che Rossella avesse ragione a non prenderne sul serio le frecciate.

Quella battuta – si ripeté – non era certo diversa da tutti i pettegolezzi di spogliatoio, dai sorrisetti che gli toccava di sopportare da qualche giorno. Ma, se quei veri e propri affronti venivano da tennisti da strapazzo, invidiosi dei suoi successi, non era facile abbassare al loro livello un uomo come Karpinsky. La sua amicizia con Siegfried – si vide costretto a riconoscere – non poteva non essere fraintesa.

Nel comportamento del principe, nella sua ansia di controllo, di requisire tutto il suo tempo, c'era qualcosa di eccessivo, troppo evidente per passare inosservato. Era già intollerabile che una passeggiata notturna potesse costargli tanta angoscia – si indignava Roberto. Doveva insistere perché la vigilanza cui era costretto fosse meno palese agli altri, meno scandalosa. Non poteva continuare a quel modo – decise –, e senza indugi doveva affrontare Siegfried. Temeva tuttavia, in quello stesso istante, di vederlo apparire nella hall ormai deserta.

Un incontro simile, a quell'ora, sarebbe stato penoso – ammise –: lo costringerebbe fatalmente a ripiegare, magari a scusarsi, non che a rivendicare la sua indipendenza. Certo, parlare a Siegfried non era facile. Era un discorso che poteva colpire troppo da vicino la sua suscettibilità e rischiava, inutile nascondersela, di costare caro anche a lui, di fargli perdere i vantaggi guadagnati in quei pochi giorni. D'altro canto era ancora più difficile, anzi addirittura insopportabile, continuare a sentirsi controllato, guidato, anche materialmente, dalla mano di Siegfried sul suo braccio. A quella stretta, a quelle due ferree dita intorno al gomito, avvertiva un senso di ribellione sempre più forte: doveva assolutamente chiarire tutto alla prima occasione, l'indomani stesso.

Era deciso. E tuttavia, davanti alla porta di camera sua tornò a fermarsi, agghiacciato da un'idea: e se dovesse trovarselo di fronte? Se Siegfried stesse ad aspettarlo, immobile al buio? Con uno sforzo di volontà, a fiato sospeso, girò adagio la chiave, si affacciò come a un precipizio e subito scoppiò a ridere di sé, di fronte alla stanza vuota. Richiuse tuttavia la porta a doppia mandata: era stato imprudente – spiegò a se stesso – non averlo mai fatto prima, negli alberghi.

X

«Certo che se n'è andata.» Se poi Claudine fosse tornata alla villa, Fernande non avrebbe saputo dire. L'americana, comunque, non si era vista, e nemmeno la macchina era la sua solita, color latte: una macchina francese, invece, con un tipo, al volante, che certo non era un tennista. Anzi, se Luca non si offendeva, era meglio dirlo chiaro: aveva del maquereau, quell'uomo. «Non vale proprio la pena che tu te la scaldi tanto, per quella carognetta», concluse Fernande. «Dài piuttosto una controllata alle tue cose.»

Salì di corsa alla ricerca di un biglietto, rovesciò l'armadio, rovistò dappertutto. Del passaggio di lei, della sua partenza, dovette convincersi alla fine, non restava altro che una forcina, nel bagno. Sul letto sfatto, sedette a domandarsi le ragioni di quella fuga. Se n'era andata con un altro, come giurava Fernande? Allora non si capiva, era pazzesco, che avesse imbastito per due settimane un romanzo d'amore con lui, che l'avesse convinto a portarla via di casa in quel modo, per poi restare insieme un giorno solo, ventiquattr'ore, e nemmeno tante, se al pomeriggio si era rifiutata di accompagnarlo al tennis, per paura di rivedere Barbara.

Ma, per una volta, Barbara al tennis non c'era.

L'aveva notato – ricordò – con sollievo, presto sicuro che, a tenerla lontana, fosse lo stesso disagio che contagiava lui, Claudine, tutti quanti.

E invece, mentre stava a immaginarsela, sola, addolorata o furibonda, certo avvilita dall'abbandono di Claudine, Barbara trattava disinvoltamente con qualche gangster per riprendersi l'amica.

Sì, proprio l'amica, perché ormai era inutile nasconderselo, che lo fossero state.

Lo erano ancora? Aveva acconsentito Claudine, a quella specie di rapimento, o aveva avuto troppa paura, per opporsi, addirittura per lasciargli un biglietto, un segno, almeno una parola a Fernande?

Forse, Claudine non chiedeva di meglio che stare insieme a lui, come gli aveva giurato, ripetuto, ma la tenevano prigioniera, non più libera di Satchmo.

Quelle farneticazioni – si vide costretto ad ammettere – non reggevano.

Le voci su Barbara, Rawley, Siegfried; sulle loro abitudini, gusti, vizi, non erano affatto pettegolezzi, ma solo una parte di una realtà certo più torbida.

Meglio non immischiarsi. Meglio finirla, una volta per sempre, con le ambizioni, le vanità di quell'ambiente.

Perché era quella, la cornice del tennis, e ci sarebbe voluto un cuore ben duro, o eccelso, per estraniarsene, rimanere accaniti, da mattina a sera, nei limiti dei courts.

Via, allora, e per sempre. Ci restasse, se non poteva vivere senza, Claudine, ci restasse Roberto.

A Fernande che lo chiamava gridò che non aveva fame, non cenava, faceva anche lui le valigie, subito.

L'esortazione a non essere sciocco lo fece balzare dal letto: ma non era ancora sulla porta che già si calmava, si inteneriva al buon senso di lei. In cucina, dove Fernande aveva apparecchiato, mangiò di buon appetito, vuotò una bella caraffa di vino rosso, riuscì a distrarsi.

Dovette tornare in camera, ritrovare i cassetti vuoti, l'armadio aperto e vedere, di là del golfo, le finestre illuminate della villa di Barbara, perché gli si rimescolasse dentro tutta la rabbia.

Era dunque così piccolo il suo amore per Claudine – si domandò – se invece di soffrire arrivava soltanto a infuriarsi? Attento al proprio orgoglio non aveva pensato che a se stesso, svilendo la ragazza, accomunandola al disprezzo per quelli che potevano essere i veri colpevoli.

E se lo fossero davvero? Se fosse colpevole anche lui, pronto a scegliere, in un ventaglio di ipotesi, la meno generosa, simile, in fondo, a una vera e propria fuga?

Gli occhi puntati alla villa di Barbara, Luca arrivò a convincersi che Claudine vi fosse trattenuta contro la sua volontà.

Pochi minuti dopo fronteggiava il cancello della villa. L'assenza della Cadillac non lo trattenne dal manifestarsi con una scampanellata addirittura violenta: qualcuno, in casa, doveva pur esserci, visto che le luci erano sempre accese.

Il silenzio che seguì a quel primo tentativo e ad altri ancor più accaniti, lo confermò nei suoi sospetti: non volevano aprirgli. Sarebbe entrato lo stesso, a ogni costo, decise. Se il cancello e la cinta non erano facilmente superabili, per le lance di ferro e i cocci di vetro disseminati ovunque, un muretto laterale, a mare, poteva benissimo essere aggirato. Nascose le scarpe tra due rocce, rimboccò i calzoni e avanzò cauto: finì lo stesso per inzupparsi e quando tentò di limitare i danni e raggiungere un sasso poco discosto, si trovò d'un tratto in acqua. Riemerse, accennò istintivamente a nuotare, si stupì di non aver neppure troppo freddo e con una risatina si rassegnò all'idea che il suo colloquio con Barbara diventava impossibile. Stava per tornare a riva, quando la vide affacciarsi alla balaustrata.

Fu pronto ad approfittarne: «Dov'è finita Claudine?»

Barbara aprì la bocca, poi la richiuse.

«Sei davvero, oh, non so neanch'io cosa sei!» balbettò. «Ma esci almeno dall'acqua! Cosa stai lì, che finirai per ammalarti!»

E, scesi i gradini della scaletta tra gli scogli, si chinò a tendergli una mano. «Non mi occorre, grazie», rifiutò Luca nell'atto stesso di afferrarla, di tirarla a sé. E l'istante dopo Barbara riemergeva accanto a lui da una corona di spruzzi, indignata, pronta a graffiarlo. Riuscì soltanto a sparire sott'acqua. Quanto riapparve, Luca era già fuori, sull'ultimo gradino della scaletta, a offrirle a sua volta una mano. Barbara si tirò su da sola ignorandolo, e con quanta dignità le consentivano la vestaglia e la camicia da notte inzuppate, si avviò per la scaletta. Luca la seguì, le afferrò un braccio, glielo torse un pochino. «Non vuoi rispondermi?» tornò a chiederle.

Lo schiaffo che gli cadde tra il collo e la guancia gliela

fece ritrovare tutta contro, tremante. «Facciamo una bella doccia?» le propose a bassa voce.

* * *

Nell'uscire dalla camera buia, Luca inciampò in qualcosa di molle, umido. Sorrise del proprio spavento, e si chinò a raccogliere i calzoni, il pullover, per vederseli togliere di mano da Barbara: «Molto meglio», gli spiegò, affrettandosi verso il bagno, «risciacquarli subito nell'acqua dolce».

Il prato, fuori dalla grande bow-window, era immerso in un'ombra verdeazzurra, simile a un paesaggio sottomarino. Presto i raggi del sole si insinuarono a perforare quel blocco variegato, lo divisero in schegge, lo frantumarono fino a farlo scomparire sotto una patina brillante di luce.

Mentre udiva, dietro la parete, il getto dell'acqua, si rivolse a Satchmo, che gli si era accucciato vicino e lo guardava pieno di speranza, tenendo tra le zampe una palla da tennis nuova, una Dunlop candida. Si inginocchiò lentamente, carezzandogli con la sinistra il muso, e con la destra cercò di sottrargli la palla. Il cocker fu più rapido e la strinse tra i denti, con un ringhio giocoso. Luca tirò, fece forza sulle mascelle serrate, sinché il cane non le ebbe dischiuse, tutto eccitato, pronto alla rincorsa. Finse due o tre volte il lancio, aumentando la sua agitazione e i suoi mugolii, e infine scagliò la Dunlop attraverso la sala, sul prato. Dopo pochi secondi Satchmo era già ritornato, si allungava nuovamente ai suoi piedi, schiudeva i denti quanto bastava a lasciar rotolare la palla a pochi centimetri, pronto a riafferrarla. Gli strinse delicatamente le orecchie, tanto lunghe da poterle annodare insieme, avvicinò una guancia per carezzarle. Credendo volesse sottrargli la palla, Satchmo si affrettò a richiudervi i denti. Luca ne sentì lo scatto a pochi centimetri: rise, gli tirò uno scappellotto, e si alzò per avviarsi in cucina.

Stava per entrarvi, quando la voce di Barbara lo trattenne.

Diritta, gli occhi fissi, scandiva le parole, quasi che il suo interlocutore, nascosto dalla porta semichiusa, non fosse in grado di intenderla.

Sembrava, quel discorso, così bene articolato, così semplice, che Luca si sorprese di non capirne il senso, nemmeno vagamente. E, subito dopo, si domandò perché mai Barbara si ostinasse tanto, con l'inglese, se anche chi le stava di fronte non era in grado di risponderle.

Il piccolo mistero fu chiarito da due parole, pronunziate inequivocabilmente dalla voce di Rawley.

Luca titubò, mosse un piede, ma la curiosità fu più forte della discrezione.

Barbara si era messa le mani sui fianchi, e Luca notò finalmente, con fastidio, che aveva addosso soltanto la sua leggerissima, trasparentissima camicia da notte. Aveva preso a parlare più spedita ora, e, nel suo monologo, per ben due volte ricorse il nome di lui, e, un'altra, quello di Claudine.

La sua voce si era fatta secca, quasi metallica, e il tentativo di Rawley, di sopraffarla con un tono troppo alto, naufragò presto sotto una autentica mitraglia di parole.

«Ok, ok. Adieu», lo sentì dire alla fine, e quel suono infastidito, rassegnato, si era appena dissolto che già Luca si trovava Rawley di fronte, il tempo di abbozzare un saluto e ricevere in cambio un sorriso, e un «bienvenu» ancora più ironico.

Fu Barbara, a toglierlo dal disagio che lo teneva irrigidito. «Lo prendi con il latte o il limone, il tè, Luca?» s'informò sorridendo.

XI

La penna tra le dita, un quadernetto sulle ginocchia, Roberto assisteva alla semifinale tra Siegfried e Remy: le registrazioni dei punti, vincenti e perdenti, dei due campioni, costruivano via via lo schema di un incontro identico a quello che il principe aveva previsto sin nei particolari. Sarebbe stato in difficoltà all'inizio – aveva confidato a Roberto – per costringere Remy a uscire dal suo gioco, a scoprirsi. Gli avrebbe lasciato l'iniziativa e anche qualche game, finché, smossolo dalla linea di fondo, da quella fascia di campo dov'era quasi imbattibile, l'avrebbe a sua volta attaccato. Il francese – aveva osservato Siegfried – era velocissimo nei suoi spostamenti laterali: proprio l'abitudine a questo tipo di corsa aveva diminuito la sua rapidità nello scattare a rete e, soprattutto, nel correre all'indietro. Era necessario spezzare l'equilibrio generale dei suoi movimenti, costringendolo ad attaccare a sua volta, giocando frequenti contropiedi: i passanti di Remy sarebbero diventati più imprecisi, le volées di Siegfried più facili. Allora, la partita si sarebbe risolta.

Sui foglietti di Roberto, le percentuali del francese, vincitore dei primi tre games, stavano d'improvviso impoverendo: risalito a tre pari Siegfried aveva a disposizione una palla-break.

L'ammirazione di Roberto si stemperava nell'invidia e, anche, in una preoccupata curiosità: erano davvero sufficienti l'intelligenza tattica, l'esperienza, un certo tipo di cultura applicata al gioco? Oppure Siegfried era anche indovino e tutte le teorie gli servivano soltanto a giustificare, forse a mascherare, quella sua dote nativa, irrazionale?

Durante l'intera mattinata, Roberto aveva atteso il momento adatto per raccontargli la sua scappatella: non voleva farla apparire l'ammissione di una colpa ma, al tempo stesso, temeva che gli sarebbe stata rinfacciata, appena Siegfried ne fosse venuto a conoscenza.

La conversazione, persino gli accenni al balletto, non gli erano però mai sembrati abbastanza propizi: avrebbe dunque finito per scegliere il silenzio, non gli fosse nata d'improvviso quella preoccupazione che Siegfried potesse intuire il futuro, il più immediato e ovvio, quanto meno.

Un tale sospetto lo distrasse, sino a fargli, per un paio di punti, trascurare la sua tabella statistica: l'arbitro annunziava infatti, dopo un'alternativa di vantaggi, il game in favore di von Bilden.

Si stava rimettendo con maggior zelo a segnare crocette e circoli, quando dalla scalinata vide scendere Rossella: la mano alzata a proteggere gli occhi dal riflesso del sole, si guardava intorno, come cercasse qualcuno.

Roberto le corse incontro, la condusse a sedersi al suo fianco nella tribuna riservata ai giocatori. L'interessava – s'informò – la partita di Siegfried? Rossella annuì, ma confessò di conoscere poco il punteggio, che Roberto cominciò d'impegno a illustrarle: in quella duplice attività, la statistica ebbe la peggio.

Fortunatamente – si incoraggiò Roberto – Siegfried non sarebbe stato troppo severo: vinceva, infatti, e tanto brillantemente che Rossella si entusiasmò sino a dichiarare che avrebbe voluto veder lui, Roberto, in campo. Aveva già perduto? Non avrebbe più giocato? Alla sua conferma, alle sue giustificazioni, insinuò che certo era colpa della sua mancanza di disciplina: quanto a lei, se Roberto la accusava della stessa colpa, aveva soltanto il tempo di complimentarsi con Siegfried prima di correre alla prova, la seconda della giornata, dopo tutta una mattina trascorsa alla sbarra! Allora non si sarebbero rivisti fino all'indomani, si ribellò Roberto. Proprio non aveva dieci minuti, un'ora da dedicargli?

Rossella scosse la testa: non voleva – stabilì con allegria – nuocere alla carriera di un giovane campione, né danneggiando i suoi orari, né provocando risentimenti tra i suoi amici. E alle proteste di Roberto oppose il proprio esempio; lei stessa aveva dovuto rinunziare non solo ai piaceri, ma addirittura ai desideri: era indispensabile, nel suo mestiere.

«Anche se», confessò con un sorriso incantevole, offrendo a Roberto un biglietto per la sera, «non sempre ci riesco.»

Si alzò, per andare verso Siegfried, che aveva appena giocato l'ultima palla vittoriosa. Rimase qualche minuto a chiacchierare e confessò, alla fine, che stava rischiando una multa: Karpinsky era implacabile con se stesso, ma pretendeva da tutti altrettanto rigore.

«Questa delle multe è un'ottima idea», sorrise Siegfried, rivolto a Roberto. E lo pregò di cambiarsi, dopo aver accompagnato miss Hyghtower: doveva mettere a punto i colpi per la finale del giorno seguente.

* * *

Se ne stava tranquillo, immerso nella lettura di un vecchio numero della Gazzetta dello Sport, quando il telefono squillò: non era, come aveva per un istante sperato, Rossella, ma Siegfried che lo voleva in camera sua.

Lo trovò alla scrittoio, che fissava i foglietti statistici con un'aria perplessa, quasi avvilita. Perché – si sentì chiedere – non aveva semplicemente smesso di annotare, dopo la comparsa di Rossella? Perché non aveva chiamato Jean, a sostituirlo? Gli avrebbe risparmiato, quantomeno, il fastidio di dover riconnettere delle cifre senza senso!

Roberto cercò di giustificarsi: aveva tentato di non essere scortese con una signora, e al tempo stesso di non tradire l'incarico.

Siegfried lo lasciò parlare.

«Ma non capisci», osservò alla fine, «che non è possibile tenere sempre due scelte a portata di mano? È l'unico modo sicuro per non riuscire in nessuna.»

Più che alle parole, Roberto reagì a quel tono di delusa infallibilità. A parte l'errore nei conteggi, che ammetteva e per il quale si scusava, perché mai non avrebbe dovuto corteggiare una donna affascinante come Rossella? Siegfried, forse, era al di sopra di simili leggerezze. Ma a lui di tanto in tanto qualche strappo era necessario.

Per distrarsi – concesse Siegfried – esistevano persone più adatte di una prima ballerina. E, se Roberto non ci arrivava da solo, una sua telefonata avrebbe risolto ogni problema.

«Non sono stato chiaro», arrivò allora ad accusarsi Roberto. Non era stato soltanto il desiderio a spingerlo – spiegò – ma soprattutto l'incertezza dell'avventura. Rossella gli aveva offerto un biglietto. Dopo lo spettacolo l'avrebbe accompagnata a cena, a casa: non poteva non augurarsi di aver fortuna. Tuttavia, Siegfried doveva capirlo, non era quello il punto più importante.

Nel vederlo silenzioso, assorto, Roberto credette di averlo convinto. Una spiegazione, anche parziale, anche velata, come quella, gli era sembrata ormai necessaria, indispensabile a chiarire gli equivoci che si andavano pericolosamente accumulando tra loro.

«Rischi di prendere a modello Rawley», osservò d'improvviso Siegfried. «No, certo», continuò, interrompendo la reazione di Roberto, «lo so bene che non sei un gigolo. Avresti potuto interessarmi per capriccio, ma non saresti qui, adesso, non ti parlerei come si parla a un amico.»

Insistendo però a servirsi del tennis, invece che servirlo, Roberto si ritroverebbe sulle rubriche mondane dei giornali, avrebbe donne molto famose o molto ricche: ma non ce la farebbe mai ad arrivare davvero in alto.

«Dove, ricordatelo, Rawley non arriverà mai.»

Siegfried tacque, e tacque anche Roberto, ormai incapace di muovere obiezioni.

«Vado a cambiarmi per la cena», decise, e Siegfried tese la mano e gliela strinse con forza intorno al polso, senza aggiungere niente.

Parte terza

Beaulieu

I

La sabbia dei quattro campi del Grand Hotel di Beaulieu era trascolorata in un rosa stinto che risaltava per l'intensità del verde intorno: l'erba, incolta, aveva sommerso i vialetti del giardino, era cresciuta tra la ghiaia e anche negli angoli dei courts.

Per pigra fedeltà alle tradizioni dell'albergo i vecchi proprietari avevano ripreso a organizzare un torneo che le cronache del tennis ricordavano tra i più affascinanti della riviera: aveva ospitato, addirittura, una finale Cochet-Tilden!

Ma quei tempi cavallereschi, quei campioni che si battevano per la gloria, erano ormai scomparsi, avevano lasciato il campo a penose contrattazioni commerciali: esterrefatti, indignati per le pretese dei nuovi tennisti, gli albergatori si limitavano ad alloggiarli e nutrirli in modo approssimativo in una sala stretta e malandata che, per il resto dell'anno, rimaneva chiusa.

Gli unici giocatori ammessi all'immensa salle à manger dalle colonne ornate di stucchi, dove, sotto la volta a cupola, si riunivano i superstiti clienti inglesi, erano Siegfried, Jean, Roberto e, tutto solo a un tavolino d'angolo, Rawley.

La discriminazione aveva dapprima provocato le lamentele degli altri tennisti esiliati nella sala di seconda classe, ma era bastata un'occhiata al salone perché nessuno trovasse più niente da ridire. Meglio, in fondo, il lunghissimo tavolo dalla tovaglia macchiata, il servizio trascurato e il cibo scarso, di quel luogo tetro, di quei tentativi di rappresentare un'eleganza che, già nei tempi migliori, non era andata oltre il benessere dei clienti, le loro maniere più autoritarie che raffinate di funzionari statali a riposo.

A quell'atmosfera, i giocatori avevano reagito organizzando competizioni di discesa acrobatica lungo il corrimano dello scalone, corse sui carrelli degli antipasti, e apparizioni di spettri nei corridoi più tenebrosi. Non capitava spesso che si ritrovassero tutti nello stesso albergo, e che il paese, a parte un cinematografo con spettacolo trisettimanale e la Boule semideserta, fosse del tutto privo di divertimenti. Certo, Montecarlo e Nizza erano a due passi, ma pochissimi avevano l'auto, e l'ultimo bus li avrebbe riportati a dormire troppo tardi, all'una di notte.

In ossequio alla pigra morale del ritiro sportivo, tutti rimanevano quindi in albergo: anche se poi gli interminabili ramini e il poker tenevano qualcuno in piedi sino a tardi, sino al momento giudicato propizio per iniziare il repertorio degli scherzi da collegio. Così, mentre i vecchi clienti dell'albergo lamentavano con i proprietari la scomparsa dell'atmosfera da garden party che aveva reso indimenticabili i tornei dell'anteguerra, nasceva tra i giocatori un atteggiamento di spensieratezza, di vacanza.

L'orchestrina di tre elementi che rallegrava l'aperitivo e il tè dei vecchi inglesi veniva spinta a interpretare ballabili alla moda: le note di *Stardust* e *Night and Day* giungevano spesso, portate dal vento, sin sui campi, a disturbare i tennisti più sensibili, più nervosi.

Tra questi, proprio Jean, in difficoltà nel suo primo turno di singolare, aveva chiesto l'intervento di Roberto perché riuscisse a far tacere almeno il violino. Di malavoglia, Roberto si era staccato dai bordi del court per dirigersi verso il gazebo che proteggeva i suonatori dal sole primaverile.

Non aveva percorso venti metri che l'arrivo della macchina di Luca lo induceva a fermarsi: una risoluzione improvvisa lo stava spingendo verso l'amico, quando lo trattenne l'apparizione di Barbara, alla quale Luca apriva lo sportello per invitarla a scendere e accompagnarla subito a un tavolino libero.

Ma non erano quelle semplici azioni a sbalordire Roberto, quanto il modo, l'aria incantata e trionfante dei due, la loro intesa troppo evidente per essere soltanto quella di un incontro occasionale.

Ecco perché Rawley alloggiava all'hotel: Luca gli aveva rubato la ragazza! Una supposizione che non soltanto contrastava con il carattere di Luca, ma soprattutto con la modesta valutazione che Roberto assegnava alle sue capacità di seduttore. Com'era possibile che dal flirt con Claudine fosse piombato in una relazione con una donna come Barbara, avesse insieme abbandonato la sua ragazza, e soppiantato un play boy della forza di Rawley? Poteva essere cambiato di tanto in pochi giorni?

Bastò un gesto di Barbara, le sue dita che si chiudevano sulla mano di Luca, per convincere e insieme aumentare lo sbalordimento e la curiosità di Roberto, che riuscì tuttavia ad abbozzare un sorriso, un gesto di saluto: ma i due si stavano guardando negli occhi, non potevano vederlo.

Ritornò allora verso Siegfried, desideroso e, al tempo stesso, incerto se comunicargli la novità. Si sorprese nel trovarlo a colloquio con un giovanotto ricciuto che non aveva mai notato intorno ai campi. Osservandolo, anzi, Roberto si domandò dove potesse aver già visto un tipo simile: ricoperto di lane inglesi dal disegno vivacissimo e strangolato da una cravatta sgargiante sembrava, in versione giovanile, un comico degli spettacoli di rivista che lo appassionavano ai tempi del liceo, un Fanfulla, o un Navarrini.

Anche in Siegfried c'era qualcosa di insolito e se parlava allo sconosciuto con il consueto distacco non riusciva tuttavia a nascondere un'aria di intimità e, insieme, di curiosità che avrebbero dovuto escludersi a vicenda eppure sussistevano e facevano spicco. Bastò l'arrivo di Roberto per fargli troncare la conversazione con un rapido saluto.

Docilmente, con un sorriso che scoprì per un attimo il biancore dei suoi denti perfetti, il giovanotto si allontanò subito, ma soltanto per abbandonarsi su una sedia una decina di metri più in là.

«Chi è?»

Siegfried sorrise divertito alla domanda di Roberto. «Non è nessuno. Cioè, sì, è uno che voleva il mio orologio. E tu, come sei indiscreto! È stato difficile», s'informò subito dopo, «ridurre al silenzio quel violino?»

II

Per aver seguito, da lontano, la mattinata di Barbara e di Luca, per averli visti arrivare ancora insieme, nel tardo pomeriggio al momento del suo singolare, Roberto non teneva più dalla curiosità e durante la cena non tardò ad accennare a Rawley che, probabilmente – osservò – si sentiva solo al suo tavolo: forse, sarebbe stato meno triste se Siegfried lo avesse invitato.

Il principe si strinse nelle spalle: «È impossibile», stabilì, «essergli amici».

Di rincalzo, Jean aggiunse che tutte le scelte di Rawley erano dettate dall'interesse. Il tennis, per lui, rappresentava soltanto uno strumento che non avrebbe esitato a sostituire con un qualsiasi altro più vantaggioso.

Contrariato per il solito tono di Jean e anche per la sfumata possibilità di indagare su quanto gli stava a cuore, Roberto ribatté: cosa ne sapeva, Jean, di Rawley, per giudicarlo in quel modo? Gli sarebbe proprio piaciuto sentire l'altra campana, l'opinione che l'americano aveva di lui.

Senza mutare espressione, ma parlando più lentamente:

«So che è un gigolo», stabilì Jean. «Uno che non fa differenze, se non per il prezzo. Non credo che vorrai anche sapere come sono venuto a conoscenza di queste cose. Anzi, sono certo che tu, per delicatezza, preferirai non approfondire».

Roberto era rimasto senza parole. Aveva provato un confuso desiderio di alzarsi, andarsene. Ma Siegfried era venuto in suo aiuto, aveva commentato:

«È comunque uno da ammirare, almeno come tennista, almeno in campo».

E subito aveva cambiato discorso, proposto un film a Nizza.

Ma Roberto proprio non se la sentiva, di rimanere altre due ore con Jean. Preferiva dormire presto, in previsione degli incontri del giorno seguente – aveva dichiarato – e subito dopo il caffè era filato via.

La sua camera non era lontana da quella di Sheila. La luce che usciva di sotto la porta lo incoraggiò a bussare.

Sheila era già a letto, e vi ritornò subito, sollevando ginocchia e coperte fino al mento. Quel torneo – disse – non le piaceva proprio. I campi rimanevano occupati da mattina a sera, e quando finalmente si poteva tirare qualche colpo, bisognava contentarsi di palle vecchissime: il giorno prima gli organizzatori gliene avevano passate due soltanto, una sgonfia e l'altra con impressi due geroglifici tanto misteriosi che Daniela l'aveva subito battezzata l'antica egizia. Per restare in argomento, l'albergo le ricordava una visita al British Museum, con la sua scuola: aveva continuamente paura di veder uscire mummie o sfingi dalle pareti e sebbene dormisse con la luce accesa faceva dei brutti sogni.

«Perché non dormi con Daniela Holey?» domandò Roberto.

«Vuol dormire da sola. La prossima settimana torniamo in Inghilterra e lei comincia sin d'ora a provare una certa nostalgia per le insidie del Sud.»

Risero, e rimasero silenziosi sinché, quasi contemporaneamente, aprirono bocca per domandarsi: «Hai visto Luca?»

Subito Sheila balzò dal letto e in un lampo fu pronta a trascinare Roberto fuori dalla camera. Dopo qualche minuto, sulla strada che porta al Cap Ferrat, mettevano insieme le reciproche confidenze. Sebbene Barbara fosse stata sempre una spettatrice attenta delle partite di Luca, Sheila non l'aveva vista mai tanto partecipe, addirittura addolorata per ogni punto perduto. «Contro quel brocco di Plecevic, poi! Uno che non vince un match da due anni.»

Arrivava ad asciugargli la fronte ai cambi di campo, come fosse la sua mamma, s'indignava Sheila. E gli parlava, poi, a voce tanto bassa che le era stato impossibile capire il suo francese. Con lei, però, Luca era stato caro come sempre. Le aveva anche confermato che avrebbero fatto il misto insieme, ma non era restato a chiacchierare più di un minuto. No, nemmeno a Roberto aveva accennato. E dire che una settimana prima non parlava che di lui. Male? Come poteva, Roberto, immaginare una cosa simile? Luca era sempre suo amico e sarebbe stato felice di giocare di nuovo con lui, anche subito.

«No, che non sono idee mie», si arrabbiava Sheila, all'aria scettica di Roberto. Era al corrente, lei, lo sapeva benissimo che avevano litigato. «Ce le siamo anche date», confessò Roberto. E, allo sguardo spaventato della ragazza, precisò che era stato proprio lui a colpire l'amico: senza volerlo veramente, eppure incapace di trattenersi.

Sheila rimase un poco a riflettere, preferì non approfondire la causa dello scontro e s'informò se gli avesse già chiesto scusa. Era almeno pronto a farlo? E quando lo vide accennare di sì lo abbracciò e baciò sulle guance.

«Se Luca non è da Barbara», decise, «corriamo a Villefranche per parlargli. E magari torniamo insieme, come a Cannes, dove ho passato i giorni più belli della mia vita.»

Ma all'interno del giardino la Cinquecento era parcheggiata di fianco alla Cadillac. Sheila ammutolì e invano Roberto cercò di farle coraggio, ripetendole che non gli pareva una prova decisiva.

«È decisiva sì», mormorò Sheila, «insieme a quella di Rawley all'hotel.»

Gli prese la mano, la strinse e cominciò a dondolare il braccio sul ritmo dei loro passi in una oscillazione lenta, smorzata. Mentre così camminavano, in silenzio, sul lungomare, Roberto pensò che, per la prima volta, avrebbe voluto trovarsi al posto di un altro.

«Invidio Luca», confessò.

«E io Barbara.»

Roberto si fermò a passarle la mano tra i capelli ricci, tagliati corti. «Andiamo a dormire», cercò di sorridere. «Non diciamo più sciocchezze, non facciamo troppe confusioni.»

III

Per tre giorni Luca e Barbara furono completamente felici. Rimasero quasi sempre in casa, fecero tantissimo l'amore, cucinarono e, scaldatisi al sole, osarono anche un rapido tuffo: l'acqua, decisero subito, era davvero troppo fredda, anche se dava una bellissima reazione.

L'unico problema pratico che dovettero affrontare fu il bagno di Satchmo che sfuggì loro di mano e riempì la casa di fiocchi di schiuma. Alla fine anche Satchmo fu ripreso, lavato, asciugato col phon e rimandato in giardino a danneggiare i prati, i glicini, la buganvillea, e insomma tutte le fioriture stagionali.

Luca non si chiedeva nemmeno se avesse amato Barbara sin da prima, se avesse cercato di andarsene con Claudine perché non aveva osato pensare a lei, alla padrona, invece che alla piccola schiava. Ebbe, per qualche istante, mentre la bellezza di Barbara lo toccava nel profondo, l'intuizione che quella felicità fosse sempre stata possibile e avesse soltanto atteso una scossa, una crisi per liberarsi: affiorata dentro di lui con Claudine, gli si era rivelata grazie a Barbara.

Esaltato da quei pensieri, l'esistenza gli parve rinnovata: il rovescio esatto di quella lacerante, insopportabile, dei giorni precedenti.

Una sconfitta inattesa, contro un giocatore mediocre, bastò a insidiare quel fragile equilibrio. Si sarebbe limitato, Luca, a ritenersi troppo stanco per poter fare attenzione, per lottare: non aveva voglia di vincere e, mentre giocava, sorrideva addirittura, pensando che la voglia di vincere viene da una privazione, da una insufficienza, e quindi un uomo soddisfatto non potrebbe vincere mai.

Fu Barbara a fare un piccolo dramma della partita, a

scusarsi, a ripetere che la colpa era sua e che, da quel momento, Luca doveva pensare soltanto al tennis. Non voleva passare per una mangiauomini, un vampiro, una che rovina i giocatori.

Luca prese la cosa come uno scherzo e passò dieci minuti a vezzeggiarla, a farsi giuoco di quelle lugubri definizioni. Ma, come ebbe finito, Barbara era già pronta a ricominciare, a buttarsi in descrizioni risentite dei pettegolezzi che le comari della Costa Azzurra avrebbero fatto sul suo conto, e anche su di lui.

Luca osservò che non gli importava. Facessero pure, gli andava benissimo, era contentissimo così. Arrivò a dire che capiva quella gente: doveva pur stupirsi se, d'improvviso, lo vedevano installarsi a Cap Ferrat, mentre Claudine se ne andava. Povera Claudine, si sentì tenuto ad aggiungere.

Barbara non lo lasciò finire. Sapeva, chi era Claudine? Credeva ci fosse da sorprendersi se tornava di corsa a fare l'unico mestiere che conoscesse, quello della mantenuta? E, a Luca esterrefatto, cominciò il racconto della vita di quella scroccona, quella vipera che aveva sempre cercato di soffiarle chiunque le piacesse, nei due anni in cui aveva avuto il torto di sopportarla per casa. E dire che, quando l'aveva raccolta, era in una situazione disperata, mantenuta da un socio del club di cui suo padre era stato custode, prima di crepare a forza di pastis. Aveva cercato inutilmente, per due anni, di convincerla ad assumersi una qualunque responsabilità, a imparare un lavoro, e aveva tentato di farle fare da segretaria, poi da governante, per giustificare in qualche modo il rapporto di dipendenza nel quale veniva a trovarsi. Ma Claudine non si preoccupava di niente e dimenticava persino di rifarsi il letto. C'era voluta l'imposizione ad accettare un posto di hostess al Gallia Lawn Tennis Club: allora se n'era finalmente andata, ma soltanto per tornare dal suo vecchio amico.

Ecco – si disse Luca – chi era l'uomo visto da Fernande. Ma allora, perché tutto quell'intrigo, i misteri, la fuga a Villefranche, le pretese di amore per lui? Si tratteneva dal domandarlo, sperando che Barbara non sapesse, almeno non tutto.

Gli occhi di lei, insieme ironici e rassegnati, lo spinsero a parlare:

«E perché si è servita di me?»

Forse pensava davvero che Luca l'avrebbe mantenuta, magari addirittura sposata, sorrise Barbara. A lei ne aveva parlato più di una volta, ripetendo, parola per parola, richieste di matrimonio, frasi d'amore...

Luca si ribellò. Innanzi tutto, non era vero. E poi: perché, se davvero credeva a tutte quelle fantasie, non si era fermata a Villefranche che dodici ore?

Barbara aprì le braccia: con Claudine, non si poteva mai dire.

«Forse», osservò, «l'avrà fatto per i vestiti. Me ne ha presi una dozzina e, venendo da te, avrà pensato che una mia denuncia fosse meno probabile.»

A quelle parole Luca tacque. Era dunque possibile che tutti fossero così meschini, pronti a tradire? Una dopo l'altra, le persone che egli amava si avvilivano, si vendevano: per un invito in un grande albergo, per quattro stracci...

Ebbe, confusa e brevissima, l'intuizione che anche Barbara e lui stesso non fossero diversi, altrettanto mutevoli, sbandati verso i propri desideri: ma non ebbe tempo di indugiare, di aprirsi alla compassione. Barbara gli era vicinissima, le mani sulle guance, e ripeteva:

«Ti importa ancora tanto di Claudine?»

IV

«Non ho detto di chiamarmi, non m'importa se c'è stato un errore», si lamentò nel microfono Roberto, osservando, sulla piccola sveglia, che erano soltanto le sette e mezza.

Con tutte le forze s'impegnò a ignorare la realtà, a ritrovare nel sonno le immagini che gli avevano lasciato una diffusa sensazione di piacere. Ma gli occhi ostinatamente chiusi non bastavano a ricondurlo vicino a Barbara, a Luca, nel giardino di Cap Ferrat; oppure quella ragazza dolcissima, desiderabile, era la stessa Sheila, e il luogo splendente le due stanze di Cannes? Doveva certo trattarsi di una situazione felice, di una vita lieta, legata all'amicizia e alla possibilità di fare l'amore.

Nell'aprire le imposte, calcolò che, da ben dieci giorni, non l'aveva fatto, l'amore. Con gli occhi semichiusi per il riflesso del sole sull'acqua, rimase a fantasticare intorno alle possibilità che il torneo gli offriva e, ancora una volta, l'immagine inaccessibile di Barbara lo spinse a invidiare Luca. Nei riguardi dell'amico, provava nuovamente una considerazione simile a quella che aveva sempre avuta sul campo. C'erano volte che, in doppio, era rimasto a guardarlo avanzare, preparare e poi concludere un punto, con una specie di incantamento, una ammirazione sconfinata per la preveggenza, il significato di quella successione di movimenti.

Quelle impressioni, rapide quanto il gioco, erano irripetibili fuori dal campo: l'intesa che li spingeva miracolosamente oltre l'individualità, uno al servizio dell'altro, si spezzava, e i loro rapporti tornavano, fatalmente, quelli comuni tra persone amiche, che abbiano però idee, interessi diversi.

Molti dei loro screzi – si disse Roberto – erano nati di là, dal confondere il gioco e la vita, dal tentativo di attribuire all'una le regole dell'altro. Un equivoco vistoso, nel quale però pareva cadessero molti tennisti, e non solo tra i giovani, tra i meno esperti. Siegfried, addirittura, doveva averne fatto la sua regola.

Per un istante, gli parve di aver trovato la chiave di tutto, di se stesso, della lite con il suo amico, delle sue difficoltà con Siegfried.

Avesse potuto comunicare subito a Luca la sua scoperta! Anche lui, certo, avrebbe ripensato ai momenti difficili del loro sodalizio, perdonato la scenata, il pugno. Negli ultimi giorni, Roberto ci aveva ripensato a lungo. E mentre via via erano scomparsi l'irritazione e addirittura il preciso ricordo delle parole che lo avevano condotto alla violenza, era cresciuta in lui la vergogna.

Come non andava d'accordo, quella brutta serata, con l'atmosfera gaia, leggera, delle settimane precedenti, dei tornei di San Remo, dello stesso inizio a Cannes! Una vita che Roberto si trovava a rimpiangere, quasi non fosse a portata di mano, ma lontanissima, perduta. Nel sospirare, passarsi le dita tra i capelli, si stirò e tramutò meccanicamente il movimento in una torsione ginnastica. Erano quasi le otto e, sul comodino, notò con fastidio il programma della giornata, stilato con l'angolosa, inappuntabile calligrafia di Siegfried.

Soltanto un intervallo, dalle sei e trenta alle sette e trenta, rimaneva a sua disposizione. Ma anche quell'oretta aveva uno scopo, il riposo, che la privava di autentica libertà.

«L'ora d'aria», gli venne da pensare, e mentre con un gesto di sconforto apriva le braccia il telefono squillò di nuovo. Era stato Monsieur le Prince a fissare il controllo per tutta la squadra, si sentì rispondere con indifferenza.

Nel ricevitore silenzioso, Roberto gridò un'imprecazione: anche alle otto del mattino, dunque, non si aveva più diritto a una vita privata, si era controllati come ragazzini in collegio. Cercò di ragionare, si ripeté che Siegfried si era comportato come un qualsiasi giocatore che dovesse allenarsi con lui: quante volte Luca, Sheila, avevano dovuto buttarlo dal letto, coperte e tutto.

Questo pensiero lo calmò, lo indusse a riflettere di nuovo sul suo sodalizio con Siegfried. Proprio Luca, che rispettava, adorava i vecchi giocatori, si era reso subito conto che Siegfried non cercava soltanto amicizia. L'intenzione di far dono della propria esperienza era alterata dal desiderio di modellare i più giovani sull'immagine di un tennista eroe, il Siegfried von Bilden di vent'anni prima.

Su questa intuizione Roberto rimase a farneticare. Ecco uno dei punti che non poteva condividere col principe. Quel considerare il gioco una specie di regola mistica e il tennista un cavaliere sottomesso a un ferreo codice morale, che costringeva alla mortificazione della carne e della gola, quantomeno. Il loro rapporto andava liberato da quelle manie esoteriche, reso naturale: un insegnamento amichevole, legato a una disciplina che non vincolasse sino alla perdita della libertà. La sua, ammise Roberto, poteva essere fraintesa per un'opinione di comodo, una ricerca di vantaggi immediati tale da giustificare il sarcasmo di Jean, forse addirittura il suo disprezzo. Per la prima volta si domandò se la dedizione di Jean a Siegfried non fosse più rispettabile di tutte le sue riserve, e si spinse a immaginarsi amico di Siegfried per puro interesse: un parassita che, grazie alla simpatia, all'affetto del campione famoso, ne diveniva il partner, sfruttava i suoi consigli, gli inviti, tutti i vantaggi che potevano venirgliene, insomma.

Ma nemmeno questo era vero, nemmeno questo permetteva di venire a capo di una situazione sempre più difficile, sempre meno tollerabile. Doveva assolutamente trovare il coraggio di parlarne a Siegfried, di garantirgli tutta la sua comprensione, la sua gratitudine, e insieme rivendicare la propria indipendenza.

Con decisione militaresca terminò di stringere i lacci delle scarpe, la cintura: afferrò due racchette e, per le scale ancora deserte, si diresse alla ricerca del principe.

Soltanto a metà dell'ultimo corridoio, si accorse di non essere l'unico cliente mattiniero. Un altro giovanotto lo precedeva, e con sorpresa lo vide bussare ed entrare nella camera a cui era lui stesso diretto, in una sequenza così svelta da fargli escludere che il principe avesse avuto il tempo di rispondere.

Si spazientì: quella intrusione inaspettata mandava all'aria tutti i suoi piani. Non gli rimaneva che appostarsi, attendere l'uscita del visitatore, sperare che Siegfried non uscisse con lui. Continuava, intanto, ad avvicinarsi, e quando ebbe raggiunto la porta il brusio impercettibile che ne filtrava lo tentò ad appoggiarvi l'orecchio, ma reagì con fastidio a quel pensiero e quasi senza volerlo si trovò a bussare. Subito, dall'interno, lo invitò la voce del principe.

Sul letto, nel suo lungo accappatoio, Siegfried appena uscito dalla doccia si stava asciugando i capelli. Salutò Roberto, non riuscì a nascondere un sorriso di fronte alla sua sorpresa, lo invitò, vagamente, a non andarsene, anzi, ad accomodarsi.

C'era da chiedersi dove, perché le poltrone erano ingombre e ai piedi del letto stesso, tranquillo, sorridente, era già seduto il ragazzo di due giorni prima, quello ricciuto, troppo elegante. Non sembrava per niente imbarazzato, anche se Roberto non riusciva a staccargli gli occhi di dosso, tuttavia si alzò subito a un cenno di Siegfried e dopo un istante era già sulla porta, pronto a sparire: «Allora, a domenica», disse soltanto, e senza salutare, senza aggiungere altro, sparì davvero. Era come se non si fosse accorto dell'arrivo, della presenza, dello stupore di Roberto: come se non lo avesse né visto né sentito.

Siegfried continuava ad asciugarsi i capelli. «Sembra che tu sia diventato mattiniero», commentò allegramente da sotto l'asciugamano.

«Avresti potuto evitarmi di entrare. Ne avrei fatto volentieri a meno.»

La voce di Siegfried, paziente e dolce, gli ingiunse di sedersi. Non aveva diritto di lamentarsi, stabilì. E, anzi, doveva essergli grato per aver aperto quel piccolo spiraglio nei suoi segreti. Cosa credeva? Che lui, Siegfried, fosse un asceta, un angelo? Gli pareva davvero possibile che un uomo potesse vivere senza ricordarsi di essere tale? Se invece la sua aria scandalizzata si riferiva agli impegni di gara, stesse pur tranquillo: quella visita non poteva aver conseguenze. Era stata una cosa brevissima, un semplice saluto.

«Spero infine», aggiunse il principe, «che tu non spingerai il tuo improvviso moralismo a un giudizio sulle mie abitudini. E che non sarai così rozzo da fare confusioni.» Lo guardò, scosse la testa, sorrise: «Perché tu, caro Roberto, potresti essere, anzi, sei come un bambino, per me».

Si alzò, raggiunse la porta del bagno, si voltò a domandare se davvero non avesse dormito troppo poco, il suo caro bambino.

Roberto riuscì finalmente ad aprir bocca: «Ho dormito abbastanza, ho dormito benissimo, anzi».

«Allora puoi cominciare con il servizio, ma senza forzare, mentre io mi vesto», suggerì Siegfried, dal bagno.

V

Aveva perduto singolare e doppio, e il misto in programma con Sheila non lo preoccupava di più di quelle sconfitte.

Nella casa sommersa di tappeti e cuscini, traboccante di poltrone, divani, circondata d'erba fitta e verdissima, da spalliere di fiori, da amache tese tra gli ulivi, Luca si abbandonò alla vacanza, al riposo. Fresco di liceo, come avrebbe potuto non pensare a Ogigia, addirittura a Circe?

La piccola maga andava e veniva, sempre indaffarata, tra la cucina, le sale, il giardino. In un primo tempo, Luca l'aveva rimproverata di tutta quell'attività, e si era offerto di darle una mano: non facevano così – aveva domandato – gli uomini americani? Ma arrabbiatissima, Barbara l'aveva aggredito con un lungo discorso in inglese e, alle sue proteste, nella sola lingua che avessero in comune, il francese, aveva ribattuto divagando che, a cinque anni dallo sbarco in Sicilia, un po' d'inglese avrebbe potuto impararlo.

«Non voglio lasciarmi colonizzare del tutto», si era limitato a rispondere Luca, in tono bonario. Forse pentita, forse perché quella possibilità le stava davvero a cuore, Barbara si era affrettata a proporre un viaggio negli Stati Uniti, per l'imminente stagione dei tornei primaverili, e con entusiasmo aveva cominciato a raccontare di quel mondo di campi verdi, calpestati da giocatori con i capelli rasi, delle club houses in legno, affollate di dirigenti in giacca blu, di dame organizzatrici infaticabili, a Newport, a South Orange, a Boston. Barbara conosceva tutto e tutti: incantato, Luca l'aveva ascoltata ripetere con familiarità nomi di giocatori per lui mitici, e si era trovato a ricostruire, da quei racconti in fondo modesti, tutta la leggenda di una ragazzina americana esemplare, cresciuta sui campi, raccattapalle ai genitori e via via campionessa del liceo, dell'università, impegnata in un susseguirsi di viaggi, su e giù da grandi station wagons cariche di racchette e abiti da sera, o addirittura da aerei, puntuale alle gare di fine settimana come alle lezioni del lunedì mattina.

La sua leggenda, a volerne imbastire una anche per lui, non era meno affascinante, almeno ai suoi occhi. Poteva raccontare, per esempio, del Tennis Club Milano, frequentato, durante la guerra, da giocatori anziani e giovanissimi. Ci arrivavano ancora, infagottati nei panni grigioverdi, anche i campioni che uscivano irriconoscibili, bianchissimi di lane, dagli spogliatoi, per allenarsi alla svelta, ma sempre più rari e sempre meno spesso. Eppure, il Tennis non mancava di pubblicare ogni mese qualche loro fotografia in tenuta sportiva: magari nelle isole dell'Egeo, magari in Africa, trovavano ancora modo di giocare. Al club, intanto, si faceva vivo qualche tedesco: un tenente, giocatore di Coppa Davis, era comparso un giorno con un amico di Luca, un sicuro antifascista. Luca era rimasto a lungo negli spogliatoi, a fissarne la divisa, il revolver appeso tra gli abiti borghesi degli altri; poi era andato anche lui a vederlo giocare, sul campo nove, il meno malconcio, da quando le tribune in legno del Porro-Lambertenghi erano crollate sotto le bombe. Henner Henkel era certo il miglior tennista che si fosse visto al club da molto tempo, ma alla fine della partita, Luca non si era unito all'applauso degli spettatori, e ne aveva ancora un rimorso vivo quanto irreparabile, perché Henkel era morto poco tempo dopo, in Russia. Poi, dai primi mesi del quarantacinque, il club era rimasto semichiuso e vi si riuniva, di tanto in tanto, un gruppo di soci che passeggiavano tra i campi in disordine con un'aria troppo disinvolta. Dal muro, dove si allenava tutto solo, Luca veniva pregato di trasferirsi vicino alla porta e di avvisare, se arrivasse qualcuno. Erano arrivati, finalmente, gli americani. Da uno dei carri della colonna ferma in via Arimondi erano uscite due racchette da tennis, e il vecchio custode si era fatto avanti per abbracciare quei ragazzi in tuta che, dopo quattro colpi, erano ripartiti verso Como.

Cose di ieri, a pensarci, e già così remote, si era reso conto Luca con emozione.

Barbara, che era stata ad ascoltarlo tutto il tempo, gli aveva passato una mano sulla guancia:

«Verrai», gli aveva sussurrato, «ai tornei dell'Atlantico, con me, a casa mia?»

Le aveva sorriso, senza rispondere.

VI

La partita contro il terribile Mitic si stava rivelando incredibilmente facile.

Lo iugoslavo era in piena crisi, non seguiva più un solo servizio a rete, e, a ogni attacco di Roberto, alzava gli occhi al cielo, ripeteva in tono rassegnato parole incomprensibili.

Pur nell'esaltazione del prossimo successo, Roberto giungeva a stupirsi per quella sua riuscita totale, miracolosa. Sul match-ball volle arrischiare l'impossibile e, da destra, picchiò una risposta di rovescio lungo la linea: docile e violentissima, la palla spolverò la riga. A piedi pari saltò la rete, e corse a stringere la mano al suo povero avversario che scuoteva la testa, un pallido sorriso sulle labbra.

Ad attendere il vincitore sul cancelletto del campo, c'era, tutto festoso, Siegfried. Mentre ne riceveva le congratulazioni, Roberto gli prese il foglio delle percentuali dalle mani: con un sorriso esaltato, cominciò a farlo in pezzi sempre più piccoli. E, poiché Siegfried restava senza parole, gli annunziò e poi addirittura ripeté, staccando bene le sillabe: «Va-can-za. Oggi non c'è scuola. Vado al mare».

Corse via senza voltarsi, mentre un fou rire isterico gli tagliava il respiro, incredulo per quanto aveva osato, temendo di sentirsi richiamare, addirittura colpire alle spalle dall'indignazione del principe.

Si ritrovò presto tutto solo, disteso sul pontile, gli occhi fissi alle onde che si frangevano sui ciottoli della spiaggia. E, pian piano, si indusse a considerare il suo gesto una conseguenza di quella riuscita irresistibile che l'aveva spinto a credersi capace di tutto, anche di spiccar balzi sulle palme che circondavano il campo, e di lì, con un lungo tuffo, volare in acqua. In quella levitazione della realtà, Siegfried gli era parso rimpicciolito, incapace d'opporsi, finché le cose non si erano riassorbite, non erano ritornate solide, ostili.

Controllò con un piede la temperatura dell'acqua e, mentre si ritraeva, perplesso per quel gelo inatteso, sentì il pontile risuonare di un passo di corsa. Fece appena in tempo a scansarsi e Siegfried lo sorvolò con un salto, un angelo di traiettoria tesa e impeccabile che terminò in una nuvola di schizzi. Roberto, che lo vide riemergere e attaccare un crawl massiccio, rapido, verso il largo, finì per buttarsi dietro di lui.

L'acqua era tanto fredda che fu sul punto di riguadagnare il pontile, ma tenne duro e presto si sentì riscaldato, si distese, vide il fondo via via scomparire, trascolorare da verde azzurro in blu cupo. Senza fiato, si abbandonò a galleggiare sulla schiena, abbagliato, finché insieme alle macchioline incandescenti, e poi ai colori delle cose, gli riapparvero anche le preoccupazioni, la difficoltà a giustificarsi, la necessità di chiedere scusa.

Riprese allora a nuotare affondando la bracciata con rabbia, ansioso di essere fuori dall'acqua e insieme lontano da Siegfried che, sulla riva, si stava già asciugando con vigore.

«Nemmeno troppo fredda, vero?» lo accolse, buttandogli l'accappatoio.

«Ne conosco di più calde», riuscì a sorridere Roberto.

«A me ha messo una gran fame», continuò Siegfried. «Jean ci sta aspettando, abbiamo ospiti. Sbrigati!»

E si avviò di corsa, prima che Roberto potesse rispondere.

VII

Mentre Siegfried e Roberto nuotavano, dall'altra parte di Cap Ferrat Luca stava tagliando l'erba. Dopo che ebbe finito di rastrellarla in piccoli mucchi che scintillavano al sole, rimase indeciso a domandarsi cos'altro potesse fare, in quel giardino tanto ben tenuto. Barbara si era rassegnata a uscire per richiamare la cameriera: le sue unghie spezzate, le mani arrossate dal bucato, l'avevano costretta a dargli ragione, ad ammettere che il lavoro di massaia limitava non solo la loro indipendenza, ma li costringeva addirittura all'isolamento.

Esplorando il garage, Luca pensava che non sarebbe stato uno svantaggio non poter più giocare ai nudisti, dentro e fuori casa, raffreddati com'erano per gli eccessi dei giorni precedenti. Di fianco alla sua Cinquecento, sul banco degli utensili, scoprì un'ascia, e la trascinò all'aperto insieme a un grosso ceppo, che si accanì a fare a pezzi finché le braccia gli dolsero, e il sudore, la polvere, lo spinsero verso la doccia.

Quando ritornò all'aperto con un libro e un bicchiere di Martini, deciso a trascorre un'ora di relax, il canocchiale puntato su Villefranche lo distrasse presto dai suoi propositi. Affascinato fissava l'andirivieni della gente, delle cameriere indaffarate a disporre le tovaglie blu e rosa sui tavolini della Frégate e di Chez Fernande. Sebbene forzasse lo sguardo, non gli riuscì di individuare la sua amica, e incredulo dovette ammettere che appena cinque giorni erano trascorsi da quando, proprio da quel ristorante, da quella stessa finestra, si struggeva per scoprire i misteri della villa di Barbara.

Mancavano soltanto quattro giorni alla fine dell'ultimo torneo della Costa Azzurra, e avrebbe dovuto decidersi a rispondere agli inviti di Napoli, di Palermo, di Roma, oppure tornare a Milano, ai libri che si era inutilmente portato dietro, in una valigetta mai più riaperta. Davanti a quell'alternativa si rese conto di non aver mai pensato al viaggio negli Stati Uniti come a qualcosa di possibile, e addirittura la sua presenza in quel luogo, la sua immagine riflessa nel bicchiere, gli parvero per un istante irreali. Come per gioco, si provò a collegare gli avvenimenti che l'avevano condotto alla villa, e la loro casualità lo spinse a chiedersi se qualcun altro, magari Roberto, non avrebbe potuto trovarsi al suo posto. A ben conoscerlo, era però difficile immaginarlo impegolato in una relazione con Claudine, e ancor meno verosimile sembrava un suo tuffo involontario in mare, e tutta la scena che ne era seguita.

Ma sarebbe stato poi necessario ripetere, come su una scacchiera, le stesse mosse che l'avevano condotto al fianco di Barbara?

«Sono qui per caso», si ripeté, cercando di vincere il disagio che l'aveva assalito. «Claudine non mi ha voluto, e mi ha buttato involontariamente nelle braccia di Barbara, che cercava soltanto un'occasione per spalancarle. Così, mentre insieme con me potrebbe esserci Claudine, al posto mio, con Barbara, potrebbe benissimo trovarsi un altro.»

Insistette ancora sull'immagine di Roberto, certo più a sua agio nella parte di primo amoroso al fianco di una donna come Barbara, e finì per ammettere che persino lui, quando le era vicino, provava un orgoglio che veniva dagli altri, dall'ammirazione che le occhiate di molti non riuscivano a nascondere.

Fece oscillare nel bicchiere ormai vuoto la pallina di ghiaccio, e insieme scuoteva la testa, si sentiva estraneo a quella storia improbabile, già distaccato come, credeva, si sarebbe trovato un giorno, negli anni della maturità. Bastò il rumore della ghiaia sotto le gomme della Cadillac perché il ricordo della notte appena trascorsa insieme gli scattasse dentro, e lo spingesse di corsa verso Barbara che gli sorrideva, bellissima. L'abbracciò, carica di pacchi com'era, e se la tenne stretta contro, rifiutando di pensare ancora, di parlarle, di decidersi.

VIII

L'ospite era indiano. Il suo ingresso nella sala da pranzo susci-
tò una certa emozione tra i pensionati dell'albergo. I capelli
annodati sotto il turbante bianco, e l'enorme solitario al mi-
gnolo rimasero al centro delle conversazioni per tutta la durata del pranzo. Alla fine, si trovarono d'accordo in molti nel-
l'attribuirgli il titolo di maragià, e il sommelier ebbe addirittura la trovata di chiamarlo Altezza.

Era invece – come Siegfried spiegò a Roberto dopo che
se ne fu andato, insieme a Jean – il segretario generale del
maragià di Kutch, una specie di ciambellano, di intendente,
un uomo potentissimo, insomma.

L'entusiasmo, l'abbandono col quale Siegfried si buttò
nella descrizione di quello sconosciuto stato indiano «vasto
più della Lombardia» sorpresero non poco Roberto.

Possibile che la caccia alla tigre e i tre courts verdi accuditi da una decina di paggi sempre intenti a strappare gramigna e a distruggere bruchi, possibile che immagini alla Salgari
o addirittura rintracciabili nei film di Tarzan, facessero perdere a un uomo come Siegfried l'abituale ironia, gli accendessero
e, insieme, rendessero tanto dolci gli occhi?

Siegfried non pareva minimamente consapevole delle
perplessità di Roberto, e si accaniva a raccontare di un lungo
inverno trascorso a Kutch insieme con Jean. Soltanto pochi
giorni prima dell'inizio della guerra, nonostante il maragià in-
sistesse per trattenerlo, si era deciso, ed era ripartito per la
Germania, ad affrontare una vicenda che gli ripugnava, vicino
a uomini dei quali disprezzava gli ideali.

Alla fine, si era miracolosamente ritrovato salvo, e più
vecchio di sette inutili anni di terrore, di violenza, di fame.
Quanto sarebbe stato più saggio lasciarsi scivolare in una ma-

turità resa dolce dal tennis, dai libri, dalla bellezza: quante volte aveva rimpianto quella sua decisione di seguire contro tutto e tutti, anche contro se stesso, le regole del gioco!

Siegfried parlava e parlava, ma d'un tratto, come si avvide dello stupore di Roberto per il suo improvviso abbandono, gli afferrò il braccio e: «Dovrai venirci», esclamò con voce fervida. «Dovrai venire là per capire, per giudicarmi. Cosa sai tu di me, tu che ti permetti di trattarmi come un bambino ricco tratta il precettore!»

«Avrei voluto già chiederti scusa prima, se fossimo stati soli», cominciò Roberto, mentre Siegfried scuoteva la testa, quasi rifiutasse di ascoltare quelle giustificazioni di un momento di esaltazione, di un bisogno improvviso e sfrenato di libertà. Sebbene si rendesse conto di ferirlo, Roberto non si fermò nemmeno un attimo a riprendere fiato, prima di terminare la sua confessione:

«Sono sempre stato un cattivo allievo, Siegfried», ammise.

«Forse perché i tuoi maestri non ti hanno mai amato abbastanza».

Siegfried lo guardava con un sorriso insieme avvilito e superiore. Si sarebbe detto – pensò con rinnovato fastidio Roberto – che lui solo capisse quanto stava accadendo e, insieme, non potesse impedire alle cose di esser tanto spiacevoli, e un po' rivoltanti, addirittura.

«Le vuoi accettare le mie scuse?» tornò a domandare.

«E poi?»

Roberto spalancò le braccia, le lasciò ricadere. Quell'uomo tanto diverso dal Siegfried che aveva creduto di conoscere, gli impediva addirittura di connettere. Era come se da un'armatura scintillante, efficiente, fosse d'improvviso uscito un poveraccio stanchissimo di portarla, di battersi con una precisione infaticabile, di affermarsi: deciso, al contrario, a essere ferito, trascinato il più in basso possibile.

Gli si rivolse con dolcezza, per chiedergli di non aiutarlo troppo, di lasciarlo sbagliare da solo. «Che rimpianti mi resteranno, altrimenti?» tentò di scherzare.

Il tono della risposta lo raggelò.

«Come vuoi tu, Roberto. Per cominciare, questa sera non ti trascinerò dalla principessa Ottoboni, insieme a Sarendra Sat. E l'invito in India, se ti interessa, se ne sei capace, lo otterrai da te. Resta inteso che almeno i tuoi obblighi di partner rimangono immutati, secondo le regole della correttezza sportiva. D'accordo?»

«D'accordo», riuscì a rispondere.

IX

Non era mai uscito dalla villa se non per spingersi al tennis, ma si rese conto di essere un ospite solo quando vide un mucchietto di conti ordinatamente allineati in cucina: ne fu preoccupato sino a chiederle di dividere le spese del ménage.

Con voce un tantino alterata, Barbara rispose che avrebbe sempre potuto dimostrarle la sua gratitudine con qualche dono, cioccolatini o perle: li preferiva amari, al liquore, o rosate, malesi.

Luca tacque. E la lettura del Nice Matin gli suggerì l'occasione per farsi perdonare quella goffaggine, e insieme per sdebitarsi. La reclusione era alla fine, annunziò. «Ti porto a sentire la *Tosca*.»

Barbara improvvisò un défilé di abiti da sera, e chiese consigli per la pettinatura: anzi, perché Luca non l'accompagnava a Montecarlo, dal parrucchiere?

«Non mi ondulo più, e poi devo allenarmi», cercò di scherzare, ma Barbara fu pronta a ribattere che non le sembrava importante che vincesse qualche game contro Bergelin e la Landry: aveva già fatto sin troppo, con quella palla al piede di Sheila!

Luca tenne duro, si accusò di pigrizia, addirittura di mollezza:

«Cap Ferrat è incantevole», stabilì, «per chi non fa vita d'atleta».

«Rawley...», attaccò furiosa Barbara, per interrompersi subito, costernata dalla gaffe.

Luca le venne in aiuto: lo sapeva benissimo che non solo Rawley, ma anche altri campioni gareggiavano quasi senza allenarsi. Avevano però, su di lui, il vantaggio di giocare sempre, di arrivare al sabato, alla domenica, ancora in gara, in singolo e in doppio.

E, a Barbara che continuava ad assentire, spiegò di essersi ormai abituato alla disciplina dell'allenamento sino ad averne bisogno: nemmeno per un ricciolo della sua dama, avrebbe rinunciato. Non voleva riportargliene uno, dal suo parrucchiere, come talismano da chiudere nel giustacuore per i prossimi tornei?

Barbara promise, e partì sulla Cadillac senza rendergli le chiavi della Cinquecento. Luca giunse così al tennis alla fine del doppio di Roberto, e dovette attendere che si facesse libero un campo per allenarsi finalmente con Garrett.

Nel muoversi, nel colpire la palla, scattare, sentiva una consapevolezza nuova, come se all'improvviso tutti i colpi, anche i meno fortunati, avessero acquistato una vibrazione, una giustificazione unica. Non riusciva a spiegarselo, eppure era certo che qualcosa si fosse consolidato dentro di lui: soltanto adesso capiva in che direzione avrebbe potuto tentare di migliorarsi, di realizzarsi.

Era forse, si domandò in una pausa del gioco, merito di Barbara, dell'amore di Barbara?

L'arrivo di lei, splendente, lo scosse da quella beata ipnosi, e lo indusse ad abbandonare l'allenamento, senza accorgersi, nemmeno allora, di Roberto, che si era tenuto un po' discosto, isolato.

Quella sera stessa, decise andandosene con Barbara, le avrebbe domandato di accompagnarlo in Italia, ai tornei del Sud.

* * *

Alla fine del secondo atto era sul punto di chiedersi se non fosse meglio tornare a casa. Avevano, sino ad allora, ascoltato un'orchestra mal combinata e peggio diretta, uno Scarpia sfiatato che sorrideva continuamente, anche nelle circostanze meno adatte: forse, aveva insinuato Barbara, per farsi perdonare un paio di stecche formidabili.

Due amiche di Barbara, due americane sedute dietro di

loro, erano entusiaste del giovanissimo Cavaradossi e, deluse del blando consenso che trovavano nei mariti, si impuntarono per convincere Luca ad accompagnarle al camerino del cantante.

«Gli dica che per lui abbiamo abbandonato i nostri cavalieri», insistevano. «Gli dica che da solo giustifica tutta la leggenda, il fascino dei latin lovers!»

Volevano, venne fuori, accalappiarlo per un pomeriggio musicale.

E alle sue franche richieste di un compenso:

«La crocerossa», lo informarono, un po' meno cordiali, «offre gratis la sala con addobbi floreali e tutto». Poi, visto che proprio non c'era modo di smuoverlo, gli voltarono le spalle indignate.

Seguitarono a parlarne, a voce troppo alta, durante il terzo atto, sinché, a sipario chiuso, si ritrovarono concordi nel giudicarlo un guitto pretenzioso, certo inferiore allo zigano del Château de Madrid.

A tavola, il disagio di Luca aumentò ancora, perché tutti continuavano a parlare inglese, e Barbara insisteva a tradurgli i dialoghi più divertenti.

Decisa a soccorrerlo, una delle amiche tornò al francese, per chiedergli informazioni sulla Scala.

Non sarebbe mai riuscito a farle credere che non è d'obbligo per un vero milanese assistere a tutti quegli spettacoli, non fosse intervenuta l'altra dama, a scusarlo, come campione di tennis, sempre in giro per il mondo.

Campione? Ed era bravo quanto Rawley? si affrettò a domandare la prima, rivolgendosi a Barbara, come al giudice più autorevole in materia.

Barbara restò muta quanto bastava per comunicare a tutti il suo imbarazzo ma, quando già Luca si domandava come vendicarla da un simile affronto, cominciò un allegro monologo, nel quale Rawley e Luca, Luca e Rawley ricorrevano di continuo, probabilmente a confronto.

A Luca tornò a rivolgersi la signora di prima, quando, per il dessert, arrivò lo zigano a offrire i suoi servigi. Sorriden-

do, metà per scherzo, metà con speranza, gli propose: «E lu-
sìan le stele?»

«Perché non prova lei? Magari nella parte di Scarpia?»
ribatté, senza neppure tentare un sorriso.

Da quel momento non riaprì più bocca se non per chiedere il conto, e respingere in modo un po' troppo reciso le
offerte di partecipazione degli altri uomini.

Era almeno consentito aggiungere una mancia? chiese
uno di loro. Il servizio, infatti – trovò modo di spiegare – non
era incluso.

Soli, in auto, affrontarono muti il ritorno a casa, sinché
l'aria risentita di lei indusse Luca ad ammettere la propria
gaffe, almeno per quanto riguardava la mancia: ma il contegno
dei suoi amici – aggiunse subito – era stato intollerabile.

Anche loro, ribatté secca Barbara, l'avevano certo giudicato male.

Luca finse di sorprendersi: era poi così grave essere tanto
giovane, e palesemente tanto meno ricco?

Nessuno si era sognato di rimproverargli qualcosa di simile, precisò Barbara. Lei era costernata, semmai, per il suo
modo di infierire sulla sua povera amica.

Luca riuscì soltanto a rincarare la dose: con gente simile
non avrebbe mai più voluto aver a che fare.

«È un rischio che non credo tu corra, dopo questa sera.»
Le labbra strette, gli occhi fissi alla strada, Barbara cedeva
ormai a un pianto disperato, infantile.

«E così, siamo contenti tutti», concluse Luca.

X

Dal club, il gruppetto dei tennisti si mosse verso un bar, per tirar sera.

Roberto perse una partita, e rimase a osservarli accaniti e silenziosi al bigliardino, sinché una parola di francese lo fece trasalire. Si era ritrovato, fin lì, indietro nel tempo, agli anni del liceo, a pomeriggi sciupati, avviliti, in locali altrettanto modesti. Si scosse a una domanda sui prossimi tornei italiani, per rispondere che non ci andava più, doveva studiare.

«E Siegfried? E l'America? Lasci perdere tutto?» non si trattenne dall'esclamare Chatrier.

Prese un'aria stupita. L'esperimento con Siegfried, interessante, non lo negava, non sarebbe continuato sempre. La loro concezione del gioco, le loro tattiche, erano troppo lontane, diverse, come la loro età.

«Quasi sicuramente è proprio questo, il nostro ultimo torneo», concluse. Non aveva previsto il silenzio che seguì a quella sua dichiarazione, né, ancor peggio, i commenti.

Più che le parole, era il tono, a ferirlo e, per non schiattare, si alzò e si richiuse in fretta la porta alle spalle, insieme alle loro risate.

Cosa poteva aspettarsi, ragionò, vincendo il desiderio di tornare a insultarli, da una banda di analfabeti, bari da scala quaranta, figli di papà falliti nello studio, nella vita?

Il più maligno, il più rabbioso nell'attaccarlo, aveva addirittura cercato di suicidarsi, l'anno prima.

Ne parlava lui stesso, ormai, ci scherzava anche sopra l'imbecille, sostenendo di aver sbagliato dose ma, vera o falsa che fosse, quella storia non l'avrebbe mai più abbandonato, così come lui sarebbe sempre rimasto «quello che ha fatto due tornei con Siegfried»: uno segnato a dito, compromesso.

Si ritrovò, vagando nelle stradine, alla stazione, e l'orario dei treni, in quella sala d'aspetto vuota, lo spinse a calcolare quante ore lo separassero da casa.

Ma com'era possibile, così, all'improvviso, senza un saluto, una giustificazione valida?

Il suo abbandono avrebbe danneggiato Siegfried, gli organizzatori, e lui stesso non sarebbe certo sfuggito alla squalifica della Federazione Italiana: una punizione meno grave, comunque, della prospettiva di ritornare ai tornei, tra tennisti che aspettavano soltanto occasioni come quella, per esercitare tutta la loro crudeltà: specie se il bersaglio era un avversario in più, uno che incominciava a dar fastidio.

Di nuovo fuori per le strade deserte, lo assalì il ricordo delle passeggiate con Luca. A volte, quando abitavano in due hotel diversi, non la finivano più di riaccompagnarsi, accaniti a discutere sinché l'opinione meno valida dell'uno slittava e si allineava a quella dell'altro, senza che lo sconfitto dovesse ammetterlo, né il vincitore infierire. Di tante parole, la mattina dopo, non rimaneva che un ricordo confuso, insieme alla certezza di saperne di più sulla vita, sul loro stesso futuro.

«Devo parlare con Luca», cominciò a ripetere dentro di sé, e poi a mormorare, a voce sempre più alta, mentre tutte le difficoltà che via via andava opponendo a quel bisogno si sfacevano, dissolte al contatto di quella frase magica: «parlare con Luca».

Di fronte alla villa vinse l'ultima incertezza accanendosi a suonare, una, due, dieci volte. Non rispondeva nessuno, e incredulo dovette rassegnarsi a tornare sui suoi passi, a ripetersi che la vita era tanto più difficile da come l'aveva sempre immaginata, fortunato bambino, ragazzo troppo amato.

Sarebbe stato un conforto, anche piccolo, poter almeno entrare nella sala riservata ai tennisti, sedersi vicino a Sheila e Garrett, parlare: ma come si poteva cambiare d'un tratto, senza una giustificazione, una scusa?

Era più ragionevole che seguisse il maître sino al solito tavolino d'angolo, benché Rawley, anche lui solo, gli avesse rivolto un mezzo sorriso, forse un invito.

Sedette, strinse forchetta e coltello quasi fossero armi, si impose di non ritenersi al centro dell'attenzione.

Come potevano rendersi conto gli altri che il suo atteggiamento verso il principe era cambiato, se nessuno aveva assistito alla scena della mattina e soltanto un cameriere era stato testimone della discussione dopo il pranzo con Sarendra? Separato con ordine il suo pericolante rapporto con Siegfried dall'opinione che ne potevano trarre certi tennisti, Roberto non si sentì meno a disagio e balbettò alla domanda del maître, che s'informava se il principe avrebbe cenato fuori.

Doveva decidersi ad ammettere – si convinse – che il dialogo con Siegfried era l'ultima scena di una storia iniziata con troppa leggerezza, la fine di un'amicizia impossibile. Che poi Siegfried si fosse illuso, avesse creduto di poter decidere un lungo viaggio, addirittura un futuro comune, era soltanto una conseguenza di quell'errore iniziale. Come avrebbe potuto, altrimenti, un uomo della sua qualità, avvilirsi tanto, perdere il controllo, se non si fosse sentito ingannato, defraudato? Non solo con Luca doveva parlare, chiarire tutti gli equivoci, ma anche e soprattutto con Siegfried. Una necessità che sembrava ostacolata, per non dire esclusa, dal suo atteggiamento, da quell'aria insieme ferita e risentita, e dalla sua decisione a mantenere i loro rapporti «nei limiti della correttezza sportiva». E allora? Sopraffatto dalla difficoltà di venirne a capo, decise di rimandare il problema, cercò Sheila, le propose, a caso, la pellicola che il cinema locale offriva a sere alterne.

Era una storia di pellerossa lanciati all'inseguimento di una diligenza, che insieme alla contagiosa allegria di Sheila, cambiò il corso dei suoi pensieri e gli permise addirittura di immergersi in previsioni sugli sviluppi del torneo e via via sui suoi esami, sui suoi programmi per le vacanze, mentre la vita tornava ad apparirgli avviata a un immancabile lieto fine come quello verso cui, sullo schermo, correva la diligenza.

Appena in albergo, gli toccò mutare ancora di umore perché, perentorio, un cartoncino infilato sotto la porta della sua stanza lo convocava al più presto dal principe.

Smarrito, nella stanza enorme, aperta sul mare, Roberto dovette confessarsi di aver paura: temeva, tutto a un tratto,

che la capacità di soffrire, di punirsi, che aveva intuita in Siegfried, finisse col rovesciarsi, investire chi l'avesse alimentata.
Il telefono, sul tavolino da notte, gli sembrava minaccioso,
pronto a suonare da un momento all'altro; un passo, lungo il
corridoio, poteva avvicinarsi a ogni istante; una mano poteva
battere, sulla porta, dei colpi ai quali non avrebbe osato rispondere. La camera di Sheila gli apparve come il solo rifugio
che gli rimanesse: vi si affacciò, dopo averla raggiunta alla
svelta, e propose qualsiasi cosa per ingannare l'insonnia, magari un ramino. Sheila, come si aspettava, fu pronta ad accettare senza troppa sorpresa, ma cascava dal sonno sin dalla
prima mano. Poteva – approfittò per chiederle senza altre
spiegazioni – fermarsi a dormire? Sul divano sarebbe stato
benissimo. Ma Sheila tagliò corto: il letto era grande abbastanza per tutti e due.

* * *

Per tutta la notte Sheila dormì profondamente, coricata
su un fianco, un pugno contro una guancia e le ginocchia
strette al petto, chiusa nel sonno come una fatina in una roccia. Il suo respiro regolare e leggero, la sua aria intenta e serena, si ripeté più volte Roberto, avrebbe invogliato chiunque a
considerare il sonno un'avventura preziosa, da affrontare senza indugi.

Ma non riusciva ad addormentarsi lo stesso, e invano si
accanì a contare centinaia di pecore, e poi addirittura tutti i
pallini bianchi sul pigiama rosa di Sheila, prima di chiudere
gli occhi, estenuato, quando già la luce cominciava a filtrare
dalle avvolgibili sconnesse.

Non erano ancora le otto, tuttavia, che già si era deciso
a scivolare fuori dal letto, e poi dall'albergo, per cominciare
il solito riscaldamento sui campi deserti. Sbirciava, tra un servizio e l'altro, verso l'hotel, e quando finalmente, inquadrato
nel disegno liberty dell'ingresso, vide che Siegfried non era
solo, ma lo accompagnava Jean con la sua solita aria mezzo
da scudiero, mezzo da losco valletto, provò un insolito slancio
di simpatia per il francese.

Presto si ritrovarono a palleggiare e soltanto quando l'arrivo di altri giocatori li costrinse a lasciare il campo e Roberto rimase solo con Siegfried, il silenzio testardo del principe lo decise a prendere l'iniziativa: «Ho trovato il tuo biglietto, ma era un po' tardi per disturbarti, la una passata».

«Stavo ancora leggendo», osservò Siegfried. «Non che fosse importante», continuò. «Era solo per anticiparti una bella notizia. Sei invitato a Kutch. Ma te lo dirà Sat, a colazione.»

Roberto non fece commenti, e Siegfried, su un tono distaccato, lo pregò di non ripetere il bagno del giorno prima.

«Ho in orario il singolare prima del nostro doppio, e potrei essere troppo stanco per farcela, soprattutto con un compagno che fosse andato di nuovo a nuotare, dopo aver dormito poco.»

Roberto assentì, e si congedò in fretta: aveva promesso di arbitrare una partita.

Il vecchio direttore del torneo lo ringraziò sorpreso per quella iniziativa e lo spedì verso un noiosissimo singolare tra due mature giocatrici, due muri implacabili. Quell'incombenza, evitata da tutti come la peste, rincuorò Roberto sino a farlo addirittura sorridere, mentre annunziava il primo quindici, dopo un palleggio durato almeno due minuti.

XI

Di fianco all'indiano e a Jean, Roberto prese posto per assistere al singolare tra Siegfried e il campione belga Jacky Brichant.

La colazione, che l'aveva tanto preoccupato, era filata via liscia, e a Sarendra che gli domandava quali fossero i suoi progetti per l'inverno aveva risposto che avrebbe dovuto studiare, ricuperare il tempo perduto nei tornei.

Con un sorriso da Aladino, carezzandosi il brillante, l'indiano aveva suggerito Kutch quale luogo adattissimo alla meditazione, e aggiunto, «benché fosse certo superfluo», che tutte le spese, «anche quelle necessarie agli svaghi di un giovane curioso», sarebbero toccate al maragià.

Roberto aveva chiesto un po' di tempo per riflettere.

Nell'osservare Siegfried che iniziava il gioco con quel suo piglio olimpico, Jean rannicchiato nell'immenso paletot di vicuña, l'indiano torreggiante, sicuro nel suo ruolo di esotica curiosità, Roberto si sentì, per un attimo, ben altrimenti tentato di accettare l'invito. Come confrontare la vita di quei tre uomini, a Kutch, con l'inverno che l'aspettava? C'era, non si poteva negarlo, lo stesso stacco tra il ricevimento della principessa Ottoboni, e la sua serata in un cinematografo di terz'ordine.

Sarendra si era chinato all'orecchio di Jean, che aveva distolto gli occhi per fissare su di lui il solito sguardo di ironica deplorazione. Nello stesso istante Siegfried, dopo un errore, aveva lanciato un'occhiata ansiosa che Roberto fu l'unico a raccogliere. Si affrettò ad avvertirne Jean, e si sentì proporre di occuparsi lui stesso delle percentuali, se proprio quel match gli stava tanto a cuore.

«Vorrei potermi distrarre», ribatté.

«Già, come sempre vuoi solo i vantaggi. Tipico!»

227

«Tipico come?»

Jean ritornò al suo foglietto con un gesto vago. Rispose Sarendra: «Tipico della giovinezza».

Con un mezzo sorriso sulle labbra a nascondere il fastidio, Roberto si alzò, si avviò verso il giardino. In fondo al viale, l'apparizione di Annette Olivier gli sembrò un premio celeste.

Le corse incontro, l'abbracciò, felice delle sue proteste: Non era – disse – una vergogna stringere a quel modo una ragazza, anche se in pubblico. Al contrario! Perché piuttosto non andavano a nascondersi nella serra? Ripiegarono su una passeggiata verso il mare e, sottobraccio, si rimproverarono a vicenda il mancato appuntamento a Montecarlo, sinché Roberto non finì per assumersene la responsabilità. Non conosceva – gli chiese subito Annette – un luogo meno ventilato, per farsi perdonare?

Tenendosi allacciati, passarono di nuovo davanti ai campi, in tempo per controllare il faticoso progresso del punteggio di Siegfried, ancora invischiato sul tre pari, nel primo set.

Soltanto la necessità di darsi un contegno, nella hall, ricordò finalmente a Roberto i suoi obblighi, l'impegno del doppio, ma quella stessa riflessione valse a esaltarlo ancor di più.

Annette non faceva che ridere ma, appena in camera, improvvisamente severa, respinse le sue carezze. Voleva un poco di corte tutta per sé, anzi un piccolo rituale. Che bisogno c'era? Ma perché era infinitamente più spiritoso! Roberto doveva soltanto spogliarsi e passeggiare per la stanza come fosse in attesa di una amante lungamente desiderata. Oltre tutto, gli sarebbe servito per prepararsi un pochino, e intanto lei, fuori nel corridoio, avrebbe spiato la sua impazienza, poi... Sarebbe stato magnifico, ed era oltretutto, questione di un minuto. Con un rapido bacio e un sorriso d'intesa scomparve.

Con impazienza autentica Roberto si piegò a quelle istruzioni, ma quando, dopo una decina di minuti, si decise a spalancare la porta, il corridoio era deserto. Dovette rivestirsi, e scendere per rassegnarsi finalmente al sospetto che Annette avesse voluto vendicarsi dell'appuntamento mancato. Non l'avrebbe creduta così suscettibile, si diceva tornando furente in camera sua: lo aspettava, dal bagno, lo scroscio della doccia.

«Cretina!» ruggì contro la porta chiusa.

«Non sento! C'è l'acqua che corre!» gridava Annette, dall'altra parte. E anche dopo si rifiutò di aprire, non voleva sentire preghiere, né lusinghe e se ne infischiava che chiamasse il portiere per buttarla fuori. Perché non si faceva coraggio, anzi, perché non ci provava davvero, rideva, esilarata.

Ferito da quell'ironia, optò per un dignitoso silenzio. E si era ormai rassegnato a lasciarla perdere, a ritornare al tennis, quando la chiave girò nella serratura.

Non le lasciò il tempo di asciugarsi.

* * *

A colpirlo, da dietro la porta, giunse la voce di Siegfried.

«Tra cinque minuti abbiamo in orario il doppio. Vieni immediatamente, perché ci dichiarano scratch.»

Roberto era rimasto immobile, muto.

«Mi hai sentito?» insistette Siegfried.

«Sì.» E, abbandonata Annette, incominciò a rivestirsi. Dal letto lei lo guardava stravolta: «Cosa fai?» riuscì finalmente a dirgli. «Non vorrai andartene adesso?»

«Te l'avevo detto che avevo la partita. Non avessi perso tu tutto quel tempo... Non so cosa farci adesso. Prova ad aspettarmi...»

«Aspettarti! Di nuovo!»

Annette saltò in piedi fuori di sé: «Ma che uomini siete, tu, il tuo amico, tutti quanti?»

Roberto era già alla porta. Gli ultimi insulti, i più atroci, lo raggiunsero in fondo al corridoio.

XII

La fatica della ginnastica a terra l'aveva indotto ad abbandonarsi sull'erba del giardino, le mani intrecciate dietro la nuca: lungo il suo braccio nudo correva una formichina, nell'aria azzurra passò un gabbiano.

Gli avvenimenti della sera prima gli apparivano in una luce diversa, e, con serenità, giunse ad ammettere le sue stesse colpe senza cambiare di un filo il suo giudizio su quella gente, anche se Barbara era dei loro. Così giovane, e per di più così bella, sfuggiva a ogni classificazione, pensò con un sorriso. Con quelle signore eleganti e annoiate, doveva riconoscerlo, Barbara aveva però in comune una completa mancanza di rispetto per chi non fosse del suo stesso ambiente. «Senza il mio denaro», l'aveva sentita dire, «non sarei Barbara Ryan, e quindi è inutile che stia a comportarmi come una gemella povera e sentimentale: ingannerei me stessa, prima degli altri.»

Era capace, Barbara, di soccorrere plotoni di orfani e di gatti randagi, ma non riusciva mai a dare senza consapevolezza, non si dimenticava mai di se stessa.

Ecco perché viaggiava tanto, cambiava tanto spesso casa e automobili e amici: ecco perché, concluse quietamente Luca, la loro storia non poteva durare.

Alzò gli occhi al muro della casa coperto di buganvillea, alle avvolgibili di tela blu che difendevano il sonno di Barbara: si spinse a considerare quelle immagini quasi già le ricordasse soltanto, e fu assalito da un'ondata di gratitudine, di tenerezza.

Un istante dopo, superata la porta di casa e il corridoio, si affacciava alla stanza da letto: un respiro faticoso, diverso da quello che aveva tante volte indugiato ad ascoltare nel buio, bastò ad arrestarlo.

Immobile, le braccia lungo i fianchi, Barbara giaceva in così totale compostezza che soltanto l'impercettibile palpito del petto ne rivelava la vita.

Affascinato, s'incantò a guardarla, finché, di nuovo, si fece sentire l'altro suono, una specie di rantolo.

Era, si rese allora conto, Satchmo, accucciato di là dal letto, guardiano poco zelante della bella addormentata.

Sarebbe riuscito – si domandò – a baciarla prima che la sentinella si svegliasse, e desse l'allarme?

Non aveva finito di sorridere che quel gioco gli parve d'un tratto molto serio, addirittura decisivo: con la cautela e la lentezza infinite dei gesti dei sogni, con la stessa muta, segreta levità, mosse un passo indietro, e poi un altro, e un altro, fino a che si ritrovò in giardino.

Allora, con un gesto di trionfo, inspirò violentemente l'aria dorata di sole.

XIII

Durante i primi colpi, Roberto si rese conto che gli sarebbe stato impossibile affrontare quel singolo senza liberarsi di tutti i pensieri estranei al gioco.

Cercò invano di sottrarsi al nervosismo fissando la palla, la colpì, e il suo sguardo venne ricondotto alla figura bianca al di là della rete... Siegfried! Era di nuovo in campo con lui e l'invisibile linea che i palleggi tracciavano nell'aria leggera li teneva sottilmente congiunti.

Della sua influenza aveva creduto di essersi liberato il giorno prima, quando aveva ostentatamente iniziato il doppio come una fastidiosa necessità, una partita tra estranei da sbrigare il più presto possibile.

Alla sua scortesia, Siegfried aveva risposto con un comportamento ancor più compassato del solito. Vinto il sorteggio per il servizio, gli aveva offerto due palle, prendendo posto, come sempre, a due metri dalla rete, e a tre dalla linea del corridoio. Da allora, punto su punto, aveva ricostruito tutto quel che lui si ostinava a distruggere, con pazienza superiore alla sua cocciutaggine.

Si sentiva tanto estraneo al gioco, che avrebbe forse finito per ammirare quell'esemplare esibizione di stile e di fedeltà al fair-play se, nell'avventarsi a riprendere un pallonetto che l'aveva superato, Siegfried non avesse gridato, per evitare il sicuro scontro: «Mia, Roberto!» Il suono imperioso della voce, il suo nome ripetuto giusto con l'intonazione che l'aveva trafitto pochi minuti prima, in camera, lo accecarono di rabbia. Con uno stacco prodigioso si spinse all'indietro, in un mulinello che mancò netta la palla per sfiorare invece la fronte di Siegfried.

Senza una scusa, le labbra strette, continuò poi a dibattersi contro la necessità del gioco, che lo teneva legato a quel compagno che ormai odiava, a quell'uomo che non faceva che apparirgli nell'attimo dell'impudente intrusione, nell'atteggiamento che aveva intuito, dietro la porta chiusa.

Si forzava, addirittura, a tenersi fisicamente lontano da lui, cambiando campo dalla parte opposta, rimanendo a fondo quando Siegfried era a rete, e viceversa, con risultati disastrosi per il punteggio. Due fischi non tardarono a sottolineare la disapprovazione degli spettatori. Trovò tuttavia modo di gioire anche di quell'insulto, quando vide il viso di Siegfried contrarsi per l'ira. Il suo unico, spasmodico desiderio era che quella partita finisse il più presto possibile, e insieme svanisse ogni rapporto con Siegfried, e addirittura Siegfried stesso. Voleva ritrovarsi tra le braccia morbide di Annette, premuto contro il suo corpo, il viso nascosto tra i suoi capelli. Non appena ebbe sbagliato l'ultima palla, corse come un folle verso la sua camera, nella speranza che fosse ancora lì. Offesa sino all'indignazione, al furore. Ma almeno disposta ad ascoltarlo, a lasciargli esporre le sue giustificazioni, forse addirittura a rispondergli. Invece se n'era andata, ed era stato vano buttarsi alla sua ricerca, con un accanimento, una disperazione che andavano ben oltre il bisogno di incontrarla. Era stato vano tentare di averla al telefono, spingersi addirittura a Montecarlo in una lunga attesa di fronte alla porta di casa, al suo bar preferito, in una via crucis di locali alla moda e, infine, per la città deserta. Sino all'ora dell'ultimo treno per Beaulieu, e a quel che restava della notte, di fronte a una porta barricata che, nel dormiveglia, ritornava a cedere sotto la lieve spinta del fantasma di Siegfried.

Ma non si era più ritrovato di fronte al principe, se non sullo stesso campo che aveva ospitato la vicenda del doppio, soltanto ventiquattro ore prima.

Sentendo adesso che una palla gli usciva di racchetta, e che il suo braccio meccanicamente ne correggeva la traiettoria, alzò gli occhi, per ritrovarsi in una realtà mutata, e ancora connessa alla presenza di Siegfried.

Ormai svuotato della vampata d'odio decise con stanchezza che si sarebbe lasciato battere, senza tentar di strappare nemmeno un punto. Anche se Siegfried avesse creduto di umiliarlo ancora, e di fronte a tutti, non sarebbe potuto andar oltre l'affronto di quelle parole, al di là della porta.

Cominciò dunque il gioco sbagliando di proposito, una dopo l'altra, quattro risposte non certo difficili e, a testa bassa, si avviò per cambiare campo. La palla che il ragazzino gli lanciò lo costrinse ad alzare gli occhi e a incrociare lo sguardo di Luca, un po' perplesso per quell'inizio disastroso, ma partecipe, addirittura proteso a incoraggiarlo con la smorfia d'impegno, a labbra serrate, che gli era abituale sul campo. In un lampo Roberto fu certo di poter riavere la sua amicizia e subito lo invase una tale allegria che di nuovo e più di prima stentava a concentrarsi mentre, pronto a servire, batteva e ribatteva in terra la palla. Servì un ace di selvaggio entusiasmo, buttandosi per quanto era lungo, e la risposta di Siegfried non superò la rete. Rivolse allora a Luca un'occhiata festosa e lo vide portare le mani agli zigomi, alle tempie, per suggerirgli di non distrarsi, di badare al gioco: un consiglio ovvio, che tuttavia si affrettò a seguire addirittura con zelo.

Non c'era caso che Siegfried lasciasse libero anche soltanto uno spiraglio dove piazzare il servizio: la sua posizione era inattaccabile, e quando Roberto tentò ugualmente di spostarlo all'esterno con un slice, la palla che un terribile diritto lungo linea gli rimandò era secchissima e fuori portata.

Subito Roberto si limitò a mettere in gioco un servizio centrale. Siegfried gli rispose con un lungo rovescio di attesa. Roberto incrociò. A quell'invito Siegfried prese l'iniziativa e in una successione di diagonali sempre più rapidi, sempre più lunghi che lo condussero a rete, con un facile tocco arrivò a giustiziare l'ultimo colpo difensivo.

Col fiato mozzo Roberto si volse a cercare aiuto, ma si accorse che Luca era impegnato in una fitta conversazione con Barbara, e fu costretto a ripetersi che era la regola, anche la più affascinante delle partite finiva per interessare soltanto ai suoi protagonisti. Immobile, gli occhi fissi, Siegfried aspettava il suo servizio.

Colpì la palla alla cieca. Violentissima, la risposta passò a mezzo metro dalla sua racchetta disperatamente protesa e

Roberto, che non poté trattenersi dal rivolgere a Siegfried un'occhiata d'invidia, credette di vederlo scrollare impercettibilmente la testa. Aveva preso un abbaglio, capì subito dopo: il principe era troppo fedele alle regole del gioco per occuparsi dei sentimenti dei suoi avversari.

Era indispensabile non distrarsi, scegliere una volta per tutte una tattica, decise tornando con lentezza alla linea di fondo: tra le poche possibilità che gli restavano, la più sicura era quella di allungare il gioco, per non essere attaccato o addirittura preso d'incontro, ma dopo che ebbe sbagliato il primo servizio, la paura di un doppio fallo gli trattenne il braccio e gli fece ritrovare Siegfried a rete e la palla ormai lontana, schiacciata contro il telone di fondo da uno smash schioccante.

Mentre l'arbitro annunziava il due a zero, vide Luca tutto proteso in avanti, come per suggerirgli qualcosa. Forse, dalle tribune, era anche possibile intuire un sistema di difesa, immaginare qualche accorgimento che imbrigliasse la superiorità di Siegfried: ma lì dov'era, dentro il campo, ci si trovava come ipnotizzati da quello stregone che capiva tutto con un attimo d'anticipo. Per sfuggire alla sensazione d'impotenza, di resa, strinse il manico della racchetta sino a sentir dolere il pugno, e cercò di aggrapparsi, quanto meno, alla sveltezza dei suoi diciannove anni: in ritardo lo stesso, col fiato grosso, riuscì a conquistare in tutto un misero quindici.

Avviandosi a cambiare campo si chiedeva se sarebbe riuscito mai a mettere insieme i quattro punti di un game, e soltanto la presenza di Siegfried, intento a frantumare sul cuoio un cristallo di pece greca, lo spinse ad affrettarsi oltre il seggiolone dell'arbitro. Vide Barbara sola e, immediatamente, si sentì chiamare, a bassa voce, da non più di un metro: dalla transenna, Luca gli tendeva un asciugamano e una pastiglia di sale.

«Vuoi proprio perdere o vuoi almeno provarci?»

La gioia di Roberto fu tanto grande che si limitò a sorridere, e poi addirittura rise, alzando le spalle.

«Vuoi lasciarlo vincere?» insisteva Luca.

«È troppo forte.»

«È molto più vecchio di noi, Roberto. Devi tenerlo in campo due ore, senza sbagliare mai. Giocagli palle vuote, che ci consumi la sua, di energia. E fallo muovere, appena puoi, senza rischiare, senza dargli angoli...»

Immobile, sulla linea di fondo, Siegfried attendeva. Roberto si accorse che i suoi occhi si erano fissati un istante su Luca per poi richiudersi, mentre un sospiro profondo gli tendeva la camicia sul petto.

Andò a piazzarsi per il servizio, lanciò la palla verso l'alto e ne vide, distintamente, la marca blu sul panno ancor candido, mentre le corde la schiacciavano, la scagliavano via, verso Siegfried, che non riuscì a ribatterla oltre la rete.

Si spostò a sinistra, per servire di nuovo, e si sentì per la prima volta a suo agio, improvvisamente sicuro di non più sbagliare, capace di rimandare all'infinito.

Da quel momento, il gioco si ricucì in un unico palleggio, senza senso per chi non sapesse che quella era l'unica condizione perché la partita potesse, un'ora più tardi, risolversi in modo dissimile, appassionante.

Siegfried apparve frastornato, per qualche punto, da quella improvvisa resistenza, e, incredibilmente, si buttò poi a seguire Roberto nella sua stessa tattica.

Alla fine di quei due games interminabili, si lasciò cadere di schianto sulla poltroncina di vimini, gli occhi al cielo.

«Possibile che sia già così stanco?» domandò a bassa voce Roberto fermandosi ad asciugarsi.

«Forse non sta bene», suggerì Luca, e consigliò di tentare qualche drop-shot, qualche cross più rapido.

Ma alla prima smorzata, Siegfried rispose con uno scatto sorprendente e un tocco ancor più definitivo, fuori dalla portata di Roberto che subito fu preso dal desiderio di ributtarsi avanti, di rischiare. Soltanto un gesto di Luca, che avvicinava i pugni al petto, quasi tirasse due redini, lo richiamò al buon senso. Cocciutamente, si trincerò nel gioco che l'aveva fatto risalire a due-tre e che Siegfried sembrava ormai disposto ad accettare.

Ogni punto di quel duello a colpi di scudo veniva assegnato dopo scambi interminabili, e uno spettatore che si fosse trovato a una cinquantina di metri dal campo, troppo lontano per cogliere sul volto di Roberto i segni della preoccupazione, avrebbe addirittura potuto crederlo un allenamento.

Siegfried, a vederlo, appariva astratto dalle emozioni della partita, come se la necessità di tenere gli occhi sulla palla l'avesse ipnotizzato: non solo non muoveva un muscolo del viso ma, tra un punto e l'altro, e addirittura durante i cambi di campo, il suo sguardo pareva fuori fuoco, fisso oltre i limiti delle tribune. La partita durava ormai da più di un'ora, e dopo il tre a due il principe era stato sempre in vantaggio di un game, e ben quattro volte a un punto dal set-ball, ma non aveva mai arrischiato un colpo vincente, permettendo ogni volta a Roberto di riportarsi alla pari.

La fiducia del ragazzo era aumentata, il desiderio di vincere aveva ripreso a bruciargli dentro, l'aveva ripulito di tutte le scorie estranee al gioco. Era ormai pronto a tutto, Roberto, persino a sopportare la sfortuna che gli si accanì contro e lo privò della prima partita con alcuni nets contrari.

Quando ripassò di fianco a Luca, all'inizio del secondo set, era in vantaggio per uno a zero, e ancor prima che l'amico aprisse bocca, gli rivolse un cenno d'intesa, indicando l'orologio.

«Un'ora e venti», scandì Luca.

Il gioco riprese, simile a una condanna liberamente accettata: in quell'ultima mezz'ora niente pareva cambiato, e tuttavia i colpi di Siegfried si erano accorciati, il rosa delle sue guance acceso, mentre le narici impallidivano e le orbite lasciavano trasparire venature azzurre.

Roberto rilevava quei segni con crescente esaltazione, e si sarebbe certo buttato allo sbaraglio se non ci fosse stato Luca che lo tratteneva, e a ogni cambio di campo gli ripeteva come una cantilena gli stessi consigli. Finì per vincere il secondo set sei a tre, dopo due ore e un quarto di gioco, quando ormai Siegfried faceva pena a vedersi, le costole disegnate sotto la maglietta madida di sudore, i lunghi calzoni bianchi macchiati da una caduta.

Nessuno riuscì a capire perché, almeno nel terzo set, quel tennista tanto esperto non tentasse di liberarsi da una tattica che lo conduceva a una sconfitta sicura, e insieme alla prostrazione fisica.

Per un attimo consapevole di quel crollo, giusto a metà del set, Roberto si scatenò ad attaccare, non sopportando più l'attesa della vittoria e la compassione per l'avversario.

Con due stupendi passanti che lo folgorarono, Siegfried sembrò risorgere, ma non appena Roberto si fu rintanato in fondo ed ebbe ripreso quel lavoro da carnefice, tornò ad accettare il suo destino e perse, pazientemente, uno sull'altro, gli ultimi punti.

Roberto nemmeno si accorse della fermezza della sua stretta di mano, soffocato com'era da amici, da sconosciuti che pretendevano l'autografo e persino da due giornalisti.

Quando infine riuscì a sottrarsi a tutta quella confusione, si affrettò a cercare Luca. Era scomparso.

XIV

Non appena la doccia finì di lavarlo, la delusione gli piombò addosso.

Molte volte aveva fantasticato su una grande vittoria, si era abbandonato a immagini che ora, avvilito dalla scomparsa di Luca, gli apparivano ancora più false.

Valeva la pena, si domandò raccattando la maglietta intrisa di sudore, di accanirsi tanto, di soffrire, anche nel corpo, per ottenere un risultato simile?

Quella domanda gli consentì di ascoltarsi meglio, e d'intuire via via che la successione degli stati d'animo necessari a imporsi sull'avversario non era soltanto una serie di fastidiose forzature della volontà, ma una feroce, accanita discesa all'interno di sé. Pochissime volte, nel corso di un'intera gara, il cerchio sottile si allacciava per un istante, e una intuizione si traduceva in un gesto, in uno di quei punti che facevano balzare in piedi gli spettatori, come davanti a un miracolo. In queste rapidissime rivelazioni stava il vero significato della vittoria, il premio per la dedizione completa al gioco, per gli anni spesi a lavorarsi addosso senza pietà, in una alternativa continua tra la speranza e l'impotenza.

Per la prima volta gli parve di capire davvero quanto valesse Siegfried: nemmeno per un attimo aveva lasciato trasparire la sofferenza che quella sconfitta gli costava, e si era limitato a opporre al suo risentimento lo scudo del gioco. Dovette frenare un impulso a correre da lui, non fosse altro che per confidargli quei pensieri: ma sarebbe stato troppo facile essere frainteso, respinto da un'implacabile cortesia o trascinato alla compassione.

La vittoria, con tutte le sue conseguenze, sino al rimorso, toccava soltanto a lui, andava accettata come quella di Beaulieu, il singolare strappato a Luca. Tutte e due le partite, intuì d'un tratto, si erano risolte per un intervento estraneo, una coalizione sottile ai danni di un avversario costretto a subirla e, insieme, tradito.

Non doveva mai più accadere, si ripeté Roberto. D'ora in avanti, avrebbe considerato l'avversario un mezzo, una pedina indispensabile al gioco, mentre la vera partita si sarebbe svolta invisibile a tutti, sottratta al giudizio del pubblico.

Gli pareva di cominciare in quel momento l'autentica vita del tennista, che fino allora aveva frainteso, svilita, e gliene venne un senso di esaltazione che soltanto il ricordo di Siegfried, del suo viso distrutto, riuscì a frenare. Anche a lui la maturità, la decadenza fisica, avrebbero impedito un giorno di spingersi troppo avanti. Ma c'era tempo, molto tempo ancora prima che la vita giungesse a vendicarsi, con i suoi rendiconti.

XV

Non poteva evitare di guardare Siegfried e Jean seduti proprio di fronte e, forzando il viso all'indifferenza, si ripeteva invano che avrebbe dovuto distogliere da loro i suoi pensieri.

Il principe appariva del tutto normale, a suo agio, forse indifferente a quanto era accaduto. Era Jean, con la sua sollecitudine nel sorridergli, e persino nel versargli l'acqua e offrirgli il pane, che lasciava trasparire un'intenzione di conforto.

Ma quale corrispondenza esisteva tra l'aiuto che gli veniva offerto e il suo bisogno di essere aiutato? Lo stesso Jean avrebbe potuto sbagliarsi, sopravvalutare le conseguenze di una sconfitta non gravissima, dopotutto, per la modesta importanza del torneo.

Con rinnovato fastidio verso di sé, Roberto si propose di non mentire: era inutile ripetersi che le ferite di Siegfried non esistevano, perché invisibili, era addirittura intollerabile ricominciare il piccolo gioco dell'imbroglio che le vicende del giorno prima avevano mandato in frantumi.

Basta, si ripeté Roberto, basta! La scelta più logica, la più semplice, era occuparsi della propria cena, del cibo che andava raffreddandosi, davanti a lui.

Tra una portata e l'altra, trovò un aiuto insperato nel giornale della sera, ma oltre le parole, addirittura al di là del foglio, la sua attenzione doveva essere ben fissa al tavolo di Siegfried e Jean, se li vide alzarsi, e si affrettò a salutarli per primo, quando gli passarono vicino. Solo allora riuscì a rilassarsi, a provare un modesto piacere per la bottiglia di Bourgogne che si era ordinato, quale premio e insieme affermazione di una ritrovata indipendenza.

Tra le felicitazioni che tutti gli rivolsero più tardi, nella hall, lo colpì per la sua rozza sincerità Jacky Brichant.

«Quel maledetto di Siegfried, mi aveva dato una lezione d'intelligenza, prima che di tennis», confessò. «Tu, oggi, hai fatto a lui lo stesso scherzo!» Fischiò, gli assestò una terribile pacca sulla spalla.

«Hai più classe di tutti. Ha proprio ragione Luca», concluse.

Si ritrovò in giardino, felice come se nelle parole di Jacky avesse trovato la certezza che l'amicizia di Luca era intatta.

La sua scomparsa improvvisa, dopo la partita, non gli suggeriva più il sospetto di una fuga, ma appariva un gesto delicato, rivelava l'intenzione di attribuire a lui tutto il merito della vittoria.

Da quelle intuizioni trasse finalmente il coraggio per accusarsi senza riserve, per riconoscersi il solo colpevole: la sua smania di essere perdonato era ormai tale da sommergere i limiti, i contorni del perdono.

Non ebbe il tempo di soffermarsi a vagliare quei suoi sentimenti: era comparso Siegfried, si accorse con un sussulto, addirittura incapace di aprir bocca.

«Che bel successo», commentò il principe. «Adesso ti faccio anche paura.»

«Credevo che non ci fosse nessuno.»

«Non c'è mai nessuno, qui», concordò Siegfried. «Ed è per questo che tu ci vieni sempre, di sera. Povero Roberto, come devi esserti sentito infelice, in queste due settimane.»

Si interruppe, ma non tanto da consentire a Roberto una risposta più esauriente di una scrollata di capo.

«Non ti ho nemmeno fatto i complimenti per la partita di oggi», continuò.

Il suono di quelle parole era così affettuoso, che non poté trattenersi dal ringraziarlo ma, ancora una volta, Siegfried non lo lasciò finire: «Sono io che devo ringraziarti, per avermi dato una grande gioia, per avermi dimostrato che non sono inutile. Due settimane fa non saresti riuscito a vincermi nemmeno un set!»

Rimase a guardarlo un attimo con orgoglio per riprendere subito il suo monologo: «Lo so che ti ho annoiato, addirittura asfissiato, ma i risultati sono quelli che sono. E non riesci proprio a immaginarlo dove arriveresti se mi dessi retta?»

«Siegfried», cercò ancora di dire Roberto. La voce di lui che lo interruppe, franò di colpo: «Soltanto un'ora al giorno, solo pochi minuti. Io certo ho sbagliato», ammise anche, e si lanciò in una requisitoria, per accusarsi di non aver rispettato la sua libertà, di avergli fatto violenza, mentre avrebbe dovuto convincerlo per gradi, addirittura pregarlo. Ma ora tutto doveva essere diverso, e Roberto poteva scegliere l'allenamento adatto, tornare padrone del suo tempo, dei suoi desideri... Voleva soltanto permettergli di aiutarlo, almeno un po', di stargli vicino?

«Un'ora al giorno...» continuava a ripetere e si infervorava a spiegare che non si sarebbe più trattato di altro, niente altro che di un allenamento, e anche quello ridimensionato, condizionato, calibrato alla personalità e all'indipendenza, alla spontaneità di Roberto. Il viaggio in India, con tutti gli incanti di un viaggio simile, poteva essere l'occasione ideale, ma anche altrove, a Milano stessa, se Roberto preferiva, a Milano era pronto a seguirlo, aveva già degli amici, delle prospettive...

Poi riprendeva: «Con un'ora appena di allenamento...»

E come fosse d'improvviso conscio della fragilità di quell'argomentazione, della vanità delle promesse che poteva fargli, si impennò:

«Diventerai», gridò quasi, con occhi scintillanti, «come me, imbattibile, com'ero io alla tua età e anche dopo, ancora dieci anni fa...»

Un pensiero straziante dovette trafiggerlo in quel punto perché chinò la testa e Roberto, che era stato ad ascoltarlo rigido, smarrito, riuscì a vincere il proprio sconcerto, ad afferrargli un braccio:

«Mi spiace», si sentì dire, «mi spiace molto. Ma tu non devi...»

Di nuovo fiero, deciso, Siegfried gli lanciò un'occhiata terribile:

«Non ti chiedo di spiegarmi, neanche di scusarti. Ma è indispensabile che tu risponda e subito: sì o no. Semplicemente».

Gli bastò tuttavia che Roberto alzasse la testa in un sussulto di insofferenza per rifarsi dolce, quasi supplichevole:

«Perché se è sì», riprese, «vedrai, vedrai quante cose riusciremo, insieme, e ti prometto, ti giuro, se vuoi...»

Roberto si lasciò prendere sottobraccio e ne approfittò per avviarsi verso l'albergo, nella speranza che l'arrivo di qualche estraneo lo inducesse a un po' di controllo.

«Preferirei star qui.» La voce di Siegfried era già di nuovo secca.

«E io preferirei andare. Anzi, guarda, siamo troppo sconvolti, adesso, troppo dentro, ancora, a questa maledetta storia. Dammi il tempo di pensarci: vuoi? E pensaci anche tu, magari qui, adesso, se ti piace, ma io ho bisogno di muovermi, ho voglia di andarmene...»

Siegfried gli afferrò più forte il braccio:

«Andare dove? Dove vuoi andare?»

Non gli diede il tempo di rispondere. A voce di nuovo alta:

«Va' dove vuoi», disse, «ma non da Luca».

E gli strinse i gomiti, incominciò a scrollarlo sino a fargli male.

«Vado da Luca», finì per ribellarsi Roberto. E come un bambino contrariato, infierì: «Vado da Luca. Certo che ci vado!»

Siegfried lasciò cadere le braccia, vinto. Quando, dopo un nuovo silenzio, parlò ancora, ebbe l'aria di essere arrivato, finalmente, a constatare una realtà che, per essere ovvia, non gli riusciva meno sorprendente:

«Vai da Luca, è vero. E allora anche tu sei come me. Solo sei più giovane. Sei giovane, tu».

Seguitava a ripeterlo, immobile. Quando Roberto non riuscì più a stare a sentirlo e si voltò per andarsene, non ebbe neppure un gesto per fermarlo.

244

XVI

Il giorno dopo, la finale designò, rapidamente, il vincitore in un Rawley impegnatissimo a difendere la propria rispettabilità, e a far pagare caro a Roberto un gioco di totale divertimento.

Quando l'americano ebbe ricevuto la coppa, Luca si allontanò dal campo insieme a Roberto, e rimase ad attendere su una panchina del giardino che si cambiasse d'abito.

Roberto fu presto di ritorno, insieme a Sheila, tutti e due carichi di valigie, borse, racchette: mentre stipavano la Cinquecento, Sheila constatò, con un sorriso, che proprio non ci sarebbe stato posto, per lei.

Si affrettarono a consolarla, a giurarle che l'avrebbero sempre avuta cara, sarebbero stati sempre pronti a portarla in giro a preferenza di chiunque altro: e poi, Wimbledon non era lontano, e presto si sarebbero ritrovati là, di nuovo insieme, per la prima volta ammessi a quel grande torneo!

Vibrante, rossa come una fragola, Sheila ripeteva che non era stata mai felice come con loro, sinché, avvampando, non fu più capace di tenere per sé il suo segreto.

«Io vi amo», disse, e rimase per un istante esterrefatta, quasi avesse ascoltato da un'altra quelle parole. Aveva amato prima Roberto e poi Luca, continuò, con un improvviso agio, una disinvoltura certo superiore a quella dei due ragazzi: «E, alla fine, sono arrivata ad amarvi tutti e due». Era sicura, aggiunse, che non fosse male, come le avevano insegnato, come aveva sempre creduto.

«Non sono certo diventata una cattiva ragazza, per questo», finì di confessare, con un sorriso splendente.

Al di là del vetro chiuso, nel riquadro del finestrino della sua Mercedes, Siegfried aveva osservato in silenzio tutta la scena, senza muoversi di un millimetro, senza aprir bocca.

Jean, al suo fianco, non riusciva a tenersi, e si agitava, sbuffava, guardando l'orologio.

«Siegfried...»

Senza distogliere gli occhi dai tre, scandendo lentamente le parole: «Non sono belli, Jean?» sorrise il principe, e la ripeté più volte, quella parola, finché Jean non riuscì più a tollerarla e: «Belli come ce ne sono mille, centomila!» schiattò. «Piccoli, schifosi borghesi, così cheap, così banali, moralisti...»

«Imbroglioni», lo interruppe Siegfried.

«E sì, certo, anche imbroglioni», constatò sorpreso Jean. «Perché non hanno fatto, non fanno altro che imbrogliare. E non solo te, noi...»

«Zitto», lo rimproverò gentilmente Siegfried. «Lasciami guardare.»

Chiacchieravano allegri con Sheila, e provavano, adesso, a farla entrare nell'auto, sopra le valigie, poi, vista l'impossibilità di trovare spazio sufficiente, davanti, tra il sedile di guida e quello del passeggero.

Entrarono anche loro nella Cinquecento, e rendendosi conto che mettevano in moto, Siegfried girò a sua volta la chiavetta. Ma era solo una finta. Dopo tre metri avevano già frenato la macchina, ne aprivano le porte e schizzavano fuori, Roberto addirittura rotolando, abbracciato a una borsa che si aprì, come fosse previsto dal copione di una comica, e cominciò a vuotarsi di scarpe da tennis, scarpe di cuoio, scarpe di corda, una cascata di scarpe.

Ricacciarono tutto dentro la borsa, e la borsa dentro l'auto, e cominciarono a fare lazzi di dolore, dimostravano a Sheila che proprio il posto non c'era, non ci poteva stare, anche se Luca entrò nuovamente e, aperta la capote, si mise in verticale, i piedi fuori, per un attimo immobile, irrigidito.

Fu Sheila stessa a ribaltarlo allegramente, e di nuovo, tutti e tre insieme, non la finivano più di ridere, e si abbracciavano, prima Roberto e Sheila, poi Luca e Sheila, e infine Luca e Roberto, con gesti di comica sorpresa per il divertimento di lei.

Non ce la faceva proprio a sopportarli, Jean, perché di fronte a quest'ultima immagine: «Clowns! Clowns da recita benefica!» li accusò.

Siegfried scuoteva la bella testa bionda.

«No, tu esageri sempre, nel bene e nel male. Non sono clowns.»

«Ah no! E cosa sono allora se non sono clowns», s'indignò Jean. «Due piccoli cialtroni, ma peggio, due...»

La mano sul braccio, Siegfried lo interruppe.

«Semplicemente doppisti, mio caro Jean. Luca non sarà mai un campione. Roberto non sarà mai un campione.»

Ritornò a fissarli. Adesso avevano cinto il collo di Sheila con un ultimo dono, un foulard, e giocavano alla partenza, mentre lei faceva da starter.

Partirono, quando lei ebbe abbassato quel pezzo di seta variopinta, e non avevano ancora ultimato la curva lungo il giardino, non erano ancora scomparsi in direzione del mare, che Sheila si portò agli occhi quel dono, e corse via, singhiozzando, verso l'albergo.

Lentamente, Siegfried innestò la marcia.

Alassio 1939

La casa era rosa, di un rosa stinto, lontano nel tempo dal colore vivo che le aveva dato il nome: Casa Geranio.

Giovannino ne abitava il secondo piano con la mamma, la nonna, Maria. Di fronte alla sua cameretta, oltre le rotaie del treno, si allargava la macchia blu scura del mare, svettava l'isola Gallinara, che Giovannino si riproponeva di raggiungere, un giorno, trafugando un moscone.

Sull'isola, raccontava Gim, figlio di capitano di mare, c'era un torrione della Filibusta, e non era del tutto sicuro che qualche vecchio pirata non vi consumasse i suoi ultimi giorni, tendesse i suoi ultimi agguati.

Nelle letture dell'amato Salgari, la Gallinara aveva preso ormai il posto della Tortue, l'isola non lontana dall'esotica Maracaibo.

Maracaibo era allineata al meridiano di Addis Abeba, la capitale dell'Africa, la città che egli ricordava ogni sera, nella sua preghiera per il papà lontano, che avrebbe tanto desiderato raggiungere. Laggiù, sospettava Giovannino, Salgari e le più sfrenate immaginazioni si saldavano nel quotidiano. Laggiù egli non avrebbe più sfiorato terra, trascorrendo dune o guadi su un pony in tutto simile al purosangue domato da papà, sfavillante nella foto ricordo dedicata al «mio unico, carissimo figlio».

Doveva essere quello splendido animale, la principale ragione del dissidio, che costringeva Giovannino a vivere in Casa Geranio, ad Alassio, e non tra i leoni e gli elefanti dell'Africa orientale italiana. Ancora ricordava la scena intuita da dietro la porta, il gemito disperato e irriducibile della mamma: «A cavallo no». Si confondevano nella memoria di Giovannino, le altre ragioni per cui mamma aveva rifiutato di seguire papà in quella sua avventura africana. La differenza clamorosa, esistenziale, era tutta lì. Papà pretendeva di muoversi soltanto sul suo candido destriero, forse addirittura su cammelli e dromedari. La mamma si era degnata di accettare la sostituzione della Bianchi con una rossa Fiat Topolino, presto graffiata e abbottata.

Da quella sera tempestosa, trafitta di voci alte, e alla fine di singhiozzi, la mamma si era tramutata nel principale ostacolo che impediva a Giovannino il definitivo accesso al mondo dell'avventura, impersonava la volontà che lo spossessava di un pony candido, triste nell'attenderlo invano, legato a una palma. La mamma era dunque complice della nonna e della serva Maria, addirittura del maestro Riedl, del gruppo insomma che stava a rappresentare tutto quanto fosse proibito. Lo era in un modo tanto meno accanito, spesso smemorato e sorridente, a volte blando e in contraddizione con l'altrui severità. Ma, nei momenti di struggente nostalgia per papà e dei sogni di avventure, era proprio lei a tramutare i suoi tratti affascinanti nel profilo atroce della matrigna di Biancaneve, un'illustrazione che Giovannino non riusciva mai a osservare senza un brivido, su uno dei suoi libri preferiti.

Oltre la porta di casa la strada piegava sotto la villa degli amici, il commendator Pino e la signora Marta, e poi si immetteva attraverso un imponente cancello nella discesa verso il tennis. Due leoni in arenaria proteggevano ruggendo un edificio giallo, in tutto simile a quello da cui Lord Daniel Hambury, il presidente, aveva governato Agra.

Ben cinque campi rossi, scrupolosamente allisciati dal custode Garibaldi, scandivano il loro allineamento geometrico di fronte alle gradinate.

Al club Giovannino fu associato dalla mamma, dopo un tentativo della nonna. Cercando del signor segretario Goodchild, la nonna ne aveva imbattuta la consorte, Muriel. Dopo vent'anni di permanenza nella colonia ligure, Mrs. Goodchild aveva appreso non meno di duecento parole, molti verbi all'infinito, e sottratto ai negozianti interi blocchi dialettali correlati ai commerci. «Serri belli freschi», era diventata una delle sue interiezioni preferite, e di maggior successo, usata per superare con allegria l'incepparsi di un dialogo complesso. «Serri belli freschi», ripeté invano l'ilare britanna, e finì per adontarsi alla cocciutaggine della nonna.

«Non capisco l'inglese, è inutile che lei insista», si intestardiva a ripetere la nonna. E poi, con sussiego: «Se crede, possiamo intenderci in francese».

La nonna iniziò quindi a chiamarla madame, mentre l'altra si accaniva in quel suo immaginoso angloligure.

L'incontro terminò nell'ira, con l'affermazione della nonna: «In fondo siamo in Italia», e con un «abbelinou» tipo Oliver Hardy, fortunatamente non raccolto.

Se ne andarono nemiche per sempre, in direzioni opposte.

Uscendo di casa, Giovannino si prendeva una guardataccia destinata a Mrs. Goodchild, una raccomandazione a «non parlare a quella vecchia strega». Giungendo al tennis, il suo timido buongiorno veniva accolto con un'occhiata di deplorazione dedicata alla nonna.

Dopo avere invano cercato le tre Pirelli fiammanti nella siepe dei cipressi di fianco al muro di allenamento, Giovannino si rassegnò, vinto sino a sedersi.

Raccolse una manciata di terra, e la lasciò filare adagio, pensando che la sua mano fosse una clessidra araba, e presto la lievissima polvere rossastra si trasformò in un deserto, e nel deserto c'era papà, che alla sua ultima visita gli aveva offerto di praticare uno sport, ormai ne aveva l'età: avrebbe preferito la scherma, come il nonno, oppure il tennis?

Lì per lì non aveva saputo decidersi. Papà era diverso dagli altri bagnanti, con quella sua canottiera di lana, l'aria silenziosa, quasi a disagio. Lo prendeva di continuo per mano, senza poi saper che farsene, quasi stringesse un'impugnatura.

Giovannino avrebbe voluto farlo partecipe dei suoi giochi, invitarlo, ma non osava, non sapeva cosa dire, o ancor peggio, quel che gli veniva in mente pareva sciocco, criticabile, proprio come a scuola. Anche la mamma stava zitta, e non lo comandava più, ma nemmeno scherzava. Gli amici abituali della mamma, la signora Marta e sua figlia Emmy, il gruppo dei giovanotti brillanti che per solito gli acquistavano gasose e ciambelle velate di salino, rimanevano a distanza, e salutavano come non lo conoscessero bene.

Nell'osservare papà che dirigeva al suo Corriere della Sera uno sguardo intento, mentre il vento marino gli piegava di continuo l'ampio foglio, Giovannino non era riuscito a proibirsi di paragonarlo al maestro Riedl. Certo, uno era buono e l'altro cattivo, ma mettevano soggezione tutti e due, e quando tacevano avevano la stessa aria preoccupata: chissà di che?

Il maestro Riedl aveva addirittura angosciato le sue notti, fino alla storia del gatto.

«Il katto di tua nonna è rosso. Kosa skrivi tu mai?»

Giovannino ancora rideva per quella sgridata. Riedl non aveva voluto credere che la nonna possedesse un gatto rosso. Alle affermazioni di Giovannino era diventato rosso lui, paonazzo di rabbia: «Katto rosso. Al mio paese non ho mai fisto un katto rosso».

«Al suo paese non c'è gatti rossi perché non è Italia», aveva commentato Gim, il figlio del capitano, il più esperto geopolitico della seconda elementare. «Al suo paese c'è ancora gli orsi e i lupi.» E, il giorno seguente, dopo un controllo sugli atlanti del capitano, Gim aveva ribadito. Riedl era un prussiano altoatesino, uno di quei traditori nemici in guerra, e ora conquistati e travestiti da italiani.

«Le sue montagne sono brulicanti di lupi.» Potevano credergli, se non a lui a suo padre, che aveva attraccato non lontano, con la nave.

In seguito alla vicenda del katto rosso, e alle precisazioni del figlio del capitano, Riedl aveva perso il controllo sottile della classe. Gli ubbidivano come si ubbidisce a un occupante straniero.

A sottrarlo alle fantasticherie arrivò la mamma in compagnia del commendator Pino, il marito dell'amica Marta. Sempre seduto a terra, Giovannino stava giocando con una formichina. Aveva tracciato un piccolo campo da tennis, messo una formica da una parte della rete immaginaria e una dall'altra. Sollecitando la più riottosa l'aveva azzoppata, e buttata via dicendosi che non era morta, che la zampa sarebbe presto rispuntata. Ammaestrava con ragionevoli risultati la superstite, quando il suo nome lo colpì, insieme al noto accento di deplorazione. Giovannino! Aveva sconciato i calzoni, come sempre.

«E cos'altro poteva, povera stella? Il culino, forse?»

La mamma rise, minacciando il commendator Pino. Tentò di rimettere grinta con il colpevole.

«Chi li preparava i calzoni per i bimbi poveri?» insistette Pino. Si premiasse subito il buon Giovannino, con un dolce. La mamma affermò che Pino le rovinava il figlio. Non riuscì a essere insieme arrabbiata e gaia, secondo un suo irraggiungibile modello biondo, Greta Garbo. Spostò l'attenzione alle Pirelli perdute, mentre Pino si divertiva ad alternare acqua e fuoco, e Giovannino tentava invano di rintracciare la sua formica ammaestrata. La mamma credette di vedere una pallina, volle scalare il cipresso, rimase abbracciata a invocare aiuto: «Pino mi tiri giù! Non faccia lo stupido!»

Su quello strillo, una finestra del club si chiuse di scatto.

La mamma rimise in bell'ordine il tailleur, sbirciando. Si raddrizzò bellicosa, per dirigersi in segreteria: era un vergogna che un lato del muro fosse delimitato dai cipressi, affermò. Si volevano far smarrire le palline ai bambini sventati, e costringere le mamme a ricomperarle.

Mr. Goodchild rimase pensoso. Si era bloccato su quel primo concetto, della vergogna, e faticava ad associarlo alla presenza dei cipressi di cui era particolarmente orgoglioso, e anche intenerito. Certi passeri ne prediligevano l'intrico compatto per costruirvi il nido. Mr. Goodchild aveva però dalla sua un'onorevole milizia di civil servant in terre lontane e sapeva come demandare le responsabilità. Allertò Garibaldi, il custode, e gli espose il caso in tutta la sua gravità. Del suo superiore Garibaldi non fu certo da meno. Intrecciò un reticolo di rughe intorno alla bocca sdentata, e urlò di affrettarsi a uno dei suoi quattro maschi, Giobatta.

Il terzo nato dei Garibaldi si mosse riluttante, mormorando un antichissimo motto mediterraneo: «No g'ho testa», non ne ho voglia.

Nell'attesa che la ricerca si svolgesse, Pino propose un tè. Venne a servirli Paolina, la cuoca, il florido petto serrato da bandoliere bianche come quelle dei carabinieri.

«Tè con toast, burro, marmellata, e torta di crema», ordinò Pino.

«Tre tè, signor comandatore. Ma li vuole semplici o completi?»

Dopo la torta Giovannino si mosse a controllare che Giobatta non sottraesse le palle ritrovate.

Il giovane Garibaldi ondeggiava con la sottile cima di un cipresso, dal pugno chiuso gli usciva un pigolio.

Giovannino chiamò, si irritò per la totale indifferenza,

infine si arrampicò sul cipresso parallelo, a chiedere libertà per il passerottino.

«È tuo?»

«Non è neanche tuo.»

«È mio sì.»

«No.»

Il luogo non era il più adatto per un dibattito sul diritto di proprietà. Caddero, senza che Giobatta mollasse la preda. Li divisero che già Mrs. Goodchild aveva sottratto l'oggetto del contendere. Non rimase un solo dubbio sul futuro del passero: una lunghissima, doviziosa cattività, accudita amorosamente da Mrs. Goodchild, insidiata dai suoi gatti.

Riedl si ammalò.

I bambini vennero messi insieme alle bambine. Esse chinarono i nastri rosa, dietro quei baluardi di seta operarono virtuose. I maschi schiamazzarono, risero forte, tirarono palline. La maestra trasse dal cassetto una mela. Si sarebbe visto chi sapeva far meglio. Cominciarono a incidere matitate, a cancellare, mirar l'opera di sghembo.

D'improvviso un nastro rosa scomparve sotto le mezze maniche candide, e tutti fissarono la bambina che non osava riemergere.

La maestra domandò chi volesse aiutare Mariantonia a disegnare la sua mela. Nessuno si muoveva, le spalle della bambina si alzavano e ricadevano in affanno. Giovannino si ritrovò solo nel corridoio, camminò impettito, spinse con delicatezza Mariantonia e prese posto al suo fianco. Iniziò a dividere in due il foglio bianco con una tremula riga.

La maestra smorzò con minacce di penso l'ilarità dei maschi. Le bambine lo guardarono come fosse San Giorgio.

Quando lui cominciò a ultimare l'opera con lo sfumino, Mariantonia osò finalmente aprir bocca: «Che bello».

Giovannino continuò, orgoglioso e commosso. Al suono della campana, le offrì il disegno.

«Come ti chiami?»

«Giovannino», riuscì a risponderle, mentre già correva.

Scritte di gesso comparvero sui muri. «Giovannino fa l'amore con Mariantonia» e «Mariantonia = Eva».

Giovannino distribuiva cartellate, cancellava sporcando i guanti. Balin gli domandò: «È vero che ti sei fidanzato?» Gravemente, Giovannino annuì.

Era una giornata di operosa pace, di calma apparente.

Al pianoterra di Casa Geranio il colonnello Strauss accudiva i fiori. Sul balcone, Maria sedeva di fronte alla nonna, impugnando il collo di un pollastro. L'una dirigeva le operazioni di spennatura, l'altra eseguiva. La nonna si soffermava spesso a correggere gli interventi di Maria. Com'era sicura che la serva avesse bene inteso, si concedeva una sbirciata al colonnello.

Strauss volteggiava intorno a un cespuglio di serenelle con la voluttà di un'ape a primavera. Il richiamo della moglie, da casa, venne a interromperlo, mentre indugiava con la forbice su un ramo, incerto se considerarlo per metà secco, o per metà verde.

A quel languoroso richiamo in lingua sconosciuta, Maria si fece d'istinto il segno della croce. Nascosto dai ricami di una tendina Giovannino tendeva l'orecchio: anche le chiacchiere di nonna e Maria diventavano affascinanti, a non esser visti.

«Chissà cosa dicono?» mormorava Maria.

«Gente infida, austroungarici.» La nonna interrompeva un istante i sospetti per segnalare a Maria certe pennine bianche, rimaste ignorate sotto un'ala.

Maria assentiva e spennava, per continuare: «Lei, la slava, sta tutto il giorno a letto, con certe vestaglie dal collo di pelliccia. E lui, l'ungarico, le porta da mangiare, con un vassoio enorme, una specie di tavolo a due gambe».

Si segnò, e così facendo lasciò sfarfallare nell'aria una manciata di piume.

Dalla finestra della cucina, Strauss si avvide di quell'insolita nevicata, e uscì, guardò verso l'alto incuriosito.

«Buongiorno signora», sorrise alla nonna. «Pensavo che qualcuno dei miei piccioni si stesse azzuffando.»

La nonna fece un gesto vago, celando la deplorazione. Immaginarsi. Come poteva aver visto il pollo? Loro conoscevano i minimi dettagli delle sue mosse. Lo scambio di cenni fu interrotto da una stanca voce di donna: «Strauss bring mir bitte...» «Ia, meine liebe...» Il colonnello scomparve, con un gesto di scusa. Sentirono l'acqua scorrere.

«L'ha aperta per finta», commentò Maria. «Temono che sentiamo cosa dicono.»

«Chissà che lei gli abbia chiesto dell'acqua, che abbia sete davvero. Ieri lui aveva un bicchiere con uno strano liquore, un colore come azzurro...»

«Sono spie», affermò Maria.

«Forse lo sono. Certo diversi da noi, dai buoni cristiani.»

Decisero di ritirarsi, col pollo nudo svergognato, per iniziare a stiparlo di leccornie.

Il colonnello aveva ripreso le sue forbici. Guardò verso il balcone. Quella simpatica vecchietta. Peccato se ne fosse già andata.

Giovannino si scostò dalla tenda. Diede un'occhiata ai misteri dei Thug, che aveva abbandonato e stabilì di richiudere il libro.

L'avventura era a portata di mano, dietro lo schermo di una tendina ricamata. Parte nascondendosi dietro le piante, parte strisciando, si diresse al tennis.

Nascosto tra i cipressi ammirò le gambone di una Miss, un'allieva del maestro Sweet.

Avvicinò l'occhio alla rete metallica, imprimendo all'orbita un'impronta esagonale, e tentando di racchiudervi quella visione giunonica: ma non vi entrava tutta. Giovannino ne ammirò l'intenso incarnato rosa, la culatta che si muoveva massiccia e vibrante come quella di una cavalla, sotto la gualdrappa del sottanino.

Il maestro Sweet era eccezionalmente gentile con la Miss, e non lo si sentiva pronunziare la tipica frase di deplorazione, abitualmente riservata agli allievi erratici: «scemo e cretino».

Ripeteva invece spesso «bella signorina» con il tono entusiasta con cui magnificava a volte una «bella balla», e schioccava la lingua impaziente, non appena la Miss si attardava a detergere il sudore dalle guance infuocate, o dalle lenti cerchiate d'oro.

«Ready, bella signorina?» la sollecitava ilare, mentre Giovannino spingeva la guancia contro la rete metallica, attivando il suo immaginario strumento ottico. Nell'esagono vibrava una natica accesa, coprendo spesso anche la casetta gialla che sorgeva a sinistra del court.

Sopra Giovannino un ramo si spezzò netto. Balin, il secondo dei Garibaldini, rovinò in un bagno di vergognoso sudore, la destra bloccata nella tasca dei calzoncini. Giovannino gridò di sorpresa, la Miss si volse ancor più paonazza, Sweet lasciò cadere la sua Dunlop e rise, per urlare infine: «Piccole scimmie, piccole scimmie e bella signorina».

Giovannino scappò via vergognoso, inseguito da Balin che lo accusava: «Ti sei fatto accorgere, abbelinato. Dove mi nascondo, adesso, a guardare le signorine?»

Giovannino nemmeno rispose agli insulti: passavano davvero il tempo a spiarsi, gli uomini? si domandava.

* * *

Gli anni del segretario del club, Mr. Percy Goodchild, erano molti, e si leggevano come quelli delle piante su un tronco tagliato. Ogni anno i calzoni di flanella bianca si accorciavano un poco, e tra la scarpa e il polpaccio appariva una nuova pallida striscia circolare che si sarebbe lentamente abbronzata.

Era una sfumatura, come le impercettibili striature gialline nei capelli candidi, gli azzurri riflessi degli occhi grigi, lo strusciare lieve delle suole che annunciava l'apparire di Mr. Goodchild alle spalle di Giovannino, impegnato a battimuro.

Se il palleggio riusciva, Giovannino sentiva su di sé l'esperto sorriso del Segretario, ed era felice di rispondere con un altro sorriso d'intesa. Indugiava a lungo a seguire i progressi di un sempre più impegnato Giovannino, Goodchild, sinché dai quartieri privati della grande club house non lo richiamava un grido simile a un lamento.

Cosa faceva sua moglie Muriel nell'ombra silenziosa del club? Imbalsamava davvero i gatti, come aveva riferito alla mamma un giardiniere della signora Marta? Componeva poemi? Paolina, la cuoca, assicurava che gliene aveva dedicato, e anche declamato uno, ahilei in inglese.

Giovannino seguì in punta di piedi il segretario, e rimase immobile, la racchetta penzoloni, dietro la porta socchiusa, nell'ombra velata di terra rossa, odorosa di polvere, di libri, di tè, di gatti.

Sui radi boccoli giallastri Muriel aveva indossato un cappello simile a quelli della legione straniera, e agitando un foglio lo sogguardava per recitare ispirata. La penna, notò Giovannino, giaceva ancora fresca d'inchiostro sul calamaio dorato, una mosca curiosa vi andava imbrattando le zampine.

Mr. Goodchild ascoltava con la consueta discrezione, e una frangia di capelli candidi gli cadeva sugli occhi chiari a ogni cenno affermativo. Abbracciò la fragile moglie, come quella si tacque, baciandole la guancia mentre lei lasciava scivolare il foglio sullo scrittoio, di fianco al calamaio.

La mosca vi si posò, iniziò a zampettare puntini neri. Il gatto levò la zampa morbida, e con un rapido smash schiacciò, inghiottì, si forbì. Rimase un lievissimo indizio nerastro, sfumato sul taglio rosa del labbro.

Muriel si accorse del dramma, cadde nella grande poltrona, iniziò a pestare i piedi e a piangere come una piccola bambina viziata.

Senza capire, Mr. Goodchild tentava di consolarla. Lei si ribellava, gli tempestava il petto di piccoli pugni aguzzi.

Avrebbe voluto manifestarsi, Giovannino.

Non osò, si ritrasse promettendo vendetta al gatto che aveva chiuso gli occhi, e forse fingeva di dormire.

Mr. Goodchild inghiottì più volte, come sempre gli accadeva per la necessità di uscire dai sereni confini della privacy.

Nel vederlo dondolarsi incerto, avanti e indietro, mentre il pomo d'Adamo andava su e giù quasi un galleggiante, la mamma trattenne un sorriso, pensando che davvero meritava il soprannome di Turkey, tacchino, come lo chiamavano tra loro i soci del club.

«Suo figlio Giovannino», iniziò Mr. Goodchild, e la mamma assunse un'aria accorata, presaga di qualche marachella.

«Piccolo boy molta buona attitudine», era riuscito a balbettare Goodchild. «Ma questo momento pericoloso. Possibili cattive abitudini.»

Mr. Goodchild si bloccò, per accertarsi che la mamma lo seguisse. Ignara, pronta al peggio, scosse interrogativa la bella testolina.

«Cattive abitudini restano tutta la vita», continuava Goodchild, mentre lei si domandava dove sarebbe andato a parare.

«Per evitare questo è indispensabile maestro. Maestro Mister Michael K. Sweet eccellente. Non era grande campione per ferita. Ma grandissima tecnica. Alta psicologia.» Si fermò, controllò il risultato della sua perorazione, che gli parve felice. «Otto lire molto poco per sua lezione. Piccolo investimento per grande futuro Giovannino.»

Il riso della mamma andò oltre l'assenso. Il giorno seguente, alle due in punto, si sarebbe dunque dato inizio a un corso di dieci lezioni.

Sconvolto dalla notizia, Giovannino si rigirò tutta la notte, mandando gemiti. L'abituale passeggiata verso il tennis gli ricordò la via crucis della devota nonna. La mamma gli stava al fianco, con aria intenta, addirittura imbarazzata.

Per sua fortuna, la lezione non si sarebbe svolta su uno dei cinque campi principali del club, incorniciati dalle tribune, ma su un court immerso nel verde, presidiato da una schiera di eucalipti. All'interno del campo, stava ad aspettare Giovannino un'autentica rappresentanza composta dal maestro Sweet, dal segretario Goodchild, e da ben due raccattapalle, Primo e Balin, figli del custode Garibaldi.

Come suo solito Sweet indossava un'ingiallita maglietta di lana sotto il gilè sbracciato, ravvivato dai nostalgici colori verde-viola di Wimbledon. I calzoni alla zuava immacolati gli lasciavano nudi i polpacci possenti, tatuati di varici bluastre. Su quelle gambacce iniziò a danzare, sollecitando l'impietrito Giovannino a imitarlo. Terminò quel suo warming up con un ilare accenno a un can-can, affermando: «Tennis arte minore, tennis uguale danza, Giovannino piccolo Nijinsky».

Piegati in due dal ridere, i raccattapalle facevano boccacce.

Ignaro di quella pagliaccesca sedizione Sweet si volse alla mamma, per spiegare: «Tennis come piano. Lei signora contessa conosce. Colpo si divide come note. Tennis soltanto cinque. Uno-due, preparazione. Tre, escussione. Quattro-cinque, accompagnamento».

Saltellando, la racchetta simile a un archetto nella manona priva dell'anulare, Sweet ripeteva nell'aria i suoi movimenti, diritto-rovescio, uno-due, tre, quattro-cinque, sfiorando i revers della mamma, i riccioli di Giovannino, le natiche del raccattapalle.

«Anche tu, Giovannino! Via, via, gioco senza palla!»

Mai Giovannino si era sentito più goffo, a disagio. Provò a impegnarsi in quella sorta di danza, presto furibondo per i mimi, i lazzi, addirittura i gesti osceni di Primo e Balin.

Ma il maestro si era bloccato, e scuoteva quel suo testone calvo, sul cui cocuzzolo ballava un berrettino da cricket.

«No. Non c'è timing. Signora contessa, come traduce timing? Vuole provare lei? Ecco, ecco!»

Trascinata su dieci centimetri di tacchi, la mamma rischiò la caduta. Cavallerescamente, Sweet la sorresse, il braccio fermo sulla schiena pieghevole. «Signora contessa eccellente attitudine.» Sorrise. «Come on, Giovannino. Fare come mamma.»

Abbracciato a quel danzante energumeno, Giovannino percorse avanti-indietro l'interminabile prospettiva del campo. Danzavano irridenti anche i raccattapalle, sicché un'improvvisa pallata del maestro si stampò sulla coscia di Balin, facendolo guaire. Un gesto di minaccia iscrisse quell'umiliazione nei conti in sospeso con Giovannino. Terminate le danze, iniziò la duplice tortura di diritto e rovescio. Giovannino mancava palle incredibili, che mai gli sarebbero sfuggite a battimuro. Disobbedì allora alle imposizioni del maestro, a quei gesti in cui si sentiva come ingessato. Rimandò alla sua maniera, ma venne strillato: «Non buono movimento. Non classico. Popolare. Sbagliato. Vietato».

Si sentì, d'un tratto, più annoiato che a scuola, durante l'insopportabile ora di calligrafia. Lo assalì profonda la nostalgia delle libere partite di calcetto con i monelli della spiaggia, Borgo Coscia contro Barusso. Ma la vergogna doveva continuare per il tempo stabilito, e lo soffocò per quarantacinque minuti, sinché si fece avanti timidamente il prossimo allievo del maestro, una matura signorina britannica. Giovannino era ormai scorato, incapace di centrare una sola Pirelli con la sua Maxima Torneo.

«Well, Giovannino niente capito oggi», provò a riassumere Sweet. «Capito domani», aggiunse ridacchiando. «Otto lire, signora contessa. Non a me. Al segretario.»

Non meno a disagio di Giovannino dovette apparire la mamma, come le fu ricordato «mancia non inclusa.» I due raccattapalle stavano immobili, sui loro piedi nudi, a sbarrare il cancelletto d'uscita. Nella mano di Balin la mamma lasciò cadere una lira. Non fecero in tempo a uscire, che già dal viluppo si alzavano strida feroci. Allacciato al fratello, Primo cercava di strappargli la lucente moneta, con impresso il fascio littorio e il profilo di Vittorio Emanuele III.

Sweet pareva non udirli. Abbracciato alla sua matura allieva, danzava rapito sui polpacci bronzei, ripetendo le cinque note della sua personale sinfonia.

Il colonnello Strauss usciva di casa indossando la camicia blu di tela Genova, segno distintivo della cooperativa facchini. In uno degli occhielli aveva infilato l'immancabile garofano rosso. Sulla spalla reggeva un cavalletto e sotto braccio teneva la scatola lignea dei colori.

La nonna e Maria lo osservarono, dietro la tendina.

«Finge di essere un facchino», affermò Maria.

«No, si finge pittore», osservò la nonna.

«Allora è proprio una spia», conclusero, quasi a una voce.

Richiamato dai sottili sibili, Giovannino scorse le spalle di Strauss, e si buttò fuori impugnando la racchetta, per darsi un contegno con lui, crearsi un alibi con la nonna.

Lo scorsero, da dietro le finestre, e Giovannino seppe di essere destinato a un pranzo di minestra di verdura, privo di dolce e frutta.

Si avvicinò al colonnello, giocherellò ribattendo la Pirelli sinché la palla gli schizzò via rapida, giù per la discesa. Scattò per riprenderla, ma Strauss rapidissimo già l'aveva bloccata, incollata al piede con uno stop prodigioso.

L'ammirazione di Giovannino ricevette pronta risposta: «Ero nel Wiener».

E, a Giovannino incredulo, Strauss iniziò a raccontare gesta di grandi, nomi sconosciuti come Sindelar, Blum, o familiari, Meazza, Piola. A Meazza, Strauss aveva addirittura respinto un rigore. L'incredulità di Giovannino fu placata dall'ammissione che, di ribattuta, il Balilla aveva poi toccato nella porta indifesa. Cavalleresco, si era soffermato a rialzare il portiere caduto, aveva sorriso nello stringergli la mano.

Affascinato, Giovannino. Anche lui, raccontò, era portiere. Non seppe tacere a Strauss la sua personale vicenda di un rigore parato. L'autore del tiro dal dischetto, Primo, gli si era avvicinato, per colpirlo con una ginocchiata, recuperare il pallone, segnare. Strauss promise che irregolarità simili non sarebbero più avvenute. Avrebbe fatto lui da arbitro alla prossima partita.

Erano ormai giunti all'interno del caruggio, il colonnello salutava le bottegaie che si affacciavano, pareva conoscerle tutte. Giovannino gioiva di quei generali sorrisi, batteva la palla sulle antiche pietre grige, attento a non sbagliare un rimbalzo. Giunsero al torrione che aveva difeso il paese dai saraceni.

Strauss sistemò il cavalletto, trasse dalla scatola una tela già incominciata, la piazzò, prese a rimirarla. Il disegno del torrione pareva bellissimo a Giovannino: sulla parte a metà compiuta i dettagli si stagliavano precisissimi, sino a ripetere le venature delle pietre. Strauss rimirava con un'aria critica, che cedette presto a visibile insoddisfazione.

Non gli piaceva più, ammise alla fine. E spiegò che non solo le persone ma gli oggetti mutavano, di giorno in giorno: i veri, grandi pittori, continuò, erano in grado di penetrare oltre la superficie dei loro soggetti, e di definire, con pochi colpi di pennello, la formula segreta che identificava ogni essere, cavallo o fiore che fosse.

Lui no. Lui, confessò, aveva studiato pittura, ma non era mai arrivato al di là di una semplice riproduzione delle cose. Giovannino ascoltava senza capire del tutto. A lui il disegno di Strauss pareva non meno bello di una fotografia. Glielo disse e il suo amico sorrise, fece di sì col capo, mormorò: appunto. Iniziò a rovistare nella cassetta, spremette tubetti sulla tavolozza, indicandone i nomi. Giovannino non avrebbe mai pensato che i colori fossero tanto numerosi. Aveva mai provato a dipingere con la tempera? Soltanto con le matite, qualche volta con i gessi. Ma gli piaceva dipingere? Moltissimo.

Strauss tolse una piccola tela intatta dal suo scatolone, offrì una tavolozza, pennelli, tubetti: certo che poteva usarli, come e quanto voleva. Facesse soltanto attenzione a non sporcarsi il vestito. Iniziò timido, comprese di dover tracciare le linee principali del forte e del mare con la matita. Come ebbe terminato, iniziò a coprirle di colori. Due ore più tardi, poteva mostrare al suo maestro un castello fatato sorgente dalle acque, abitato da famiglie di pesci, granchi, e da una balena azzurra. Strauss lo complimentò allegramente. Bravo, bravissimo per la prima volta. Giovannino lodò a sua volta l'opera ormai completata di Strauss.

«Lo vuoi scambiare con il mio?»

Accettò, felice. Giunto a casa che era ormai notte, trovò la forza per imporsi, lottò finché non gli fu concesso di appendere il quadro di Strauss sopra il suo letto.

«Il genitore o chi ne fa le veci è invitato a trovarsi a scuola, alle 11,30 del mattino, per un colloquio.»

Il biglietto era stato consegnato a Maria, che non seppe dire chi ne fosse il latore. Per questo dettaglio Maria fu criticata dalla mamma, che iniziò poi a disperarsi. Le esigenze scolastiche si scontravano vivamente con la necessità di accompagnare Marta a un défilé.

Accusato di responsabilità generiche, Giovannino si difese, in tutta buona fede. Non aveva commesso alcuna colpa censurabile. Il giurì delle donne finì per credergli, la mamma tentò di demandare le sue preoccupazioni alla nonna. Non andava forse dalle Clarisse per l'abituale visita, nella tarda mattinata? Le buone suore erano giusto a due passi dalla scuola. Ci voleva mai tanto, a spingersi in segreteria. Non lo diceva chiaramente anche il biglietto: «chi ne fa le veci»?

La nonna chiese tempo, finalmente cedette. Per la terza volta, la mamma confermò telefonicamente la sua presenza all'amica. Nel passare davanti agli specchi di casa, non si tratteneva dall'orientare i piedi ad angolo retto, posare una mano sull'anca, spinta all'infuori.

Il mattino seguente, la madre badessa si sorprese per l'eleganza della nonna. Con una veletta simile non l'aveva vista mai.

«Un impegno ufficiale», giustificò la nonna, un poco a disagio per quella sua presunta aura di mondanità.

La veletta offrì argomento di conversazione e vasta immaginazione alle suore, mentre la nonna ormai bussava alla segreteria. Le fu suggerito in modo spiccio di aspettare il maestro Riedl, occupato. Come vide uscire, dopo buoni venti minuti, la merciaia, la nonna si ritenne in diritto di irritarsi.

L'atteggiamento di Riedl non facilitò un avvio amichevole.

Nonna non amava essere chiamata con il cognome di suo
genero, ma la mandava addirittura in furia che qualcuno le si
rivolgesse con il voi. Ascoltò quindi dall'alto, lasciando penzo-
lare distrattamente l'occhialino, le laboriose frasi del maestro.

Perché non era presente la mamma? Forse non aveva ritenuto la convocazione doverosa? Lo sapevano che lui, il Maestro Riedl, desiderava mantenere rapporti con le famiglie? E
nonostante ciò, perché non erano mai «interfenute»?

Quella parola, quella effe, finì di irritare la nonna, di
chiamare a raccolta i riposti patriottismi risorgimentali. Aggressiva, pregò il maestro di venire al dunque.

«Siamo a conoscenza di un fatto grave», affermò il maestro. Poteva forse negare che Giovannino dedicasse il pomeriggio di sabato, «il Sabato Fascista», a un'attività anglosassone come la pallacorda?

«Come cosa?» stupì la nonna.

Riedl trovò nella parola tennis un altro oggetto di irritazione.

Era non solo antipatriottico ma immorale, continuò, servirsi di un certificato medico di esenzione, per evitare le sane
fatiche dell'adunata, a vantaggio di un perditempo anglofilo.

«Ha finito?» s'informò la nonna, per prendere un respiro
lungo, e inquadrare Riedl nell'occhialino. «Ho anch'io alcune
domande da porle, signore. Non credo abbia mai avuto occasione di leggere il glorioso elenco dei Mille. Ci avrebbe potuto
trovare ben due avi di Giovannino, uno col suo, uno con il
mio nome. Garibaldi, il giorno della battaglia di San Fermo,
si è dissetato alla fontana di casa nostra. Infine, tre nostri con-
sanguinei hanno preso parte all'ultima guerra mondiale.
Dov'era, lei, maestro, in quelle circostanze?»

Riedl bofonchiò che, durante quelle vicende, era ancora
«pampino».

«Ah sì, pampino», irrise la nonna. «Pampino, ma dall'altra parte della barricata, con il maresciallo Radetzky e Cecco
Beppe.»

«No, maestro», concluse alzandosi, «lei non può nemmeno pulire le scarpe al mio nipotino.»

Uscì come avesse d'un tratto ritrovato i suoi vent'anni, mentre Maria le si affannava dietro preoccupata, le dita contratte sul rosario.

«Hai sentito? Hai sentito cosa gli ho detto?» non faceva che ripetere affannata la nonna. Maria suggerì una fermata, un istante di riflessione, nella chiesa vicina. Alla terza avemaria la nonna iniziò a domandarsi come avrebbe riferito il dialogo a sua figlia. Lo scarlatto delle guance trascolorava lentamente in rosso, e come ebbe ripreso l'incarnato abituale, Maria capì che aveva iniziato a pentirsi.

«Certo», concluse ormai fuori dalla chiesa. «Certo sarà meglio riferire un poco alla volta, per non amareggiare sua figlia.» Con improvvisa gratitudine, la nonna le prese la mano, e vigorosamente assentì.

Le candide Pirelli andavano in traiettorie casuali. I pensieri di Giovannino svariavano verso la scuola, chissà cosa avevano da comunicare alla nonna?

Sweet lo richiamò invano per la decima volta, e finì per sbottare: «Scemo e cretino. Tennis è pensiero. Non pensi tennis, lezione finita».

Gli volse le spalle, rifiutò di ascoltare le giustificazioni. Giovannino sedette sotto gli archi gialli della deserta veranda. La schiena del maestro Sweet scivolò via, dietro a un velo di lacrime, un'immaginaria freccia la trafisse.

Entrò nel salone, incerto se la circostanza fosse adatta al conforto di una fetta di torta. Nel rigirarsi in tasca le due lire d'argento, scorse la foto reclame di un giovane Sweet affacciarsi ignara, fianco al tabellone delle prenotazioni. Circospetto, alzò la matita, tracciò baffi frettolosi, ma un lieve rumore lo bloccò. Senza voltarsi, camminò verso il tavolino sul quale si ammassavano le riviste, scelse, e finse d'interessarsi a un articolo di «British Lawn Tennis». Dondolava i piedi, sull'alto sgabello del bar, che il rumore si fece di nuovo sentire: riconobbe, ancor prima di vederlo, Piki Paki, il detestato vecchio pechinese di Mrs. Goodchild.

Il cagnetto si avvicinò rognando, e Giovannino imitò quel ringhio, mostrando la lingua, e oscillò il piede, per provocare. Un fulmine, Piki Paki. I suoi dentini si chiusero sulla tela, mentre Giovannino ritirava tempestivo l'alluce. Balzò sul piede sinistro Giovannino, e scosse la scarpa prigioniera, ma Piki Paki teneva duro ringhiando. Piroettò allora sul sinistro, e Piki Paki si staccò dapprima da terra, vorticò senza lasciare la presa, sinché il brandello di tela cedette. Giovannino lo vide incredulo sorvolare tre file di sedie, sfiorare la balaustra, atterrare sul campo e rimanervi, simile all'imbalsamato trofeo di un pechinese, gli occhi vitrei, le zannette ancora chiuse su un lembo bianco. Infallibile per materno presentimento, Mrs. Goodchild apparve, fu velocissima in campo, strinse al seno l'appiattito diletto. Ritornò singhiozzando in cucina, ad aspergerlo di acqua diaccia.

Giovannino scrutava interdetto, senza nemmeno più lo spirito per nascondersi. Scorse Muriel versare un piattino di latte, Piki Paki slungare di traverso una linguetta rosa, e nuovamente giacere. Giovannino se la vide d'un tratto di fronte, e altro non poté fare che nascondere i ricci tra le mani, sommerso da una grandine di pugnetti leggeri.

Credette fosse un altro strillo, a liberarlo, vicinissimo a un guaito. Il risorto Piki Paki fuggiva, Paolina lo inseguiva indignata, insultandolo con pesanti sostantivi dialettali: «La mia torta, la mia torta», non faceva che strillare.

Subito dietro a Paolina ecco giungere Muriel, a sua volta eccitatissima, stridula nel ripetere «my baby, my baby».

D'un tratto esilarato, Giovannino non sentiva più il bruciore dei graffi. Rideva fino alle lacrime, proprio come gli era accaduto al cinema, di fronte a una scena di Stanlio e Ollio.

«Non posso mai lasciarvi soli», lamentò la mamma, rivolta alla nonna e a Giovannino, immusoniti di fronte a un interrotto gioco di dama. La nonna ribatté di essere molto lontana dal comportarsi come una bambina. «A dama, nessuno ha mai mosso all'indietro», obiettò. Giovannino garantì che si era soltanto sbagliato, non aveva inteso imbrogliare, come pretendeva la nonna.

«Non è vero. Hai imbrogliato.»

Fu blandito, e si sentì indotto a confessare parte della verità. Non erano quelle accuse ad addolorarlo. Era stato proditoriamente aggredito per aver involontariamente calpestato una zampa di Piki Paki. Sulla scia di quella confessione, invocando giustizia, si avviò lentamente anche la nonna. Non soltanto gli antenati garibaldini, ma anche il suo povero marito era stato offeso da quell'austroungarico di Riedl.

La nonna terminò di far lega con Giovannino, affermando che non si poteva lasciarsi calpestare da stranieri supponenti quali Riedl o la Goodchild. Ci fosse stato il suo povero marito, concluse, quelle vicende non sarebbero finite lì.

Fu il turno della mamma, a lagnarsi. Bastava un'innocente assenza di poche ore, e i rapporti col mondo venivano compromessi. Prima di agire, pagar di persona, aveva il diritto di sapere: tutto, e sino in fondo. Giovannino fu il più pronto nel completare la verità. Il racconto della nonna non si discostò da un riepilogo critico, ma nondimeno i fatti emersero in tutta la loro gravità.

Terminati i rimproveri, la mamma decise di rivolgersi, tramite Marta, all'esperienza del marito Pino. Le sue vive preoccupazioni furono momentaneamente interrotte da un lungo excursus sul défilé.

Come sempre paziente, Pino ascoltò, e si permise infine di domandare se fosse quella la «cosa delicatissima».

La mamma si accigliò nuovamente. Nel riferire i fatti si accorò sino a confessare quanto le pesasse l'assenza del marito, l'educazione di quel ragazzino dal cuore buono ma troppo vivace.

Fu compassionata da Marta, incoraggiata da Pino.

In primis, si sarebbe dovuto dimenticare l'esenzione dal sabato fascista, dalle adunate. Ottenuto in prima elementare per la salute cagionevole, quel certificato assumeva l'aspetto di una equivoca scappatoia, ora che Giovannino praticava uno sport.

E in fondo: non era contento anche Giovannino, di essere eguale agli altri suoi compagni, di indossare una fiammante divisa, addirittura di maneggiare un fucile? In tutto e per tutto simili ai fucili veri, quelli con cui i nostri soldati andavano al fronte. Alla fine, in quei sabato pomeriggio, non si faceva altro che giocare alla guerra, rifletté Pino sorridendo. Anche se era bene che Giovannino non lo ripetesse.

Sistemata la prima grana, Pino sbrigò rapidamente la seconda. Mrs. Goodchild non poteva essere considerata una persona del tutto normale, per le sue insistenze nel considerare vivi animali defunti, e per la sua ribadita convinzione di essere annualmente defraudata del Nobel di poesia. Ma non era cattiva, al contrario, e avrebbe finito per comprendere il suo stesso errore. Mamma cercò blandamente di ribellarsi, affermò che «ci sarebbe almeno voluto un cenno di scusa». Una guancia di Giovannino recava ancora i segni rossastri del furore albionico. Una mano sul cuore, Pino pregò di attendere. Bastava, assicurò, un poco di pazienza.

Indossare la divisa durante le ore scolastiche era facoltativo. La mamma seguì il bonario suggerimento di Pino: perché non risparmiare gli eleganti calzoncini da Piccolo Lord e, insieme, soddisfare gli aneliti nazionalisti del maestro Riedl e dell'intero sciame di corvi in orbace? (ma questo non si doveva ripetere!)

Fu quindi rivestito da piccolo soldato. I calzoncini gli andavano larghi, il panno rozzo soffregava fastidioso sulle cosce liscie. Le maniche della camicia erano state invece previste per un antropoide, tanto lunghe che Maria promise un intervento decisivo, il giorno seguente. Le bandoliere bianche, fissate all'incrocio dal medaglione recante la digradante M, iniziale di Mussolini, finirono di suggellare quell'infagottatura. Sui calzettoni grigioverdi provò e riprovò gli scarponcini neri, ingaggiò una lotta con la mamma che si rifiutava di accettare le sue buone ragioni.

«Son qui vicina, e non sento nessun male ai piedi», non cessava di ripetere garrula.

Finì in un compromesso. Per quella mattinata, e per la successiva sfilata, avrebbe indossato le sue abituali scarpe, annerite dal lucido Brill. Nei giorni seguenti, avrebbe via via sforzato quel modello militare, adeguandolo al piede.

A completar l'opera lo avvolse la mantellina. Irrise alla nonna che gli suggeriva attenzione, perché un lembo non finisse tra i raggi della Bianchi. Non aveva superato la terza curva della discesa, che il blocco della ruota già l'aveva proiettato in una caduta a pelle di leone, con escoriazioni.

L'ingresso a scuola valse a sollevarlo dal disagio dell'abito inusuale, dal dolore della caduta. C'era attenzione, negli occhi di molti e, durante l'intervallo, Giovannino si spinse fin nei quartieri delle bambine, sperando che Mariantonia si palesasse, manifestasse anch'essa qualche compiacimento, forse ammirazione.

La successiva ora di ginnastica terminò con un coro esaltante, lo fece sentire parte di un gruppo più vasto della squadra di calcio, delle bande improvvisate di monelli che si battevano a sassaiole.

E per Benito
e Mussolini
Eia Eia alalà.

Al suono della campanella passò davanti al maestro Riedl senza sentire su di sé l'abituale sguardo di disapprovazione. Fuori, altri due Balilla gli si rivolsero a domandare se avrebbe partecipato anche lui, alla sfilata del pomeriggio. «Sarà bellissimo, vedrai», si accomiatarono.

Galvanizzato, ritornò in sella, ripromettendosi di non abbandonare i pedali, nell'ultimo strappo precedente il giardino. «Un Balilla non scende dalla bici», immaginò, ma il pendio fece presto giustizia di quell'esaltazione.

C'era ancora tempo, prima del pasto, e Giovannino ne approfittò per frenare la Bianchi di fronte ai due leoni del club.

Gli si fecero tutti attorno, i garibaldini, ad ammirare la divisa, a toccare il panno fitto dei calzoncini, il fazzoletto azzurro, il suggello a emme delle bandoliere.

Nel mentre si passavano l'un l'altro il fez di orbace nero, lo sguardo di Sweet inzuppò il gruppetto come un secchio d'acqua.

Giovannino si avvicinò per scusarsi della lezione perduta. Di fronte all'impassibilità del maestro, balbettò che la mamma aveva preavvisato Mr. Goodchild della sua indisponibilità.

Senza rispondere Sweet gli volse le spalle, si avviò verso il campo, e sedette spalancando una copia del Times.

Giovannino si sforzò di odiarlo, ma la sua incertezza non tardò a sciogliersi in vergogna, e camminò vinto sino al campo, per entrarvi e lasciarsi cadere di schianto sulla panca.

«Non è colpa mia se non sono venuto», prese a ripetere,

sinché ritrovò la manona del maestro sulle spalle, a tamburellare, come per arrestare i singhiozzi.

«Piccola scimmia», derideva intenerito Sweet.

«Piccola scimmia non è vero soldato.»

Sorrideva, ormai, Giovannino, e non ebbe difficoltà ad affermare che avrebbe preferito – e quanto – una lezione alla prossima sfilata.

Incredulo si sentì dire: «Dopo corteo noi giochiamo».

«Non lezione. Partita. Sabato week-end, Sweet e Giovannino giocano match amicale. Ore cinque, yes?»

«Yes», riuscì appena a rispondere.

Lo scorse Strauss, a indugiare sul balcone. Incuriosito, domandò le ragioni di quell'abbigliamento, stupì all'informazione della prossima sfilata, e propose alla fine di accompagnarlo. Andava non lontano, per dipingere un albero di Giuda in fiore.

Si avviarono insieme, e Strauss osservò che, prima o poi, il servizio militare era inevitabile. «È come il morbillo, ma purtroppo qualche volta si muore.»

Strauss ridacchiò alle sue stesse parole, assicurò Giovannino che non correva simili rischi. E, più gaio, iniziò ad ammaestrarlo in qualche rudimento dell'arte marziale. Traversarono il paese marciando, bloccandosi improvvisamente al passo, addirittura ripetendo qualche attenti, riposo, finché la presenza di molti altri ragazzi e uomini in divisa non li spinse a cessare quella loro esercitazione.

C'erano, di fronte alla Casa del Fascio, molti balilla, e poi ragazzi più grandi in calzoni grigioverdi alla zuava e camicie nere, i giovani fascisti. C'erano anche bambine e ragazze in gonna nera, e Giovannino cercò pronto Mariantonia, senza riuscire a ravvisarla. Uomini fatti, in stivaloni e giacchettoni neri fitti di tasche, nastrini e distintivi, si aggiravano affaccendatissimi, gridando.

«Ritirare i fucili!» comandò uno di loro, e lo sciame dei ragazzi si precipitò verso la porta, risucchiando anche Giovannino. Gli fu consegnato un piccolo moschetto, in tutto simile a un'arma vera, e Giovannino ritornò all'aperto reggendolo goffo, e andò d'istinto verso Strauss.

Con un sorriso, Strauss esaminò l'arma e, dolcemente: «Non può sparare», affermò. Poiché da quello che sembrava il gran capo giungevano richiami a comporre i manipoli, Strauss diede un buffetto a Giovannino, si tolse il garofano rosso dall'occhiello della giacca, e lo infilò nella canna del fucilino.

Confuso, Giovannino lo salutò appena per intrupparsi. I suoi compagni gli parvero d'improvviso dotati di un senso geometrico misterioso, allineati come tanti birilli.

Il gran capo li passava in rassegna, li esaminava con truci occhiate indagatorie. Quando fu di fronte a lui, si arrestò, strappò il garofano calpestandolo sotto stivali furenti. «Cosa ti credi, al concorso dei fiori di carnevale?» domandò, suscitando l'ilarità generale. «E perché», insistette, «non ti sei messo più comodo, in pantofole?»

Di una seconda risata il gerarca dovette ritenersi pago, poiché passò oltre, a continuare la sua opera marziale. Quando i controlli furono terminati, il corteo si mise in marcia, preceduto da una banda di maleaccordati ottoni e fragorosi tamburi.

Dalle botteghe, dai marciapiedi, venivano, insieme a sguardi di curiosità, radi applausi, spesso iniziati da qualche compiaciuto famigliare.

Giovannino cercava di adeguarsi al ritmo, errava il passo, bilanciava atrocemente il moschetto, sollevando la vibrata preoccupazione di chi gli stava dietro. Le proteste di un paio di balilla richiamarono l'attenzione di un capomanipolo con un'ombra di barba sul mento.

Intervenne urlandogli «abbelinato», gli rimase a fianco a ringhiare un ritmato alo-qui, sinché lo strattonò fuori dalla fila, per schierarlo in coda, ultimo del corteo.

Giovannino si trovò a inghiottire le lacrime, sforzandosi al contempo di imitare quanti aveva davanti. La sua vergogna si attenuò come fu raggiunto da un compagno di sventura grasso e zoppicante, che piangeva senza ritegno, e da due ribaldi colti a far lazzi.

Sgridati dall'imberbe capomanipolo, gli scarti dell'armata penetrarono finalmente nello stadio di calcio, e l'avvilimento di Giovannino scomparve, al contatto di quelle zolle che aveva fin lì ammirato soltanto dalla tribuna, durante un paio di eroici match di serie D. Vennero schierati di fronte alla tribunetta semivuota, ripeterono alcuni presentat'arm mentre sul palco d'onore salivano gerarchi via via più importanti.

L'altoparlante prese ad annunciare tutte quelle Eccellenze, e finalmente uno ridicolmente piccolo, con una barbetta da cagnolo, iniziò un discorso dal quale Giovannino apprese che la patria contava su di lui per riparare antiche ingiustizie, e opporsi ai nemici anglosassoni manovrati dagli ebrei.

Fragorosi Eia Eia Alalà tagliarono l'aria profumata di mare, un nuovo urlo impose il silenzio, e dall'altoparlante che per solito annunciava le formazioni delle squadre venne una voce fascinosa e ambigua, simile a quella di un tenore, che inanellava in crescendo frasi incomprensibili, per venire sommersa da valanghe di applausi ritmati sulla parola Duce.

Trascinato dai suoi vicini, Giovannino si ritrovò a gridare anch'egli con solerzia maldestra, se venne rimbrottato dal capomanipolo. «Silenzio abbelinato mentre parla il Duce.»

Da non meno di un'ora, Giovannino era intruppato, immobile o quasi, nel mezzo dello stadio. Il sole aveva deciso di nascondersi dietro un'ondata di nubi, ed egli avvertiva insieme qualche brivido, e un vivo desiderio di far pipì.

L'orologio della vicina chiesa batté cinque colpi, e Giovannino cessò del tutto di ascoltare quella voce delirante e incomprensibile, ripetendosi che Sweet lo aspettava.

Un uragano di applausi e di grida Duce Duce gli fece comprendere che il discorso era finito. Il cagnolo barbuto si avvicinò al microfono, a comunicare che si poteva ritornare ai propri focolari, con le parole del capo incise nei cuori. Giovannino marciò in coda, sempre più in coda e, fuori dal cancello dello stadio, non seppe resistere alla tentazione di un viottolo che l'avrebbe condotto, traverso le terrazze dei garofani, al tennis.

Vi giunse anelante, rendendosi conto che gli mancavano la racchetta, le scarpe. Ma avrebbe potuto almeno scusarsi, Sweet avrebbe certo capito, forse avrebbe ancora atteso dieci minuti che ritornasse da Casa Geranio nel suo completo bianco.

L'assenza del maestro gli chiuse la gola. Intorno, il gruppo dei garibaldini si stringeva ammirato.

Se ne era proprio andato, Sweet? osò chiedere.

Sì. Aveva aspettato, poi aveva preso la Ford ed era partito a mille.

Rimase di nuovo senza parole.

«Primo, mi presti la tua racchetta e una palla?» domandò.

«Soltanto se mi presti il fucile.»

Giovannino rimase un attimo incerto, per offrire il fucile a Primo e, via via, il fez, la camicia nera, il medaglione con la M, le bandoliere, il foulard azzurro.

I garibaldini lo miravano increduli. Era un regalo? Davvero, li potevano tenere?

Giovannino accennava deciso di sì. Impugnò il racchettone di Primo, si diresse al muro, e prese a battere e ribattere fin che la luna apparve in cielo, e la pallina bianca si scolorò nella sera.

La mamma se lo vide dinnanzi affannato, in canottiera, e lo chiuse furibonda in camera, quando rifiutò di rispondere alle sue domande. Dal letto, la sentì singhiozzare con Marta, al telefono. Avrebbe tanto voluto mescolare la sua pena a quelle lacrime. Ma non poteva spiegarsi.

«Un elemento dannoso alla salute morale dei compagni.»
Pino rilesse per la seconda volta la frase, mentre la mamma asciugava una lacrima con il fazzoletto, e Marta passeggiava nervosa per il salotto della sua villa.

La lettera che aveva gettato la mamma nella più grave crisi che Giovannino ricordasse, dopo la partenza del papà per l'Africa, sembrava divertire vivamente l'amico.

«Denuncia», continuò, «un preoccupante atteggiamento sovversivo nei riguardi delle istituzioni della patria.»

Pino si rivolse alla mamma: «Vedi cosa capita, a sentire tutto quel jazz?»

Affranta, la mamma lo pregò di non scherzare, lo sollecitò a leggere più avanti.

«Oltre a non aver mai partecipato al Sabato Fascista, affettava disprezzo per la divisa, presentandosi a scuola in abbigliamento cosiddetto da tennis.»

Pino assunse d'un tratto un'espressione grave, rivolgendosi direttamente a Giovannino: «Giovannino! È vero che sei andato a scuola vestito da tennis?»

Giovannino rifletté, quasi non riuscisse a capire.

«Camicia e calzoni bianchi, maglione bianco a torciglioni con il bordo blu?»

«Sì, zio Pino.»

Sempre più serio, Pino riprese: «E per quale ragione, ti sei presentato in quella guisa?»

Giovannino iniziava a sentirsi a disagio:

«Veramente, volevo essere pronto alla mia lezione con Sweet, non appena finita la scuola».

«E ti sembra una scusa valida? Ti sembra che solo per il gusto di praticare un vergognoso gioco anglosassone, tu ti potessi permettere di non indossare la gloriosa camicia nera, il simbolo della rivoluzione fascista?»

A quel Pino d'un tratto mutato in una replica del maestro Riedl, Giovannino non sapeva più cosa rispondere.

«Zio Pino», tentò, con voce che ormai s'incrinava.

Ma Pino non sembrava disposto allo scherzo. Si era alzato in tutto il suo metro e sessantacinque e, impettito, leggeva agitando una mano:

«È stato sorpreso più volte a ridacchiare e a distrarre i compagni nell'ora di mistica fascista», e, rivolgendosi alla mamma: «Evidentemente, cercava di insinuare qualche dubbio sulla monolitica, ferrea serietà del partito. Giusto che lo puniscano. Per penso, dovrebbe mandare a memoria tutti i discorsi di Mussolini! Ma vediamo che altro c'è».

Riprese a camminare per la stanza, marciando, buttando avanti le gambe in una delirante imitazione del passo romano. Alo-qui, Alo-qui, ripeteva e, d'un tratto, si bloccò sull'attenti, e prese a leggere, a voce altissima:

«Dopo il penoso episodio di sabato, mi pareva che il doloroso caso fosse di per sé chiuso. In seguito alle autorevoli insistenze dei comuni amici e camerati, l'ho voluto riesaminare personalmente. Non ho trovato altra soluzione che quella di un volontario ritiro, al posto della meritata espulsione».

Pino si arrestò di nuovo, per irrigidire il braccio in un marmoreo saluto fascista. Riprese a marciare intorno al tavolo, poi si bloccò di nuovo, davanti alla mamma.

«Spero che nel clima della famiglia, sotto il suo attento controllo, il ragazzo potrà ritrovare quelle virtù di fede che hanno ricondotto gli italiani agli immancabili destini e all'impero. Camerati.» Pino ormai urlava, gli occhi fuori dall'orbita, il collo teso e palpitante come un tacchino. «Camerati, in piedi, aaattenti!»

Giovannino si alzò, incerto.

«Anche voi due, in piedi, attenti, anzi, attente», gridava Pino alla mamma e a Marta. «Non si scherza. Non permettetevi di ridere. Il riso è abolito, rischiate il confino, l'isolamento all'isola Gallinara.»

Quando le donne si furono infine alzate, Pino tese il

braccio, e: «Gridate con me!» intimò. «Per Giovannino Eia Eia, Alalà!»

Giovannino si unì sorpreso al grido, mentre la mamma cadeva nuovamente a sedere, e l'amica Marta la confortava.

Pino si ricompose nella grisaglia, e venne a prendere posto di fianco alla mamma. «Mia cara amica, non far così», le disse, prendendole una mano. «Valuta i lati positivi di questa faccenda.»

«Ma resterà solo, diverso, abbandonato.»

«È amico di tutti i monelli del paese.»

«Ma cosa dirà mio marito?»

«Gli parlerò io. E converrà con me che una buona educazione privata, lo studio di una lingua, prepareranno Giovannino molto meglio che la mistica fascista o il premilitare.»

Lo vedeva da sé, vero? C'erano tutti i vantaggi, in fondo. Anche quello di giocar di più a tennis, magari di diventare un campione. Campione, beneducato, anglofono. Che altro si poteva chiedere a un cristiano, il giorno in cui si ritornasse a vivere dignitosamente?

Con una splendente moneta da due lire stretta in pugno, Giovannino fu spedito nella famigliare direzione del tennis. Marta, Pino e la mamma cominciarono a dibattere chi sarebbe stato più adatto a sostituire il maestro Riedl, nel ruolo di precettore.

Alla fine di una lunga, vana conversazione, la mamma impose a Giovannino di non gironzolare intorno alla scuola.

Giovannino aveva fatto del suo meglio per capire il provvedimento di espulsione. Si era anche convinto di aver offeso qualcuno dei gerarchi con il suo comportamento inesperto, e soprattutto di aver sbagliato nel regalare ai garibaldini la divisa e il fucile. Rifiutava però di ammettere che fosse insolente andare a scuola vestiti da tennis, in maglione bianco, invece che in camicia nera. E si era opposto testardamente al suggerimento di lasciar perdere i compagni di scuola.

Quelli non ce l'avevano con lui, aveva ribadito.

«Soprattutto Gim, che è mio socio in una ditta di figurine.»

Mentre diceva Gim, Giovannino pensava a Mariantonia, e nell'insistere, la mamma pensava al suo lontano marito, che rischiava di diventare il responsabile delle originalità di Giovannino. Bastava anche meno, a volte, per mettere uno in cattiva luce. C'era gente che per il gusto di una barzelletta era finita male. Nel tentare di convincere quel suo bambino singolare, la mamma già si domandava se fosse davvero il caso di informare un marito che, a tanti chilometri di distanza, avrebbe certo faticato a capire.

Forse era meglio, come consigliava Pino, con quel suo sorriso affettuoso, quei suoi proverbi latini.

«Se farai il bravo, starai lontano da scuola, almeno per un poco, non lo diremo a papà», terminò la mamma, lusinghevole. Giovannino rispose di sì, ciondolò per casa, aprì e richiuse il libro di lettura, passò dal tennis impegnandosi in una mezz'oretta di battimuro, ma poco prima di mezzogiorno, lungo il sentiero che conduceva verso la scuola, lo si vide correre a perdifiato, quasi lo inseguisse un lupo.

Tramite un vialetto di palme il grande edificio rossastro delle elementari si affacciava sul corso cittadino. Per non dar nell'occhio, Giovannino prese a defilarsi tra un tronco e l'altro, appiattendosi, immaginando di essere un thug nei *Misteri della Jungla Nera*.

Sfilarono i ragazzi più grandi, la quinta, la quarta. Uscì il gregge delle bambine, e Giovannino le lasciò passare, solo un attimo incerto se attendere i suoi compagni e Gim, o seguire Mariantonia.

Non mise molto a optare per la seconda soluzione, e pedinò a distanza quel gregge bianco, che si sbrancava a ogni crocevia.

Mariantonia abitava lontano, dove il paese si disperdeva in case isolate, lungo la spiaggia.

Come rimase sola, Giovannino accelerò. Mariantonia doveva averlo visto, se accelerò anche lei e addirittura prese a correre, a perdifiato, tanto che non respirava quasi, come le fu addosso.

«Perché scappi? Non ti voglio picchiare», affermò.

Lei scuoteva la testa, camminava silenziosa, guardandosi le scarpe impolverate.

Non sapeva più che dire, di fronte a quello smarrimento e «Sei diventata muta?» irrise, sentendosi ancor più a disagio.

Nuovamente lei scosse la testa, e indugiò, come se le costasse troppo traversare la piazzetta che si spalancava davanti a loro.

«Vai via, per favore», la sentì dire.

«Ma perché via? Puzzo?»

Mariantonia scuoteva la testa, sembrava che stesse per piangere, e infine, con due lacrime silenziose che le scendevano dagli occhi: «Il tuo maestro ha detto che non ti dobbiamo parlare, che tu non sei un buon fascista».

«Ma Mariantonia. Io non ho fatto niente di male», affermò, in un rapidissimo esame di coscienza.

Invece di rispondergli, lei aveva ripreso a correre, e scompariva in un portone, all'interno di una corte in cui Giovannino si sentì presto spaesato, e anche impaurito. A lungo rigirò in tasca un gesso, col quale pensò anche di scrivere il nome di lei su un muro, seguito da qualche dileggio. Ma, ancor prima che il coraggio, gliene mancò la voglia. Ritornò a casa in ritardo, ammise di esser stato a scuola e, sgridato, giurò che non l'avrebbe più fatto. Era sincero.

La nonna ribadì i suoi dubbi sulla legittimità del titolo dell'insegnante prescelta: «Le principesse, io le ho viste solo nei libri delle fate».

La mamma, convinta dopo lunghe disamine su tre diversi candidati, prese a raccontare una vicenda realmente accaduta a un'amica di Marta, che aveva avuto alle sue dipendenze, come cameriera, una marchesa. «E se quindi una marchesa si era ridotta a far da cameriera, non vedo perché una principessa, anche lei russa, non debba essere costretta a dar lezioni private.»

Anche Maria, incaricata di una pulizia di fino in previsione della principesca visita, volle metter bocca: «Chissà se poi era capace, la marchesa, di far bene la cameriera».

La principessa Korff si annunziava comunque molto esperta, quantomeno nel suo ruolo di linguista.

«La sua lingua madre è il francese, come accade a tutti i nobili russi», affermò la mamma. «E poi, Pino l'ha sentita litigare in un negozio con Mrs. Goodchild, e giura che non si capiva qual era l'inglese.»

La nonna osservò che Giovannino avrebbe soprattutto dovuto rinsaldarsi in grammatica e aritmetica: un esame da privatista non era uno scherzo, e per le lingue estere c'era sempre tempo.

Maria aveva da poco finito di lucidare l'ultima piastrella che il campanello suonò.

Pur limitata da certi sandali del tutto privi di tacco, la statura della principessa apparve subito imponente, non meno della sua mole. Indossava, sopra il petto enorme e il ventre a forma d'uovo, una sorta di saio color caffellatte, e i suoi capelli biondi trascoloranti nel bianco erano trattenuti da un turbante di maglia, anche questo caffellatte.

La principessa parve non avvedersi dell'inchino di Maria, e ascoltò con evidente distrazione il discorsetto della mamma.

«Mi pare che l'espulsione sia stata una bella fortuna», concluse, e chiese di restar sola con l'alunno.

Indagato traverso l'occhialetto, Giovannino si sentì simile a quelle bestioline che Strauss gli aveva mostrato al microscopio. Chissà se sarebbe riuscito a recuperare la sua dimensione normale, si domandò, e gliene venne una risatina nervosa che non riuscì a nascondere.

«Che cosa ti fa ridere?» indagò, ben disposta, la principessa.

Giovannino scosse la testa, e aprì bocca soltanto quando lei gli ebbe afferrato un orecchio per affermare: «Ti ordino di dirmelo».

Confessò, Giovannino, e per tutta risposta: «Cercavo di vederti meglio, anche se non sono il lupo di Cappuccetto Rosso».

La principessa chiese poi di vedere i libri e i quaderni di Giovannino, e li percorse, scuotendo la testa, e ripetendo: «Nozioni, propaganda, sciocchezze. Portami il cestino», commentò, alla fine dell'esame, e li lasciò cadere, a uno a uno, bloccandosi dopo un istante di incertezza, sul quaderno intitolato *Pensierini*. «Questo», concluse, «possiamo tenerlo. Ma non prendete il tè, alle cinque, in questa casa?»

Giovannino corse a comunicare il desiderio alla mamma.

Innervosita, ruppe una tazzina, schiaffeggiò di burro le tartine, aggiunse quanto restava del plumcake.

«Vai tu, Maria», impose, e Maria spinse il carrello, aprì la porta senza bussare, e rimase con le mani in grembo, sinché la principessa, con la sua aria tra divertita e indignata, la licenziò, col gesto di chi colpisse – parve a Giovannino – una volée di rovescio.

«Cosa volevi sapere?» fu lesta a domandargli, per rispondere che da tantissimi anni non colpiva più una pallina, né di tennis né di golf e nemmeno – questo sì le mancava – montava a cavallo.

«Proprio cattivo il tè», trovò modo di concludere, finendo di conquistare la simpatia del suo allievo, che affermò subito «È meglio al tennis».

La principessa iniziò il suo excursus sul tè che, dall'iniziale messa a dimora della piantina, la condusse a chiamare in causa l'atlante di Giovannino. Il quadernetto dei disegni fu presto abbellito da una «piantina di tè immaginaria», e da un «coltivatore indiano», anche lui «immaginario», infine da una teiera, molto simile alla teiera di porcellana in cui il tè si andava raffreddando.

Tutto ciò prese un certo tempo, durante il quale la principessa lesse tranquillamente un suo librone impresso in strani caratteri, cirillici, e Giovannino lavorò di buonissima lena, facendo di tanto in tanto domande sul tè, delle quali soltanto una: «Sono più buoni i bevitori di tè o quelli di caffè?» non ricevette immediata risposta.

Ma la domanda parve divertire la principessa, che propose un elenco di tutte le persone di reciproca conoscenza che bevessero tè oppure caffè.

Era tuttavia troppo tardi per completare un simile progetto, e l'insegnante suggerì all'allievo di rimandarlo alla mattina seguente, per le dieci, meglio dieci e mezzo, «perché», confessò, «sono pigra, e mi alzo tardi».

Entusiasta Giovannino volle accompagnarla sino in fondo alle scale e si spinse ad affermare che «se avessi un cavallo la porterei io sino a casa».

Si ebbe una carezza in premio, e ritornò tanto soddisfatto da non avvertire l'atteggiamento critico delle tre donne.

«Una lezione sul tè», parve indignarsi la nonna, e la mamma si attaccò subito al telefono, per esprimere tutte le riserve del caso a Marta.

«Alle dieci e mezzo», già cominciava a rallegrarsi Giovannino, iniziando a tracciare, a fronte, le due liste di bevitori di tè e caffè.

Giovannino parcheggiò la sua Bianchi di fianco a uno dei due leoni di guardia al club, e cominciò a ridere, non appena scorse i freschissimi baffi neri verniciati sopra le fauci del secondo.

Ancora andava ridendo, e si domandava come mai il misterioso pittore si fosse limitato a rendere baffuto uno solo degli animali, quando un ruggito lo impietrì.

Non osava voltarsi, né poteva muoversi per una enorme mano che era piombata ad artigliargli la spalla.

Come alfine osò alzare gli occhi, si trovò di fronte a una cascata di capelli bianchi su un blazer blu, anche quello decorato da due leoni rampanti.

«Chi è stato?» domandava l'uomo, senza abbandonare quella sua aria fermamente indignata.

Giovannino scosse la testa, cercando invano di deglutire.

«Un tuo amico?»

Nuovamente, accennò un no, frenando le lacrime.

La mano aveva ormai lasciato la sua spalla, il lungo indice si agitava sotto il suo naso.

«Guai...» cominciò l'uomo e, riassumendo certo tutto un discorso «guai», terminò, interrotto anche dall'arrivo trafelato di Garibaldi.

Giovannino sedette solitario nel mezzo della club house deserta, vide Garibaldi con secchio e spazzola affannarsi a raschiar via quella vergogna dal muso del leone.

Di fianco all'uomo in blazer era intanto apparsa la coppia dei Goodchild, e i tre andavano conversando, e rivolgendogli occhiate che non sembravano certo accusatorie.

Sempre solo, sempre a disagio, Giovannino si alzò, diretto alla racchettiera, due politi bastoni paralleli nei quali si introducevano le racchette, per riservare il campo.

Il richiamo di Goodchild lo raggiunse implacabile: dunque, non erano ancora dissolti i sospetti? Poteva bastare una semplice risata per vedersi accomunati a una trasgressione, diventarne complici?

«Giovannino», lo invitava Goodchild e quel suo accento simile alla voce di Stanlio si piegava a benevolenza, quasi a lusinga. Risalì i gradini del patio e il Segretario lo presentò all'uomo in blazer: «Il nostro presidente, Giovannino. Lord Daniel Hambury, l'anziano campione».

Giovannino s'inchinò, spinse la mano tra quelle dell'omone, che l'afferrarono, la scossero a lungo.

«Caro Giovannino, non sapevo che tu sei un buono sportman. Sono sicuro che non sei stato tu, a offendere i miei poveri leoni.»

Era così sollevato, addirittura felice Giovannino, che si avventurò a compiacere la richiesta di Mrs. Goodchild: «Non voleva giocare un set, mentre il presidente e il segretario si ritiravano in riunione?»

Ilare, seguì la donna poco più alta di lui, buffa per il nastro di roselline che conteneva radi ricci color stoppa. Dal sotterraneo sottostante le tribune giunse lo scalpiccio dei garibaldini in fuga.

Mrs. Goodchild riteneva un onore servirla da raccattapalle, e mai avrebbe concesso un centesimo di mancia.

Mentre Giovannino si sforzava di farle giungere una palla ben accomodata sul diritto, Garibaldi penetrò in campo, trascinando i più piccoli dei suoi quattro figli, Primo piangente, Balin riottoso.

«Me la darai tu la mancia, signorino», sibilò infatti Balin, non appena gli ebbe lanciato la prima palla.

Dei suoi erratici palleggi Mrs. Goodchild non sembrava appagata. Fermamente, voleva giocare un set, e ruotò la sua enorme racchetta australiana, ottagonale, decidendo di avere il diritto di scelta, e battendo poi, con uno straordinario gesto a cucchiaio.

Giovannino credette gentile sbagliare una prima, una seconda volta. Un sorriso estatico sulle guance vizze, la piccola signora urlò un incredibile OUT, alla prima palla di lui ben

dentro le righe. Un secondo OUT le consentì presto di ritenersi in vantaggio per uno a zero, e di avviarsi al cambio di campo, mormorando parole incomprensibili.

Giovannino era tanto deconcentrato che continuò nei
suoi errori, questa volta involontari, e soltanto sullo 0-2 la derisione dei garibaldini lo spinse a tentare i colpi che meglio
conosceva. Alla prima palla corta, che nemmeno tentò di raggiungere, Mrs. Goodchild si avvicinò a rete e, come da un
balconcino, si affacciò a rimproverare quell'incredibile mancanza di sportività.

Giovannino continuò confuso, incerto se chiudere i punti, e in quale modo. Muriel smarrì due volte la coroncina serra
capelli, gettò la racchetta, poi la trascinò a cancellare certi
marchi dei colpi di Giovannino, ben dentro le righe.

Quando Giovannino osò correggere un bugiardo 3 a 5 in
5 a 3, Muriel finì di indignarsi in un soliloquio dai toni cre-
scenti, che la spinse alle lacrime, e poi a fuggire dal campo,
lasciandovi abbandonata la sua vecchia racchetta.

Fece per raccattarla, Giovannino, ma venne preceduto
dai raccattapalle. Salirono di corsa le scale, per bloccarsi al-
l'apparizione di Lord Hambury.

Trasse dal panciotto il borsellino, il Lord, e ne cavò due
lucenti monete da una lira, che consegnò ai garibaldini estati-
ci. Giovannino si ebbe una carezza, e la promessa che avrebbero giocato un singolo insieme: «Presto, non appena Mr.
Sweet deciderà che sei pronto ad affrontare un set. E, con
me, niente regali!»

Lord Hambury scoppiò in una bellissima risata, e si allontanò verso il parcheggio, dove il motore di una Rolls-Royce
color latte si era messo dolcemente in moto. Passando vicino
al leone ancora un poco baffuto gli carezzò la nuca e, rivolto
a Giovannino, ammiccò.

C'erano ore in cui il paese sembrava svuotarsi, le ombre fresche divenivano uniche proprietarie dei caruggi, i gatti dei giardini. Imprigionati nelle stanghe delle carrozze, una ventina di cavalli rimanevano a presidiare la piazza della Stazione.

Abbandonati sui sedili posteriori, i vetturini sonnecchiavano, oppure compitavano copie cianciacate della Gazzetta dello Sport.

Dalla piazza Giovannino transitava spesso, per acquistare le riviste di moda per la mamma, la Settimana Enigmistica per la nonna, informarsi dell'arrivo di Il Tennis Italiano. Non si negava a nessuna commissione, era lui stesso a creare pretesti per poter ammirare i cavalli. Lo incantavano quei brividi che facevano ronzar via mosche smeraldine, certe smorfie ribelli al morso, capaci di rivelare l'avorio dei dentoni. La mobilità delle orecchie sbucanti dai cappelli di paglia, l'ondeggiare delle code, intrecciate quasi fossero acconciature di ragazze. Lo affascinavano il pendolare gommoso e i getti improvvisi, e anche il ribollio della cacca: i cavalli, in tutto, avevano un odore molto più gradevole degli uomini.

Conosceva tutti i loro nomi, Giovannino, ed era simpaticamente noto ai proprietari. Lo lasciavano avvicinare all'abbeverata, sotto la scritta «potabile per cavalli», e qualcuno gli aveva anche concesso di aiutarlo, con la striglia e la spazzola.

Solo Nearco non si poteva avvicinare.

Il muso celato da una lucidissima maschera nera, il dorso coperto da una nera gualdrappa listata di raso, Nearco viveva sdegnoso, in un immobile fremito, quasi sotto la pelle vibrasse un campo magnetico. Viveva solitario, con un solo profeta, Fantino.

Fantino era arcuato dalle gambe al naso quanto Nearco era imponente.

In cucina, ai tè del tennis, dalla signora Marta, Giovannino sottraeva zollette di zucchero.

Intimorito dalla stazza, dall'atteggiamento scontroso, le offriva invano a Nearco. Pareva non le vedesse.

Fantino scuoteva la testa volpina, afferrava lo zucchero con le dita rattrappite dal lungo reggere le briglie. Si inchinava tendendo la mano verso Nearco.

Con un movimento regale, Nearco si degnava di accettare quell'omaggio.

Fantino sgambettava sugli stivaletti lisi. «Avete veduto, signorì. Le ha gradite. Ha mosso la capa, parlato con gli occhi. Noi siamo le bestie, noi. È un grande onore, per voi signorì. Manco ai lordi, manco a Lord Hambury, l'aveva concesso.»

Alla citazione di Lord Hambury, Giovannino sorrideva, incredulo a metà. Fantino pinzava una nuova zolletta, e religiosamente ritornava a offrirla.

Dalle vicine carrozze si levavano bonari sorrisi.

«Fantino, quando lo porti a San Siro, a battere il vero Nearco?»

«Se potessi allenarlo di più.»

«Se lo alleni di più, vince il Gran Premio del mattatoio.»

I facchini, sull'angolo della stazione, ghignavano berciando. Ricorrevano, tra le ironie, le parole «terra ballerina». Fantino si frugava in tasca, e uno scatto metallico irrigidiva il tweed dei suoi lisi calzoni knickerbokers.

Pigramente, i facchini volgevano gli occhi, mentre la mano scivolava fuori di tasca, ancora rattrappita dal furore, e si raddolciva a carezzare il garrese nerissimo, setoso.

«Montate signorì. Vi accompagno al Tennis.»

Un volteggio, e Giovannino non era ancora a cassetta che già Nearco si era avviato, trottava, in una selva di irridenti applausi.

Sfilava sotto il tunnel, Nearco, prendeva a sinistra una svolta omicida, e non cessava di trottare sino al termine della salita che si affacciava alla club house.

«Vi è piaciuto, signorì? Ah, se potessi allenarlo, correre per davvero. Se potessi ritornare ad Agnano!»

Giovannino rimase grato a salutare, domandandosi dove mai si trovasse Agnano, come mai Fantino non vi potesse tornare, che cosa gli impedisse di partecipare a una vera corsa di carrozze, di vincerla.

Ma simili quesiti furono interrotti dall'arrivo a perdifiato dei quattro fratelli Garibaldi.

Erano talmente eccitati, che Giovannino si preparò alla difesa, stringendo il manico della racchetta.

Giunti di fronte a lui si bloccarono, e Giovannino si rese conto che il loro principale interesse era concentrato su un foglietto di carta quadrettata.

Si guardarono tra loro, apparentemente incerti e poi Salvatore esordì:

«Quanto fa sette diviso due?»

«Perché?»

«Non ti interessa. Quanto fa?»

«Se non me lo dite, non vi rispondo.»

«Allora vuol dire che non lo sai.»

L'irrisione, gli abituali spregiativi «bagnante, signorina», non lo smossero dal diniego.

I garibaldini si consultarono, decisero di transare.

Presentarono il foglio parlando tutti insieme, sinché Giobatta non li zittì: «Parlo mi».

Non sapevano architettare il sorteggio del torneo *balboi*. Di sette, ne cresceva uno; e anche togliendo quel fastidioso abbelinato (Primo protestante fu colpito al cranio) sei diviso due dava tre.

«Per forza. Sette non è divisibile per due, senza la virgola.»

Sopraffatti da tanto sapere, i garibaldini tacquero.

Giovannino carpì il foglio, il mozzicone di matita.

In un angolo libero da sgorbi e ditate, scrisse, compitando: «8:2=4 / 4:2=2 / 2:2=1».

Li vide inebetiti. Diede il colpo di grazia.

«2×1=2 / 2×2=4 / 4×2=8.»

«Però devo giocare anch'io», concluse. «Senza di me, non ci riuscirete mai.»

Si ribellarono, protestarono che il suo status – non era *balboi* – non gli consentiva l'iscrizione.

«E poi tu ci hai la racchetta più bella.»

«La presterò.»

«E poi tu ci hai le scarpe e noi no.»

«Ma io non ho il callo», ribatté freddamente.

Si rassegnarono ad ammetterlo. Ma non avrebbe avuto diritto al nome di un campione.

Si iscrisse con il suo, in una lista che elencava Puncec, Von Cramm, de Stefani e altri eroi. C'era anche Meazza.

Sul balconcino si dispose a eseguire la seconda parte del compito che, chissà perché, aveva contrariato la mamma.

«Descrivere a memoria il proprio giardino nei minimi dettagli», aveva suggerito la principessa. «Farne successivamente un disegno. Confrontare descrizione e disegno, sottolineandone le differenze.»

Giovannino rivolse attorno un vasto sguardo circolare. Per la prima volta annotò particolari che vedeva ogni giorno, senza soffermarvisi. Divise il foglio con una grande croce e, di nuovo, alzò gli occhi.

Al di là dei tetti, scintillava il mare. Si doveva o no infilarlo nel disegno, magari limitandosi a una lunga striscia blu? Più vicino, ma egualmente imprendibile, il profilo dei tetti. Giovannino provò a usare i tetti come una cornice, cancellò, decise infine di bloccare la prospettiva con il verde dei fittissimi cipressi che si rinserravano lungo la linea ferroviaria. Aveva iniziato ad allineare i tronchi, che un treno si sovrappose a segarli a metà. In trenta secondi, dal fumo, svettarono intatti.

Rifletté, decise di lasciar perdere il treno, si concentrò su quanto gli stava più vicino, proprio sotto il naso. Le pietre del vialetto crearono un dubbio non meno assillante. Non era possibile imitarle una a una, ma nemmeno riassumerle con una sfumatura bianco grigia. Venne a distrarlo un passero, atterrato sul filo dello stendipanni. Tracciava la cordicella, che il passero si spostò sull'olivo, lasciò un rametto a oscillare, scomparve. Stava decidendo di compilare due elenchi di quel che appariva in giardino, le cose in movimento e quelle ferme, che Strauss uscì di casa, reggendo l'amaca. La sospese tra l'olivo e il ciliegio, in modo che coprì l'allineamento dei cipressi. Spostò il tavolino, e vi posò una pila di libri e giornali.

Giovannino era ormai scoraggiato. Ma non era finita.

Strauss stava uscendo con la moglie tra le braccia. La posò dolcemente sull'amaca, la ricoprì della pelle d'orso.

Al richiamo del colonnello, planarono dalla grondaia i due colombi. Le bianche mani di madame Strauss offrivano chicchi di granoturco.

Possibile che il colonnello non si fosse accorto di lui?

Impegnatissimo, si era ormai issato a pulir la colombaia, immerdata come un piccolo sagrato.

Quando il colombo sporse inquieto il capo, Giovannino decise di palesare la sua presenza, lasciando scivolare nell'aria il disegno.

Finalmente Strauss alzò gli occhi. «Vieni a riprenderlo?» invitò.

Giovannino spalancò la porta, volteggiò sulla ringhiera, scivolò di sotto immaginandosi pompiere.

Un piccione tra le mani, Strauss ne controllava l'identificazione di stagnola, per poi lisciarlo a lungo sulle ali, liberarlo.

«Ti piacciono, Giovannino?»

«Sì.»

Strauss sorrideva incoraggiante.

Giovannino non osava sperare che il colonnello avesse intuito il suo desiderio.

«Una volta verrai con me a una gara», proponeva Strauss. «Andremo a Genova, in treno, e lì libereremo i colombi. Ritorneranno prima di noi. Meno Aiello.»

Alzò la mano: «Aiello», ripeté, e il piccione vi si posò, rispondendo nella sua lingua misteriosa.

«Aiello, vedi, è vecchio», continuava Strauss. «Si ferma a mangiare cose buone, chiacchiera con gli amici. Farebbe prima a piedi, se non perdesse tanto tempo: vero Aiello?»

Giovannino rideva. Strauss scosse via il piccione, e introdusse la mano nella colombaia, per catturare un piccolo colombo, che consegnò a Giovannino.

Il piccolo tremava, il cuore tanto sonoro che Giovannino allentò la stretta. Arrampicandosi con le ali, l'uccellino raggiunse la colombaia, e lì rimase, immobile, quasi colpito da una vertigine.

«Bravo, è la prima volta», lodò Strauss. «È tuo, d'ora in avanti.»

Giovannino era tanto felice che non tenne più.

«Tu non sei una spia», mormorò.

Strauss rimase silenzioso per un attimo, quasi non avesse ben capito quella parola.

«Spia», ripeté. «E chi lo dice?»

«La nonna.»

«Tua nonna?»

«Dice che sei una spia austroungarica, e che mandi messaggi con i piccioni.»

Strauss scosse il capo. «Non dice mai quello che fai a tua mamma?»

«Sempre.»

«È una spia, ma senza piccioni.»

Una finestra di Casa Geranio si aprì.

Defilata, ma non tanto che non si notasse nell'ombra il lungo naso aquilino, la nonna spiava.

Strauss e Giovannino guardarono su, si guardarono e risero.

La finestra, silenziosamente, si richiuse.

La signora Marta era capricciosa. Giovannino aveva confidato questa sua opinione alla mamma, e la mamma aveva dapprima finto di non capire, e gli aveva poi intimato di non ripetere mai più una simile sciocchezza.

Giovannino si rendeva conto che la signora Marta fosse la migliore amica della mamma, ma non avrebbe saputo come definire altrimenti il comportamento di lei.

Qualche giorno prima, Giovannino aveva visto con sorpresa la signora Marta avventarsi ai due giardinieri, Mangiagaine e Mangiabibin, che stavano famigliarmente scherzando, sulla terra smossa di un'aiola.

«Mangiapane a tradimento, siete licenziati!» aveva gridato. «Via di qui, non voglio più vedervi. Mai più.»

I due avevano blandamente cercato di giustificarsi, e poi, mentre Giovannino angosciato attendeva che si allontanassero, avevano ripreso silenziosamente a zappare.

Non contenta, la signora Marta era rientrata, e aveva chiamato il marito, Pino, per comunicargli il licenziamento, e l'insieme di cause che l'avevano spinta alla decisione.

Con la sua aria paziente Pino l'aveva ascoltata, le aveva dato ragione, aveva cercato di sollecitarne la generosità: era proprio sicura che non ci fossero attenuanti, almeno una? Marta aveva iniziato con l'investire anche lui, si era via via calmata, per eccitarsi di nuovo, diretta a un nuovo bersaglio. Era quella civetta di Carlotta a distrarli dal lavoro, ad apparire sulla porta di cucina a ogni occasione, per di più a gambe nude. Ah, ma tutto ciò non sarebbe continuato a lungo! La signora Marta volava in cucina, e si poteva sentirla licenziare Carlotta, che all'inizio cercava di opporsi, ma finiva per scoppiare in lacrime.

«Vedi, vedi come fa quella», si inquietava Marta di ritorno, prima di attaccarsi al telefono, e comunicare tutto alla mamma.

Quelle lunghe conversazioni via cavo, a una distanza lineare di non più di cento metri, avevano un effetto calmante per la signora Marta.

Ancora qualche minuto, e la si sarebbe sentita proporre a Carlotta l'ipotesi di una torta, ai giardinieri la piantumazione di un'aiola, come nulla fosse accaduto.

L'importante, per Giovannino, era che Mangiagaine e Mangiabibin non abbandonassero la villa, e lo ammettessero alla loro confidenza.

Mangiagaine era stato aiutofuochista, e disponeva di un autentico arsenale di racconti marini, pescicani, abbordaggi, palme, perle, leoni, zagaglie. L'altro, Mangiabibin, si vantava di non esser mai penetrato in mare oltre le caviglie.

La zappa di Mangiagaine pareva sbattere su ferrei bauletti ricolmi di gioielli, su scheletri della Filibusta. Quella di Mangiabibin evocava in immagini alterne le rosee dita di Carlotta e i suoi manicaretti.

«Carlotta!» ripeteva estasiato. «Ho mille cose da dirci e quando mi guarda non capisco più niente, sono come abbelinato. E non ci dico più niente.»

«Perché non ci scrivi»? suggeriva saggiamente Gaine.

Bibin zappava intento per qualche minuto.

«Hai ragione», consentiva infine. «Bisognerebbe proprio scriverci.»

«E scrivici!»

«Ma io non son buono.»

La presenza di Giovannino sembrò suggerire un'idea ai giardinieri. Perché non scriveva lui? Giovannino si schermì, i due insistettero. Non l'aveva forse anche lui, la fidanzata? Perché non faceva come se scrivesse alla sua? La proposta di una gita in barca, all'isola Gallinara, finì per convincerlo.

A casa, tentò di comporre, ispirandosi dapprima a Mariantonia, poi a una diva il cui viso l'aveva affascinato, dalle locandine del cinema Impero. Invano. Tentò allora i romanzi della Mamma: *Quo Vadis, Noi vivi,* il *Piacere.* Li abbandonò, sperando maggior fortuna nei titoli femminili, la Dubarry, Naja tripudians, Nanà. Sconfortato, aprì a caso un libro logoro, ricoperto in carta di Varese. Lesse il nome fatale, Carlotta, e via via giunse a una lettera che diligentemente ricopiò: «Mi strazierei il petto, sbatterei la testa, tante volte, a pensare che uno può essere così poco per l'altro. Ah l'amore, la gioia, l'ardore e ogni delizia s'io non li porto in me, un altro non me li potrà dare, e anche se ho il cuore pieno di beatitudine non potrò far felice un altro che stia freddo e inerte innanzi a me. Carlotta, Carlotta io v'amo».

Mentre indugiava, incerto sull'apposizione della firma, Maria passò sbirciando. Spiò, e giunsero appaiate mamma e nonna. La mamma afferrò il foglio, lesse ad alta voce: non sarà stata, domandò la nonna, una nuova stravaganza di quella russa?

Senza aprir bocca, Giovannino negò.

Allora, si doveva pensarlo innamorato della cuoca, iniziò la mamma, guardandolo incredula.

Finì per confessare, subì il sequestro del libro e della lettera. Promise che mai più si sarebbe prestato a far da scrivano. Ma c'era la promessa precedente, a impegnarlo, e la lettera l'aveva ormai in cuore. La ricompose nel silenzio del Tennis, e la consegnò a Bibin, che l'avrebbe faticosamente copiata.

Carlotta la ricevette, la mostrò a Emmy, ed Emmy spiò a Marta, e Marta s'inalberò e chiamò Pino, il quale per una volta chiese di occuparsene di persona.

Bibin ricevette quindi un misterioso biglietto: «La risposta è a pagina 123 dell'edizione giubilare, curata da Max Herman».

Interrogato dai giardinieri, Giovannino giurò di non capire.

Rassegnato, Bibin tornò alla sua zappa.

Compitando, Carlotta avanzava intanto nella lettura del libro, bruciava arrosti e crostate, piangeva sull'amore infelice di quel povero Werther.

Quando in assenza dei padroni, Bibin le venne a tiro, lo abbracciò mugolando: «Werther sei tu. Non negarlo».

Felice, pur senza molto capire, Bibin l'afferrò ben bene con le sue manone terrose.

Non c'era più acqua calda per il bucato, e Maria lamentava l'imperizia e l'assoluta mancanza di fede di Beneggi, l'elettricista responsabile di quell'intermittente bollitore: «Figlio di arabi maomettano anticristo».

Dal bagno giunse la voce allegra di Giovannino. «Sono stato io, la principessa dice che un vero signore fa il bagno anche due volte al giorno.»

La nonna insorse, rivolta alla mamma assente: «Anche lei sempre in giro e distratta dai suoi doveri». Bisognava che sua figlia si decidesse, continuò approvata da Maria, a mandare quel bambino dai santi Padri Gesuiti. Imparasse la Dottrina, invece del francese. Quella era la vera educazione, altro che due bagni al giorno.

Era anche tempo, ribatté Maria, di comunicarlo.

Già, ma come si poteva, osservò la nonna, se Giovannino non affrontava la necessaria preparazione?

L'oggetto di quelle considerazioni giunse tutto lindo, e con i capelli stillanti gocce sul pigiama. Allo strillo della nonna, Maria intervenne con l'asciugacapelli. Maria asciugava e pettinava, la nonna interrogava. Aveva fatto i compiti?

Sì, anche se era facoltativo.

Come facoltativo?

Si poteva fare, oppure no. Quel che contava era il motivo, per farlo o per non farlo.

«E i voti? Te lo darà almeno il voto?»

«Non c'è.»

«Come non c'è?»

«Non me lo scrive. Se il compito è fatto male, la principessa fa due cose. O mi spiega, e allora non era colpa mia. O non mi parla, e mi dà indietro il quaderno. Allora è colpa mia, e devo farlo bene, finché non ricomincia a parlarmi.»

La nonna diede una strizzata al rosario, che teneva sempre a portata di mano.

«E la dottrina? Te la fa la dottrina?»

Giovannino alzò lo sguardo al soffitto.

L'improvvisa telefonata della mamma lo dirottò a tavola, di fronte al minestrone che aborriva.

Prese a immergervi il cucchiaio immaginando di essere un cercatore d'oro, le pepite erano i dischetti di carota, la verdura per lui meno disgustosa.

«Ti piace?» s'informò Maria.

«Mica tanto.»

«Ci ho messo anche la pancetta.»

Doveva essere grato al Signore, altro che lagnarsi, riprese la nonna. Quanti poveri moretti avrebbero attraversato il mare a nuoto, pur di profittare di una simile leccornia.

«E cosa fai adesso?»

«Mi segno la parola.»

«E perché?»

«Me l'ha suggerito la Principessa. Mi spiega cosa vuol dire, mi spiega anche l'etimo.»

«Cosa ti spiega?»

«Di dove viene la parola. Chi era la nonna della parola.»

Temette che volesse usare il rosario come una frusta.

«Ma ti parla almeno di religione?»

Giovannino fece segno di sì.

«Raccontami la storia di Nostro Signore.»

Giovannino optò per una riluttante cucchiaiata.

«Una lira se me la dici.»

Prese a raccontare del giovane principe indiano. Siddharta aveva appena abbandonato il palazzo, che nonna e Maria insorsero, si dichiararono indignate, minacciando di spedirlo a letto, beninteso ultimato il minestrone.

Barattò la partecipazione al rosario con una fetta di strudel. Come lo lasciarono libero, volò al nuovo libro che tanto lo appassionava. E, rincorrendo Rikki Tikki Tavi in una radura, si addormentò.

Per misteriose ragioni la vita del club evitava l'isola del salone sottotetto, contiguo agli spogliatoi ladies e gentlemen. Vi erano ricoverate le reliquie del gioco, difese da teche polverose. C'era una racchetta tutta storta, costruita nel 1877, anno del primo torneo di Wimbledon. Confrontandola con la sua scintillante Maxima Torneo, Giovannino si domandava come fosse possibile ribattere dignitosamente una palla con un simile strumento, addirittura più vecchio della nonna. C'erano anche coppe di vecchio argento ossidato, fotografie di campioni sulle quali sbiadiva l'inchiostro di preziosi autografi. Quasi tutte in inglese, ma almeno una, dal francese, era riuscito a tradurla: «Au plus joli club de la Riviera italienne». La firma, gliel'aveva spiegato Sweet, apparteneva alla più grande tennista mai esistita, Suzanne Lenglen. Faceva bella mostra del proprio stile, Suzanne, volando leggera verso la cornice dorata, quasi una ballerina. Soltanto la punta del piedino sinistro, calzato da una espadrille, manteneva un impercettibile contatto con il campo centrale del club. Il court di mezzo che, sempre più spesso, gli veniva concesso di calpestare.

Nell'attesa dell'ora della lezione che andava avvicinandosi sul quadrato della vecchia pendola, iniziò a immaginarsi vincitore di un futuro torneo, proprietario di una di quelle coppe. O forse non gliel'avrebbero consegnata, sarebbe rimasta lì, con il suo nome inciso di fianco a quello di celebri campioni, Bunny Austin, Harry Hopman, Uberto de Morpurgo? Uno scricchiolio sui gradini della scala lo richiamò al presente. Battuti Primo e Giobatta, Salvatore sfuggiva la finale del torneo ballboys, al quale era stato ammesso. Da due giorni, il maggiore dei fratelli svicolava, e quel suo timore aveva finito per infondergli coraggio.

Non aspettava di ritrovarselo improvvisamente davanti, armato di un racchettone troppo grande, ma con un'aria aggressiva.

«Andiamo, bagnante», lo provocò. «Tutto pronto per la finale.»

«Ho la lezione tra quindici minuti», balbettò.

«Faccio più svelto a batterti.»

L'ultima derisione «ti vuoi ritirare», lo spinse a seguire l'avversario, diviso a metà tra la ribellione, e il timore di Sweet. Intorno al campo 6, il più malconcio e isolato del circolo, attendevano gli altri fratelli.

Giobatta si issò sul seggiolone per affermare, con un ghigno: «L'arbitro sono me».

Sul gradino sottostante sedette Balin, mentre Primo andò a piazzarsi in un angolo, alle spalle di Giovannino.

Salvatore fece ruotare la racchetta come una trottola, stabilì: «Marca. Servizio me».

Giovannino non fece in tempo a protestare, che già l'arbitro aveva ritenuto buono un servizio lungo di mezzo metro, e annunciato il punteggio. Sullo 0-1 affermò il suo diritto di cambiar campo. Aveva il sole negli occhi. Fu respinto, costretto ad ascoltare l'affermazione di Giobatta: «Qui le regole le faccio me», mentre lo subissavano fischi, derisioni.

Resistette, marcò punti che gli venivano subito sottratti, ingoiò le lacrime limitandosi a rimandare colpi corti, centrali, che anche quell'arbitro impunito non osava rubare. Alla fine di un disperato palleggio che l'aveva inchiodato a 0-3, udì, tra gli applausi e gli schiamazzi, la voce del maestro.

Aveva afferrato l'arbitro con la sua manona, e lo depositava a terra come un elefante uno scimmiotto riottoso.

«Nuovo match, nuovo arbitro», annunciava severo, prima di aggiungere: «Fuori i secondi».

Sweet presentò alla tribunetta vuota i contendenti. S'informò: «Testa o croce?» Buttò in aria una moneta per dichiarare: «Mr. Giovanni al servizio».

Iniziò il gioco. Invano Salvatore dichiarò invalida una riga dell'avversario. Invano Balin cercò di disturbare con un sibilo uno smash di Giovannino. Lo sciovinista venne allontanato, il punto rigiocato. Sempre più sicuri i rovesci di Giovannino trovarono l'inesistente rovescio avversario. Un suo contropiede coricò il furente Salvatore a impanarsi di rosso. Sul 6 a 1 l'arbitro annunciò tagliente: «Game, set and match».

Si ribellò lo sconfitto e, costretto a stringere la mano, volle stritolare. Giovannino trovò lo stoicismo per offrirgli un sorriso.

I fratelli riottosi si allontanarono, minacciando vendette. Giovannino manifestò la sua gratitudine al maestro, per venirne subito sgridato. Avviliva il gioco, inquinava lo stile. Una simile esperienza gli sarebbe costata non meno di cinque lezioni.

Prima punizione, cinque giri del campo, di corsa, in meno di tre minuti. Seconda punizione, niente palleggio libero, e tantomeno partita.

Terminò boccheggiante e avvilito.

Le due lire che aveva in tasca lo spinsero a cercare il conforto di un tè, completo di una fetta di Mont Blanc.

Con sua somma sorpresa, la cuoca Paolina respinse la moneta. Aveva già pagato il signor maestro, annunciò.

Vide il gruppo dei garibaldini complottare. Lo sogguardavano, per riprendere una discussione fitta e diseguale, guardarlo ancora, dibattere. Strinse l'impugnatura della Dunlop, con un'occhiata si accertò della presenza protettrice di due grandi, che sedevano non troppo lontano.

Vennero, infine, verso di lui. Ma non c'era apparente aggressività nelle espressioni. Forse non si trattava della vendetta per la finale perduta.

Incoraggiato, aspettò a pié fermo. S'informarono se sapesse giocare a pallone. Come al tennis? Anche portiere?

«Sono sempre stato portiere», affermò, con una sicurezza che sfiorava il sussiego. «Ho anche i guanti», finì di affermare, a inoppugnabile dimostrazione.

Li aveva con sé? No? Volasse a prenderli! La sfida con gli atavici nemici del Borgo Coscia iniziava entro dieci minuti.

Tentennò. Non era nativo di Alassio. Lo avrebbero egualmente accettato?

Figurarsi! Quelli di Borgo Coscia avevano addirittura reclutato il centrattacco a Laigueglia.

Corse, dall'armadio tolse i guanti e un berretto, ancora corse e raggiunse la coda della spedizione che, dal tennis, risaliva verso un spiazzo contiguo al Camposanto.

Impegnati in rozzi palleggi, gli avversari stavano ad attenderli. Bloccarono il pallone, si fecero avanti. Tra tutti quei riccetti bruni sovrastava uno stangone biondo, scarpe bullonate, maglia bianconera a coprire gli slip da nuotatore. Sulle guance s'intuiva un'ombra di barba.

«Chi è quell'abbelinato della Juve?» s'informò Giobatta.

«Il centravanti Piola.»

«Qui non vanno i foresti.»

312

«E voi? Chi è questo bagnante?»

«Mi chiamo Giovannino.»

«Che bei guantini. Per menarti il belino.»

Terminati i convenevoli, si passò alla discussione sui regolamenti. La sveglia di Salvatore venne allineata all'orologio dello stangone, e si decise che il match terminasse, senza recupero, dopo due tempi di mezz'ora: «Come nel Campionato di Serie A».

La gara ebbe inizio. Grovigli intorno al pallone, urti, piedi nudi doloranti. Con un generoso colpo d'alluce che lo lasciò zoppo, Balin trafisse per primo il portiere rivale.

Furibondi, quelli di Borgo Coscia attaccarono. Appeso allo stangone ringhiava Giobatta.

Mischie continue e barricate si alternarono di fronte alla porta di Giovannino: la sua borsa da tennis, e una grossa pietra calcinata facevano da pali. In quella confusione, nessuno riuscì mai a liberarsi al tiro, fino allo scadere del primo tempo. Trillò la sveglia, e la lancetta fu spostata sul minuto conclusivo.

Un lancio di Giovannino mise Balin in condizione di raddoppiare. Venne impietosamente falciato, e rimase a terra a carezzarsi il piede che teneva poggiato sul petto, quasi un fantolino. Furono vane le proteste, le richieste di rigore. Con Balin immobile e intimidito, l'ondata di Borgo Coscia si rovesciò all'attacco. I guanti di Giovannino fecero miracoli, un ginocchio sbucciato non gli impedì di bloccare pallone e piede dello juventino.

Mancavano ormai pochi minuti. Partì il biondo in serpentina, evitò Balin, Primo, cadde infine avvinghiato a Giobatta. Nemmeno i garibaldini trovarono il coraggio di negare il rigore. Più volte venne misurata la fatidica distanza di nove passi.

Lo juventino si preparò, mentre l'ultimo sputo centrava il pallone. Giovannino a sua volta sputò sui guanti, li insaponò, si dispose al tuffo. Volando sentì lo schiaffo sulle nocche serrate. Salvatore fu rapidissimo a impossessarsi della sveglia che trillava. In fuga, i garibaldini si coprivano il capo sotto la sassaiola degli avversari. Giovannino ebbe la borsa colpita, si arrestò, tirò di rabbia, senza mirare. Giunse, di ritorno, un gemito incredulo. Lo sventurato juventino teneva le mani strette alla fronte. Sulla guerriglia scese un improvviso silenzio. «Andiamo», ordinò Salvatore, e la truppa rientrò nei confini del club.

Si affrettò al bar, Giovannino, all'acquisto di cinque gasose.

La celebrazione si svolse nel magazzino della terra rossa, il regno dei garibaldini. Bevvero, poi Salvatore, solennemente, si sputò su un dito, e tracciò una croce di sabbia umida sulla fronte di Giovannino. «Sei dei nostri. Della Banda del Tennis. Evviva Giovannino!»

Virilmente, senza parole, Giovannino assentì.

Nelle belle giornate la superficie della sabbia era tiepida, e la principessa lo portava con sé in lunghe camminate, da Borgo Coscia sino al promontorio della Cappelletta. Quando erano stanchi, si fermavano e, fingendo di ritrovarsi su un'isola, immaginavano i dialoghi di Robinson Crusoe.

«Venerdì», lo chiamava la principessa.

A passi da leone, ricalcando le orme di lei, la raggiunse.

«Fin laggiù è tutto nostro. Ci son solo i segni dei nostri piedi.»

«Sino alla prossima mareggiata», sorrise lei.

Pignorin, il pescatore cieco, li aveva sentiti. Si avvicinò, facendo oscillare la lunga barba bianca.

«Fotografia», ripeteva. «Fotografia.»

Levò da una borsaccia un cappelluccio rosso, un tamburello.

«Tipico pescatore napoletano. Fotografia una lira», affermò. Accennò una traballante tarantella.

«Cinquanta centesimi», offrì.

La principessa fece un segno affermativo.

Giovannino cavò i cinquanta centesimi dal portamonete, li contò nel cavo della mano incartapecorita. «Merci, thank you», si affannò Pignorin, e partì quasi ci vedesse verso il carruggio, l'amata osteria. Qualche metro più avanti, Giovannino rinvenne le tracce di altri esseri umani. «Madame Crusoe», segnalò. «Ci sono dei selvaggi.»

«No, sono fiere», lo smentì lei.

Strisciavano, infatti, gatton gattoni, sulla linea che divideva la battigia dalla sabbia asciutta. Circospetti, li aggirarono.

Mangiagaine e Mangiabibin frugavano, quasi avessero perduto un oggetto prezioso. Al fianco di una barca in secco avevano appoggiato un bottiglione quasi vuoto, e una carriola piena a metà di ciottoli politi.

Si alzarono per inchinarsi goffamente alla principessa.

Lei rispose socchiudendo gli occhi.

«Cercate sassi per il giardino?» s'informò Giovannino, un po' invidioso di quell'attività simile a un gioco.

«Di quelli belli di una volta non se ne trovano più», si dolse Mangiagaine.

«Sono già stati tutti piantati», tagliò corto la principessa.

Come volse loro le spalle, Mangiagaine si toccò la fronte.

La principessa raccontò di Deucalione e Pirra. Giovannino prese a raccogliere sassi, e li gettava alle spalle. Come si azzardò a una sbirciatina, di sbieco, il guerriero svanì. La principessa sorrise, e raccontò di Orfeo.

La spiaggia si insinuava ormai nella scogliera, la maestra e l'allievo dimenticarono di rimettere le scarpe, e camminarono sulla sottile striscia d'asfalto verso la Cappelletta.

Tra famelici pescatori in agguato, appesi alle rozze canne innescate di vermi, svettava Lord Hambury, fendeva il cielo con una sorta di leggero frustino.

Invitò sul suo scoglio, baciò la mano alla dama, sorrise a Giovannino. Svolse il filo in un fruscio di seta, tese il polso quasi schermisse, lanciò. Appeso al sedale invisibile un cefalo argentato si svitò dall'acqua, volò alla sua mano come un colombo di Strauss.

Delicatamente, Hambury lo sganciò, contemplò, rigettò in mare. Giovannino osservava, non meno attonito dei pescatori indigeni.

Lord Hambury, divertito, ebbe la bontà di spiegare: «Sto cercando di ammaestrarlo». Alla sorpresa di Giovannino aggiunse, con serietà. «Mi rimane il vizio della pesca. Ma ho perduto quello di uccidere.»

La principessa parve assentire, mentre Lord Hambury frustava l'aria.

«Duecentoquaranta giorni di indulgenza!» esclamò la nonna.

«Madre santissima», fece eco Maria, segnandosi.

Il pellegrinaggio alla Madonna del Mare, continuò la nonna, era accuratamente descritto nel libro d'ore della precedente Badessa, che proprio da quella circostanza aveva tratto l'illuminazione per pronunciare i voti.

«Ma ci vuole un cavallo», si preoccupò la nonna.

Il testo della defunta Badessa era categorico su quel dettaglio. A piedi, o a cavallo.

Chissà se valeva anche la carrozza? Dopotutto, non si vedeva la differenza tra l'essere trasportati o trainati.

Nel giocare a Kim, Giovannino si era nascosto nell'armadio. Ne uscì, trascinando una cascata di biancheria, ma fu più rapido dei rimproveri.

«Ho il cavallo!» annunziò.

«Quando?»

«Subito!»

La nonna rivolse a Maria un sorriso in cui la gioia superava il timore.

Giovannino pose le sue condizioni. Sarebbe stato a cassetta, avrebbe guidato.

«Si vedrà», concesse la nonna. Ma che si sbrigasse!

Volò sulla Bianchi alla piazza. Nearco era lì, Fantino ne difendeva i lucenti fianchi dai tafani con uno scacciamosche imbottito.

Giovannino riferì la proposta della nonna, Fantino la tradusse all'orecchio del cavallo, per poi informare che la risposta era affermativa. Trabalzante e felice, Giovannino si issò a cassetta insieme a Fantino. Dalle altre carrozze, li seguirono sguardi pigri o invidiosi. Nello schiodarsi dal suo posto, vicino alla fontana, Nearco mandò un nitrito guerriero, e un paio di suoi simili gli risposero, muovendo le zampe e rabbrividendo. In una confusione di veli e rosari, la nonna e Maria furono imbarcate. Traversarono la città compunte, mentre qualche sfaccendato si affacciava alla porta delle botteghe, a curiosare. Mormorarono un'Ave Maria nell'incrociare la chiesa. Sul lungomare, aperti gli ombrellini, dimenticarono le cure, godettero il suono leggero degli zoccoli sopra quello delle onde. Passata la collina, il castello saraceno, si aprì d'improvviso la valle, le ruote sbriciolarono resti di mattoni medievali, forse romani.

La nonna si raccolse, si forzò a dedicare un pensiero ai martiri dei quali aveva parlato la Badessa. Lo scintillare del fiume condusse i suoi occhi più in alto, dove i peschi fioriti formavano un lago.

La stradina s'infittiva di contadini, biciclette, carri, calessi, cani. Nearco fu costretto al passo, e procedette tra commenti ammirati. La nonna si ricordò bambina, nelle terre di un'altra nonna. Si drizzò, stringendo il rosario come una collana regale. Gli occhi inquisitori di Maria la ricondussero al presente.

Si contrì, iniziò a pregare, e non cessò finché furono davanti al santuario. Dal portale giungeva, nell'ombra, un canto che faceva tremolare le fiammelle dei pellegrini. Acquistarono le candele, si fecero avanti. Una processione di scialli neri e di capelli mal ravviati li separava dall'idolo. Le bocche fedeli strisciavano sul miracoloso piede consunto, mentre da dietro l'organo si alzavano le voci del coro. Spinto dalla corrente, Giovannino già atteggiava le labbra. L'acuto del soprano lo trattenne, gli fece alzare gli occhi. Fu spinto oltre. Intravide tra i cantori la bocca a cuore, la gola palpitante, le guance lisce del soprano. Un frate.

Abbandonò le due donne inginocchiate, corse via, da Fantino. Difendeva Nearco dall'ammirazione di monelli importuni e di sensali ubriachi.

«Lo infastidiscono tutti questi fuochi», affermò Fantino. Intorno, le fiamme fasciavano spiedi arroventati, sbiancavano l'aria.

Giovannino si affrettò ad acquistare una frittella di mele all'inquieto Nearco che azzardò un morsichino, per poi lasciarla cadere a terra: raspava con lo zoccolo, come fosse il cavallo sapiente del circo.

«Certo che sa contare», confermò Fantino. «Ma adesso mi diventa nervoso. Speriamo che arrivino.»

Giunsero, finalmente, trascinando tre o quattro mendicanti che non mollavano la presa dei nuovi rosari di falso argento.

La frusta di Fantino recise le benefattrici dai postulanti. La nonna e Maria furono spinte su, indignate per l'insaziabilità di quei cristiani opportunisti.

La spinta di Nearco staccò la carrozza dal terreno. Il Santuario scomparve nella polvere, la nonna aprì il ventaglio e l'aria della corsa lo gonfiò. Mentre domandava un'andatura più blanda, una nuvola a forma di baio li superò, trascinando un calesse.

All'offesa, Nearco s'impennò nitrendo, Fantino allentò le redini, Giovannino sobbalzò afferrandosi, la nonna rovinò su Maria e la tenne abbracciata invocando la miracolosa Madonna del Mare.

Le briglie trasmettevano incitamenti a Nearco, che certo non ne aveva bisogno. Nel nero polverone scintillarono le ruote del calesse.

Fantino calò una dolce frustata, Nearco si strappò dalla propria pelle, allungò il trotto, disgregò galline, anatre, oche, superò il calesse, avviò una contesa con una Balilla a tre marce.

Era troppo. Con un sorriso d'orgoglio, Fantino frenò, rimise Nearco al trotto.

Le mani ancora tremanti, il cocchiere prese ad arrotolarsi una sigaretta. Giovannino ottenne le briglie e le tenne finché, al termine della carrareccia, non fu riapparso il mare.

Le due devote si erano ricomposte, la nonna si detergeva la polvere con il fazzoletto di Maria. Traversarono il paese silenziose e fisse, quasi un convoglio mortuario. Scesero a Casa Geranio ricusando l'aiuto di Fantino, che attese lo scatto del portone per mormorare: «Poco sportive, Giovannino».

Giovannino rimase sulla porta sinché l'omino e il cavallo non furono scomparsi dietro la curva.

Salì in casa e raggiunse il letto digiuno e determinato a evitare ogni discussione, ogni parola. Finse di dormire e, in meno di un minuto, dormì davvero.

Giovannino indugiava sul campo del maestro, a lezione terminata. Orme pasticciate lungo la riga di fondo campo, rosse scie degli allunghi presso la rete, ricordavano decine e decine di colpi.

L'invito a una piccola meditazione gli era venuto proprio da lui, da Sweet. Gli era parso ovvio, in tutto eguale al suggerimento della principessa.

Considerò la confusione dei propri segni, invidiò l'ordinata costruzione delle sapienti suole di Sweet. Dalle tracce sorsero immagini bianche. Corsero, giocarono nuovamente, questa volta impeccabili. Eliminati uno a uno, gli errori! Secondo il maestro, si poteva, si doveva, non sbagliar mai. Sarebbe allora toccato all'avversario segnare il punto.

Terminava di immaginare l'ultimo scambio, quando Giobatta giunse trascinando un tappeto sdrucito, fissato a un legno in forma di T. Prese a cancellare le tracce, alle quali si sommavano, per un istante, le orme dei suoi piedi nudi.

Giovannino rimase incantato, osservò le impronte del maestro mescolarsi alle sue, scomparire. Giobatta ondeggiava sulle gambine stente, il tappeto oscillava come un aquilone, si lasciava alle spalle una scia serpentina. Giovannino disapprovò quelle approssimative geometrie. «Non mi pagano di più, per farlo bene», ribatté il ballboy.

Giovannino si offrì, ottenne il tappeto. Tutto allegro, Giobatta prese allora ad armeggiare con la pompa, schizzò un passero, creò pozze, addirittura una piccola laguna.

Giovannino livellava, preciso, ripromettendosi di non lasciare mai più una simile cura a mani mercenarie. Si sorprese che il maestro non gli avesse mai suggerito un'idea tanto ovvia. Presto riconsegnò il tappeto a Giobatta, che un po' ironicamente lodò il suo lavoro.

«Vuoi venire a casa mia?» lo invitò. «Costruiamo barchette.»

Una roggia fangosa segnava il confine tra Villa Iris e l'orto dei Garibaldi. Con cautela, Giovannino avventurò le bianche Superga sulle pietre del guado.

I quattro fratelli sfangarono lieti annebbiando le pozze di girini in fuga. Lo attesero ironici a riva. Sempre meno equilibrato in successivi scivoloni, riuscì a evitare l'ammollo. «Evviva Mandrake», si entusiasmava Salvatore nell'abbracciarlo. Una mobile presenza appesantì l'interno della tasca di Giovannino. Introdusse la mano nei calzoncini, l'estrasse urlando di disgusto, cosparsa di bava e fango. Rimase irrigidito a rimirarsi il palmo, mentre Salvatore ghignava: «Cos'hai, il pesce in tasca?»

Sentì le lagrime addensarsi, e restò ingroppito, senza osare, con l'orribile cosa che si muoveva contro la coscia.

Primo si fece avanti, introdusse rapido la mano, estrasse e scagliò il rospo in faccia a Salvatore. Salvatore si ripulì ben bene, per collocare poi la bava sulla guancia di Primo. Si agguantarono, e scivolarono sull'erba motosa del greto.

Giovannino mosse un passo avanti, per dividerli. Giobatta e Balin lo bloccarono.

Salvatore finì sotto, riuscì a districarsi, ancora fu schiacciato e stretto al collo. Raspando con la mano libera trovò una pietra, colpì. Il sangue colorò i capelli castani di Primo.

Fu allora Giobatta a precipitarsi, per bloccargli le braccia.

Primo si ripulì col fazzoletto che Giovannino gli aveva offerto. «Abbelinato», mormorò al fratello, voltandogli le spalle, e avviandosi verso casa.

Giovannino seguiva con Giobatta e Balin. Salvatore era rimasto più indietro. Singhiozzava.

Tentò Giovannino di interrompere quella tensione.

«Come si chiama la vostra villa?»

«Non si chiama niente.»

«Perché?»

Rimasero pensosi.

«Perché non è una villa», rispose alfine Balin.

Si arrestarono sulla porta. Nel buio, un'unica lampadina contesa dalle mosche spandeva un cono di luce fioca. Sotto quel lucore il tavolo risplendeva di carta lucida, colorata, e di brillanti paillettes. Garibaldi e Anita operavano intenti, con forbici e pennelli.

Primo si fece sentire.

«C'è Giovannino», annunziò.

Garibaldi alzò gli occhi, ammiccò, portò al viso due striscioline di cartone giallo, a far da baffi.

«Il signorino! Che onore!» esclamava Anita, alzandosi.

Giovannino s'inchinò a baciare la mano screpolata di lei. Garibaldi ridacchiò perdendo uno dei baffi, i piedi dei fratelli stropicciarono le mattonelle.

Con un cenno Garibaldi invitò Giovannino. I fratelli gli fecero posto.

Sotto la luce, il sangue di Primo brillava come vernice.

Garibaldi si tolse il secondo baffo, e amministrò un ceffone al ferito, mentre già sorrideva a Giovannino.

«Vuoi fare le barchette, campione?»

«Mi piacerebbe.»

«Sei buono?»

«Mai fatte.»

Il coro dei suggerimenti fu tranciato netto da Garibaldi.

«Spiego me.»

Si doveva ritagliare nel cartone la chiglia, una fetta d'anguria. Le murate, due quarti di luna. Quattro colonnette con i capitelli reggevano il baldacchino.

S'incastravano anguria, luna e colonnette, si spalmava di colla e si cospargeva di paillettes lo scafo. Spago e carta colorata rifinivano il ponte. Mancava soltanto il remo. Ecco la gondola!

Giovannino l'ammirò nascere nelle mani di Garibaldi, levata poi alla lampadina.

L'artefice elencò i costi. Dieci centesimi il cartone, cinque lo spago, venti le paillettes, cinque la carta colorata, spiccioli la colla.

E si vendevano bene, benissimo! A una lira. Avevano un contratto con un grossista, lo chiamavano l'armatore.

Giovannino fu destinato all'aiuto di Giobatta, che ritagliava chiglie. Si tenne largo, e dieci occhi gli ricordarono di non sciupare i dieci centesimi del cartone.

Offrì di portarne un rotolo che la mamma teneva in casa.

Fu incoraggiato a fornire anche qualche paillette. Non ce n'erano mai abbastanza, la nonna amava lasciarle cadere una a una nel camino, mirarle volteggiare nel riflesso della fiamma.

Giovannino non sembrava capire, e i Garibaldi passarono alla dimostrazione. La nonna fu scrollata, aprì gli occhietti molli, increspò le labbra alla vista delle paillettes, ne seguì beata il volo, battendo le mani sulle ginocchia, le gengive sulle labbra.

Ci volle tempo per calmarla, riaddormentarla.

Invitato a dividere una minestra e tre aringhe, Giovannino si dichiarò impossibilitato. Due dita di Marsala all'uovo vennero versate in un solitario bicchierino. Lo tranguggiò sotto gli sguardi invidiosi dei fratelli. «Davvero buono», affermò.

Si congedò, e tutti si fecero sulla porta a salutarlo, a invitarlo a tornare. Era ormai alla roggia che Salvatore lo raggiunse, gli buttò uno «scusa» a labbra strette, e scomparve, sollevando spruzzi di fango.

Giovannino giustificò il ritardo raccontando dell'invito.

Alla perplessità della mamma, allo sdegno della nonna, oppose i fatti.

«Bisognerebbe aiutarli», osservò distratta la mamma. «Forse, la San Vincenzo potrebbe.»

«Lui è rosso, e non lascia neanche iscrivere quella povera donna alla minestra delle suore», osservò la nonna. «E poi: aiutati, che Dio ti aiuta.»

«Li aiuterò anch'io», stabilì Giovannino.

All'incrocio delle righe di servizio, il maestro Sweet aveva piazzato una scatola di cartone giallo oro vuota, la scritta Dunlop impressa sui lati. Con la battuta, Giovannino doveva esercitarsi a colpirla. Al quarto tentativo, la scatola volò via come un petardo.

«Bravo bambino!»

Giovannino si volse interdetto. Attendendo la reazione del maestro guardò i due incauti. Quello che doveva aver gridato era un giovanottone bruno, dal sorriso di attore cinematografico. Una specie di Amedeo Nazzari, forse – pensò Giovannino – un domatore. L'amico che gli stava al fianco pareva infatti una scimmietta arguta.

Giovannino posò l'indice sulle labbra, a indicare silenzio.

Incredibilmente, quei due impudenti risposero con una risata.

Si volse indignato a Sweet. Anche lui rideva.

Volarono saluti tra il maestro e i visitatori. Furono presto in campo, mentre Sweet si affannava a dar loro il benvenuto.

Giovannino fu presentato. I campioni si chiamavano Renato Bossi e Augusto Rado: «Due Davis men», spiegò con enfasi rispettosa il maestro.

Giovannino rimase muto, mentre i due raccontavano a Sweet di non aver preso parte al torneo in corso a Montecarlo. Dopo l'inverno passato sui campi coperti, non erano ancora a punto, non ancora abituati ai rimbalzi dei campi rossi. E anzi: non voleva Sweet allenarlo un pochino? domandò Bossi. Giusto un quarto d'ora, il tempo di registrargli i colpi?

Giovannino fu invitato a guardare e a imparare. La lezione sarebbe ripresa più tardi.

Rimase presto incantato dai gesti eleganti del giovanotto

bruno. Mai, tra i soci del Tennis club Alassio, aveva ammirato tanta disinvoltura, una simile aerea sicurezza. Nemmeno Lord Daniel Hambury, nemmeno il colonnello Strauss, né il conte Galleani avrebbero potuto rivaleggiare con quell'angelo bruno. Rimase a chiedersi, con un rimorso improvviso, se quel tennista non fosse addirittura meglio del suo maestro, di mister Sweet, il cui cranio calvo s'imporporava sempre più a ogni palleggio.

Fissata dalla brillantina, l'ondulazione nerissima dei capelli di Bossi vibrava appena, nell'istante dell'impatto, per ritornare perfetta al suo posto. Finalmente, dopo un paio di minuti, il campione mise una palla in rete. Ne domandò la ragione a Sweet. Il maestro spiegò, ripeté nell'aria un gesto impeccabile. Bossi chinò il capo, per ripetere subito il colpo errato. Gli uscì una palla imprendibile. Il campione chiese allora di giocar qualche game. Sweet informò di non essere allenato alla partita: avrebbe comunque fatto del suo meglio.

Presto il volto di cinquantenne si increspò di rughe affannate. Dai gradoni della club house si levarono applausi per uno smash del campione, che aveva mandato la palla oltre i vasi di gerani. Qualcuno s'informò del punteggio ma, con soddisfazione di Giovannino, nessuno dei due tennisti lo degnò di una risposta. Bossi segnava punti e chiedeva consigli. Il maestro eseguiva nell'aria colpi modello che non riusciva a ripetere con la palla. Come gliene entrò uno, invero miracoloso, Giovannino saltò su entusiasta ad applaudire. Fu rimproverato.

«Non è gara. Non si applaude.»

Provò vergogna mista a ribellione.

Rado, che gli era rimasto a fianco, gli offrì di giocare qualche colpo. Il campione si piazzò a metà campo, mentre Giovannino si sentiva come la volta che, al mare, l'onda lo aveva mezzo annegato.

Gambe discoste, piedi divaricati, Rado fece scivolare dolcemente una palla verso Giovannino.

Gli ritornò un passante imprendibile.

Incredulo, il campione ripeté la sua blanda messa in gioco. Altro passante.

Rado accennò un inchino, increspando le labbra in un sorriso divertito. Raccolse le palle, si piazzò sulla riga di fondo. Il suo elegante rovescio fu respinto a fatica da Giovannino, una, due volte. La terza disperata ribattuta svariò sul diritto del campione. Rado colpì, torcendo il collo sino a guardare il campo contiguo, quello di Sweet e Bossi.

Nuovamente, Giovannino respinse sul diritto. E ancora il collo scattò come un meccanismo automatico, di nuovo la palla fu colpita alla cieca.

Divertito da quello che gli pareva uno scherzo, Giovannino torse a sua volta il collo, per mancare completamente la palla. Ne rise, rivolto al campione. Gli occhi di Rado erano fissi a terra, come a qualcosa di ripugnante. Rialzò a fatica il viso, scosse il capo per riprendere stancamente il gioco.

Cessarono dopo cinque minuti, richiamati da un ilare Bossi e dall'asfittico Sweet. Rado prese il posto del maestro, e dalla panca che divideva i campi, Giovannino rimase ad ammirarli, incredulo di aver incrociato la racchetta con uno di loro, seppur col più debole. A un nuovo, isterico scatto di quel collo ribelle, Giovannino osò chiedere al maestro il perché.

«È tic», sussurrò Sweet, accennando di parlar piano.

«Cosa vuol dire?»

«Tic. Una malattia. Non riesce a guardare la palla alla destra del corpo.»

«Per sempre?»

«Fa cure nervose da due anni. Era grande promessa. Coppa Davis contro Gran Bretagna a diciotto anni. Grande promessa.»

Tic, andava ripetendo mentalmente Giovannino, allarmato da quella paroletta che aveva fin lì associata al battito rassicurante della pendola di casa.

Rimase avvinto alla partita e, come Rado segnava un punto col suo rovescio di seta, gli sorrideva, o addirittura faceva il gesto di batter le mani, senza rumore.

Quando i due campioni ebbero finito, con un 6 a 4 per Bossi, e vennero ad asciugarsi il sudore, a riporre nelle borse racchette, palle, asciugamani, Giovannino si volse a Rado, gli chiese l'autografo.

«E il mio?» s'informò Bossi.

«No, grazie.»

Nel firmare, Rado accennò un sorriso.

Giovannino si sorprese per l'assiduità di Renato Bossi e Augusto Rado. Giungevano al club al mattino, vi rimanevano sino alla sera.

«È il loro lavoro», lo informò il segretario Goodchild. «Non sono più amateurs. Praticamente professionali. Questo non è buono.»

Il maestro Sweet gli spiegò sorridendo che il mondo era diviso da tante linee di confine, oltreché da meridiani e paralleli. C'erano i cattolici e i musulmani, i bevitori e gli astemi, e così anche gli amateurs e i professionisti.

«Può», domandò il maestro, «grande musicista suonare senza studiare, senza tempo di esercitare gamme e scale, prova e riprova, tutti i giorni dell'anno?»

Giovannino aveva un'idea molto vaga di un grande musicista, e diede fondo a tutto il suo buon senso per rispondere: «Non penso che potrebbe».

«Tutto bene», ripigliò Sweet. «Bossi e Rado sono come grandi musicisti.»

Di fronte a quell'accostamento, Giovannino si sentì perplesso. Certo, quello del maestro Sweet era un lavoro, la mamma si lagnava spesso del costo delle lezioni. Ma Sweet viveva di quei suoi insegnamenti, così come la principessa. Lavorava come il suo caro papà impegnato in trasporti e commerci, laggiù in Africa.

E Bossi, e Rado?

Certo, dal giorno del loro arrivo il club si era animato, la tribuna sempre fitta di ammiratori, di curiosi. Su tutti, Emmy non mancava una palla.

Come incatenata a una sedia a sdraio, accavallava le gambe magre, le torceva, insaponava le mani a secco.

Partecipe, Giovannino s'informava se avesse mal di pancia.

«Ma no, sciocchino. Sto benissimo», e, dopo un istante, «Come si chiama, il campione?»

«Quello più piccolo, Augusto Rado.»

«Ma no, sciocchino. L'altro.»

«Perché t'interessa tanto?»

«Gioca divinamente.»

«Gioca meglio Rado. Ha più classe di tutti, ma ha il tic.»

«Guarda che tiro, che meraviglia», si esaltava Emmy in un gemito.

«Ma è out.»

«Cosa conta! Ma dillo come si chiama, alla tua amica Emmy.»

«Renato Bossi.»

«E poi?»

«Come e poi?»

«Bossi di che cosa? È certo nobile.»

«Va' a ciapà i ratt, dice mia nonna.»

Emmy aveva occhi soltanto per Bossi. Sorrideva se Bossi sembrava allegro, intristiva se Bossi sbagliava, diceva ad alta voce «bravissimo», e batteva sonoramente le mani.

A un ultimo battimani, nel mezzo di uno scambio, il campione si rigirò furibondo a chiedere silenzio.

Giovannino arrossì per Emmy. Irrigidita, scarlatta, ma – alfine! – il suo eroe l'aveva notata.

Fu chiamato per la lezione.

Sweet gli schiacciò l'occhio, poi si fece serio.

«Guardare solo la palla», suggerì. «Il resto è maionese.»

Non erano passate ventiquattr'ore, ed Emmy sembrava ormai intima di Bossi. Sedevano su una panchina appartata, dietro il campo del maestro, e Bossi ridacchiava mentre lei si torceva in mosse nervose che Giovannino giudicò sconvenienti così come il fiammante abituccio di pizzi bianchi che le lasciava scoperte le gambe, ben più su del ginocchio.

Avvicinandosi, Giovannino notò che lei gli aveva concesso la mano e che il campione, seguendo le linee del palmo, le andava leggendo il futuro. Senza aprir bocca, afferrò la bella manina, e la forzò a lasciare la manona di lui. Bossi rise sorpreso.

«Non voglio che tu rida. E che tu Emmy gli dia la mano.»

«Vai a giocare con i bambini, sciocchino», si irritò lei.

«Io non mi muovo.»

«Vai, o lo dico a tua mamma.»

«Spia.»

Emmy riuscì a trattenere la mano, e dal gesto di uno schiaffo uscì una sorta di ruvida carezza. Ma sarebbe stato sufficiente il gesto a farlo singhiozzare. Partì come una freccia verso Villa Iris.

I due gli si affannarono dietro, ma Giovannino li precedette, per tuffarsi tra le braccia della mamma, che beveva il tè con Marta.

Pianse, mentre Emmy presentava Bossi e anche Rado, che si era unito al gruppo, preoccupato per Giovannino: era forse ferito? Fece cenno di no, rifiutò cupamente di aprir bocca, spiegare, mentre i singhiozzi si chetavano.

Il dialogo dei grandi finì di isolarlo, sinché nessuno più gli fece caso.

Accomunandoli in un disperato risentimento si allontanò, girellò per le stanze vuote, fino a ritrovarsi nello studio di Pino.

Sedeva allo scrittoio, e fissava un grosso libro, intento, come affascinato.

Giovannino si domandò se non dovesse andarsene, poi si avvicinò piano, per mettergli le mani sugli occhi, in un gioco famigliare.

Le sentì umide, e si domandò, incredulo, se Pino piangesse.

«Chi sei?» domandava intanto lui.

«Indovina.»

«Ti sei scoperto, sei Giovannino.»

Sorrisero insieme.

«Piangevi, zio Pino?»

«No, Giovannino. Un po' di tristezza.»

«Perché?»

«Succede a tutti.»

«Anche a zia Marta?»

«Anche a lei. Giovannino...»

Vide zio Pino incerto, come se avesse compiuto una marachella.

«Zia Marta...» cominciò. «Vedi, zia Marta è molto, come dire, nervosa.»

Giovannino fece un cenno di assenso.

«È meglio che non sappia, che tu non le dica che, insomma che mi hai visto piangere.»

«Non lo dirò. Se mi dici il perché.»

Pino indicò il librone. C'era il disegno di una faccia, di un cervello, e di una macchia, una specie di noce.

«È una malattia, Giovannino.»

«Grave?»

«Forse sì.»

«Da morire?»

«Forse.»

«La principessa dice che morire può essere bene. Il male è tornare al mondo come un cane o un animale feroce.»

«Io non sono così saggio», osservò Pino. «A te piace vivere, Giovannino?»

Fece cenno di sì.

«Anche a me, vedi.»

Richiuse adagio il librone, gli sorrise.

«Allora, non lo dirai. Promesso?»

Giovannino incrociò i due indici e li baciò, in segno di giuramento.

«Andiamo di là, Pino», disse prendendolo per mano. «Ci sono i campioni di tennis. Emmy», iniziò, per bloccarsi netto.

«Emmy cosa?» s'incuriosì Pino.

«Niente. È un segreto», affermò Giovannino.

Pino lo prese per mano, camminò, indugiò sulla porta del salone.

Di fronte all'uditorio rapito, Bossi raccontava, agitando una tartina quasi fosse una bacchetta magica.

A bocca piena, Rado accennava ogni tanto di sì, scuotendo la testa ai paradossi dell'amico.

Fu Marta, ad avvedersi dei due.

«Ecco mio marito, il commendatore. I campioni.» Mentre si stringevano la mano, Marta esortò Pino ad ascoltare. Avventure, viaggi. Avrebbe dovuto prendere esempio, lui che usciva dallo studio soltanto per gli affari, vero e proprio orso, interessato unicamente alla Borsa e ai libri tecnici.

«La prego, caro Bossi. Continui.»

Con qualche disagio, Bossi riprese il racconto delle due gemelle egiziane chiuse in un armadio dell'Hotel Gezira. Educatamente, Pino si mescolò al pubblico.

Con non minore attenzione, Giovannino aprì cautamente la porta, e corse al tennis.

Imbrancato tra gli esclusi, i fratelli Garibaldi, la cuoca Paolina, Giovannino osservava ammirato il gruppo dei partecipanti al Campionato sociale a sorteggio e handicap, schierati di fronte al fotografo Gaibisso.

Al centro, con la sua giacca dai risvolti viola e verde, i colori di Wimbledon, sorrideva Lord Hambury. Di fianco a lui, Rado e Bossi, da poco eletti al rango di Soci Onorari. Poi il segretario Goodchild, il gruppo delle signore e signorine, con Emmy in grande risalto, il colonnello Strauss e infine Sweet, che avrebbe diretto il sorteggio e arbitrato la finale.

Dietro al suo trespolo, Gaibisso dirigeva i tennisti come un coreografo, li invitata a piccoli spostamenti.

A Giovannino pareva già di vedere la foto appesa nel salone del circolo, di fianco al quadro di re Giorgio e della regina, alle istantanee di Suzanne Lenglen e degli altri campioni.

Sotto la foto si sarebbe letta una didascalia, a ogni nome avrebbe corrisposto un numero, N° 1 Lord D. Hambury, N° 12 M.K. Sweet, N° 15 Col. W. Strauss. Come gli sarebbe piaciuto esserci!

«Giovannino!» Era proprio Lord Hambury a chiamarlo. «Giovannino. Non vuoi la fotografia?»

Uscì dall'anonimato e corse verso Hambury, arrossendo per l'attenzione generale. Finì sulle ginocchia del Lord.

Il fotografo raccomandò per l'ultima volta di non muoversi, Bossi domandò tra l'ilarità se si potesse respirare. Nascosto dalla nera mantellina Gaibisso parve arrestare il tempo con la mano tesa, fissarlo con un gemito impercettibile del pulsante.

Tutti si mossero, allegri, nessuno pensò che quella foto

sarebbe rimasta tra le pareti del club più a lungo delle loro stesse vite.

Nel salone lo zelante Goodchild pieghettava i bigliettini col nome dei partecipanti, li consegnava a Sweet che li immetteva in un secchiello d'argento. Giovannino pescava, il maestro annunciava, il segretario scriveva.

Rado finì con l'ex ambasciatore zoppo, Strauss con Mrs. Goodchild, Bossi venne accoppiato a Emmy. «È il segno del destino», sorrise, mentre lei si faceva pallida.

Rimasero i due bigliettini di Giovannino e Lord Hambury.

Hambury arruffò i capelli del compagno, Goodchild trascrisse, Sweet puntualizzò l'handicap. Avrebbero ottenuto 30 di vantaggio ogni game, e gli avversari iniziato a battere da –15.

Si bevve il tè, si tagliò una torta ornata di racchette di zucchero filato. L'appuntamento era per l'indomani, sabato, alle due in punto.

Non valsero le camomille di Maria, il bacio all'immagine di San Morfeo Martire, volato al cielo dormiente, i richiami alla buona condotta. Non dormì.

Alle nove, la principessa accolse un pallido scolaro con gli occhi cerchiati. Una breve dissertazione sull'insonnia lasciò posto al ricordo di un cadetto che aveva affrontato una prova non meno impegnativa del torneo di Giovannino. Un duello, per dissipare ogni dubbio sull'illibatezza di lei.

«Pure, dormì sereno tutta la notte.»

Ne era proprio sicura, madame? domandò dubbioso. La principessa accennò di sì, con un sorriso.

Le partite si svolgevano sulla distanza di un solo set, Giovannino e Hambury vinsero le prime due e si ritrovarono di fronte a Strauss e Mrs. Goodchild, che avevano un handicap ancora più alto del loro.

Contro Lord Hambury, Mrs. Goodchild non osò appropriarsi dei punti dubbi, e il povero Strauss rimase solo a opporsi alla robusta eleganza di Hambury, alla sveltezza di Giovannino.

Sul campo vicino, Bossi danzava selvaggiamente intorno a Emmy, quasi che il rito consistesse nell'impedire alla palla di sfiorarla.

Di là della rete, Rado non osava sottrarre la palla all'ex ambasciatore zoppo, che saltellava facendo perno sul bastone.

Come vinsero, il campione abbracciò Emmy che perse conoscenza, calcolando perfettamente la distanza da una sedia vuota. Alla minaccia di un lancio di acqua gelata fu lesta a riprendersi, e venne trasportata a Villa Iris da Bossi e Rado nominati infermieri.

Affascinato da quella funzione, il vittorioso Giovannino li seguì. Venne servito un tè, l'acqua bollente gonfiò anche una borsa in gomma, deposta sul pancino della sofferente.

Bossi raccolse elogi della mamma e di zia Marta, quasi fosse San Giorgio.

Richiamato dalle voci, giunse anche Pino, osservò che certo non era niente di grave: l'età, lo sforzo, l'emozione.

Fu rimbeccato aspramente da Marta. Che cosa ne sapeva lui, prima di tutto antisportivo, e poi gratificato da una salute vergognosa, mai un raffreddore, una di quelle emicranie che impedivano a lei, Marta, una vita normale, l'invidiabile vita della sua cameriera, dei giardinieri, gli umili.

Mentre Pino si allontanava, alzando le mani in segno di resa, Marta non cessava di gridare che, senza un immediato elettrocardiogramma, la piccola non avrebbe partecipato alla finale del giorno dopo.

Furono allora i campioni, a intervenire. Perché negare quella bella occasione a un talento che necessitava solo di esser valorizzato? Quell'improvvisa défaillance era dovuta all'emozione, alla gioia, non certo a una insufficienza fisiologica.

«Potessi allenarla io, con quella fantasia, quel tocco», si spinse a dire Bossi.

«Ha una manina benedetta», rincarò serissimo Rado.

Marta colse l'occasione per parlare del talento musicale della sua bambina. Non fossero state costrette a passar l'inverno in provincia, lontane da un Conservatorio, Emmy non avrebbe cessato gli studi nei quali eccelleva.

Tutto quel bla-bla aveva impedito a Giovannino di annunciare alla mamma, che, dopotutto, anche lui aveva vinto.

Come aprì bocca, venne invitato a non interrompere e, meglio, a giocare in giardino. Cercò vendetta, e ne rinvenne l'occasione in una scarpa di Bossi, stracciata all'altezza delle stringhe, e rabberciata con una cordicella.

Al primo silenzio, tese l'indice e «Hai rotto una scarpa», esclamò. Bossi si affrettò a giustificarsi. Calzava esclusivamente scarpe inglesi, impossibili da trovare, in Italia. Avrebbe dovuto telefonare al direttore della Dunlop, un caro amico, perché gliene mandasse di nuove. Ma da un lato la pigrizia, dall'altra il timore di disturbare l'avevano trattenuto.

«Ma le vendono da Nattero, al caruggio», insistette Giovannino.

«Ti sbagli, caro. Hai visto male.»

Fu diffidato dall'insistere, e inviato in giardino.

Affilò un falcetto per conto di Mangiabibin, godendosi la trasgressione. Dalla balaustrata della villa rimase ad ammirare i campi ormai vuoti.

Inzuppati dai getti di Garibaldi, avevano assunto il color sangue di bue che gli era proprio verso sera, prima del riposo notturno. Meticolosamente ripulite con le scope di saggina, le righe li dividevano in bianchi settori geometrici.

Soffermò l'attenzione sul Centrale, chiuso tra gli altri quattro campi, solo in apparenza eguale a loro. Ma era la sua collocazione a renderlo diverso, destinato soltanto agli eletti.

Proprio sul Centrale, l'indomani, avrebbe disputato la finale contro Emmy e Bossi, al meglio di tre set. Sapeva di valer più di Emmy, ma sarebbe riuscito a rimandare una palla del campione, almeno una?

Forse Bossi sarebbe stato gentile, avrebbe tirato piano, come faceva Sweet. Ma quell'ipotesi non gli parve più possibile dopo la delazione della scarpa. Proprio allora i campioni uscivano di casa. Decise di seguirli sino in paese, e Bossi fu cordiale come sempre, allegro come sempre. Non se l'era presa, e Giovannino si sentì colpevole, prossimo a chiedere scusa.

Si ritrovarono nella hall dell'Albergo Victoria. «Signor Bossi! È urgente!» Il concierge porse al tennista una scatola di cartone biancoverde.

Bossi la scoperchiò. Dall'involucro di carta trasparente trasse un paio di scarpe Dunlop immacolate, identiche a quelle sdrucite.

Abbandonato su una poltrona, Rado era vittima di un inarrestabile fou rire.

Nell'abbassare gli occhi, Giovannino vide il panno logoro delle sue scarpine giallognole.

Volò nel caruggio, da Nattero, calzò un paio di fiammanti Dunlop inglesi. Ritornato a casa, fece di tutto perché la mamma le notasse.

«Chi te le ha regalate?» s'insospettì lei.

«Tu.»

La mamma aprì bocca, la richiuse, gli voltò le spalle.

Dalla cucina venne il tonfo di un pestacarne.

Fu la nonna a irrigidirsi sulla cravatta. Già era discutibile giocare senza la giacca. Ma insieme a un Lord, a un nobile insomma, alla cravatta non era lecito rinunciare.

Le tre donne lo seguirono per la discesa inghiaiata che conduceva al club. La mamma con il tailleur nuovo, la nonna sotto il cappello che riservava per solito alla messa, Maria armata di ombrello e scialle. Giovannino s'impose di sfuggire le loro ombre incalzanti. Se l'avessero sfiorato, pensò, avrebbe perduto.

La famiglia ricevette grandi lodi per le esibizioni di Giovannino. La mamma sorrideva mondana, la nonna alzò le mani alle guance, senza troppo capire. Concluse trattarsi dei meriti dell'Addolorata.

Giovannino era intanto scivolato al muro. Consegnò la cravatta a Balin, promise che gliel'avrebbe regalata in caso di vittoria.

Prese a battere e ribattere la palla, senza sentirla sulle corde, cercando di isolarsi dai suoni, dalle voci, dal calpestio dei passanti.

Giunsero Bossi ed Emmy. Il campione le cingeva la vita con la sinistra, nella destra teneva una racchetta appena riaccordata da Sweet. La palla sfuggì a Giovannino, e Bossi la colpì, senza staccarsi da Emmy. Confuso da quella disinvoltura, Giovannino si sentì mancare. Presto l'avrebbe avuto contro, sul campo!

Arrivò Lord Hambury, gli posò le mani sulle spalle.

«Ready partner?» s'informò.

Inghiottì, accennò di sì senza saper rispondere. Scese le scalette che conducevano al campo centrale dietro a Sweet, a Hambury e a Bossi che stuzzicava la povera Emmy, scarlatta.

Entrò in campo e camminò guardandosi le scarpette nuove, evitando le orme che lo precedevano.

Invitato a sorridere dal fotografo Gaibisso, prese un'aria sciocca gonfiando il torace e alzandosi sulla punta dei piedi.

Andò verso il fondo del campo perdendo due volte la Pirelli candida che Sweet gli aveva consegnato. Attese la palla di Bossi senza speranze, sentendosi come a Natale, issato nel mezzo di una tavolata e incapace di ricordare la poesia.

Venne la palla e la respinse, ritornò e la respinse. Alla fine si accorse di non aver respirato per un buon minuto.

Sweet sorteggiò il servizio, presentò i giocatori al pubblico, non meno di cinquanta tra soci e curiosi.

Hambury iniziò a battere sulla povera Emmy, che sbagliò di qualche metro, e continuò a sbagliare, sbuffando, pestando i piedi, rivolgendo sguardi disperati a Marta e infastiditi a Pino, quasi fosse proprio lui il responsabile.

Bossi raccoglieva e le porgeva come bouquet quelle palle tanto maltrattate, la consigliava sorridendo, per poi sbagliare colpi applauditi per la sfortunata eleganza.

Giovannino rinviava molli diritti intenerendo la mamma e facendo infuriare Sweet, costretto alla neutralità dal suo ruolo di giudice.

Hambury segnava punti su punti. Vinsero il primo set.

L'applauso sembrò venato di disinganno, per l'incredibile défaillance del campione.

Egli dovette rendersene conto, perché i sorrisi a Emmy divennero forzati, i rimproveri meno blandi. A un ultimo clamoroso errore, la confinò senza complimenti in un angolo del campo. La violenza dei suoi tiri irritati respinse Hambury da rete, e Giovannino si ritrovò sempre più spesso indifeso, sotto quella grandine.

Prese a sbagliare colpi accessibili, e addirittura sommò uno sull'altro doppi errori. Hambury non osava più incoraggiarlo, Sweet incideva furioso il foglio d'arbitraggio, sinché gli rimase tra le dita un moncone di matita spezzata.

Venne il terzo set. Giovannino non alzava più gli occhi, Balin gli porgeva la palla come fosse l'estrema unzione. Lord Hambury si batteva per l'onore delle armi, Bossi aveva trovato modo di piazzare Emmy a rete, la racchetta issata a difesa del corridoio e del bel nasino.

Fu allora che apparve la principessa. Traversò su un'immaginaria passatoia il court, per bloccare il suo allievo che stava cambiando campo.

«Declinare rosa-rosae», impose.

«Rosa, rosae», iniziò incredulo, meccanicamente. La voce gli si ruppe, e accennò di no, col capo.

La mano di lei colpì il ginocchio con uno schiaffo che Giovannino sentì sulla guancia.

«Rosae», azzardò timidamente.

Un sorriso lo invitò a continuare.

«Rosam, rosa, rosa.»

Giovannino rialzò gli occhi a guardare Sweet, che gli faceva fretta, Hambury, Bossi ed Emmy che l'attendevano.

Di corsa raggiunse il suo posto, mentre tre o quattro spettatori l'applaudivano. «Forza ragazzo», gridò d'un tratto la voce di Pino.

Trasformato, Giovannino prese a giocare quasi fosse, quella partita, la quotidiana lezione col maestro. Evitò Bossi, diede addosso alla povera Emmy.

Il gioco si ribaltò, Lord Hambury riprese coraggio, il set finì rapidamente.

Giovannino fu abbracciato dal suo nobile compagno, dal maestro e, certo a malincuore, da Bossi.

Ricevette una piccola coppa d'argento, la sollevò trionfante come aveva visto nelle foto dei campioni.

Partecipò al cocktail, bevve champagne, e ottenne che anche i raccattapalle ne gustassero, rendendoli fastidiosi e inutilizzabili per il resto del pomeriggio.

Neppure la nonna, che vantava la superiore educazione e i tiri altissimi di Emmy, riuscì a scalfire la sua grande gioia.

La finestra si aprì più rapidamente dei suoi occhi assonnati. La mamma si sedette sul letto, spalancò il giornale. Giovannino si ritrovò di fronte a un titolo composto dal suo nome e da quello di Lord Hambury. I CAMPIONI SOCIALI.

Secondo quella prosa esaltata, il suo slancio era simile a quello di Balilla.

Lasciò cadere il giornale.

«Ma possono, mamma?»

«Possono che cosa?»

«Possono mettere chi vogliono sul giornale?»

«Ma certo.»

«Anche se uno non vuole?»

«Perché no. Ma non sei contento?»

Scosse la testa.

«Ma lo manderemo a papà. Sarà felice.»

«Volevo scriverglielo io. Mandargli una lettera insieme alla foto.»

La mamma alzò le braccia al cielo. Non era mai contento, un vero bastian contrario. E adesso riceveva anche lettere. Gettò una busta sul letto, e se ne andò irritata.

Giovannino la rigirò leggendo un paio di volte il suo nome, seguito da un misterioso Esq., senza il coraggio di aprirla. Cominciò poi a scollarla pian piano da un angolo, introdusse l'indice, rabbrividì al lacerio. Estrasse il foglio che portava in rilievo uno stemma, lesse le poche righe battute a macchina. «Lord Hambury si onora di invitare il suo partner a cena, per le sette di sera».

Saltò dal letto, corse confuso dalla mamma.

«Lord mi invita a cena. Come faccio?»

Si arrangiasse, gli fu risposto. Anche Marta aveva organizzato un party in onore dei tennisti, con la sua torta preferita, quella di ciliegie. Se preferiva Lord Hambury, pensasse almeno a scusarsi.

Galoppò dalla principessa, mostrò la lettera, chiese consiglio.

Gli fu fatto notare che i due inviti non cadevano la stessa sera. Confessò il disagio per i misteriosi obblighi di etichetta che lo attendevano, a casa del Lord.

«Non ti ricevo forse ogni giorno?»

Giovannino abbassò il capo, farfugliò qualche scusa.

«E adesso declina cento volte rosa-rosae per quel tuo atroce secondo set. E meglio di Balilla, se puoi.»

Cominciò a grattare col pennino, sentendosi sempre più a suo agio, nel rientrare dai panni del vincitore in quelli dello scolaro.

Come ebbe finito, la principessa controllò, approvò, gli prese la mano. Sul tavolo di cucina, accanto al samovar, lo attendeva una piccola torta, con una rosa e una racchetta di zucchero filato.

Per controllare l'ingresso del Tennis Club Alassio, si era predisposta una recinzione di bambù, e il custode Garibaldi, dotato di un fiammante berretto a visiera, ne presidiava il passaggio obbligato, con l'incarico di ammettere soltanto giocatori, signori soci, o spettatori muniti di biglietto.

Impaziente di conoscere nuovi campioni, Giovannino gironzolava intorno al custode, e fu testimone di una terribile sgridata che quel misero cerbero subì da un omino ancor più piccolo di lui, fierissimo sotto un enorme turbante di broccato acquamarina. Arrivò, l'indiano, a minacciare Garibaldi puntandogli in direzione dell'occhio sano un'unghia acuminata come un kriss, e il poveretto fece un balzo all'indietro riparandosi il viso con il blocchetto dei biglietti, prima di lasciar via libera con un profondo inchino.

Era, spiegò Rado, un maragià potentissimo, fanatico di tennis, tanto ricco da non giocare più di una volta sullo stesso campo verde, nei suoi domìni.

«Ma è un campione?» s'informava Giovannino, tenendo pronto il libretto per gli autografi.

«È il campione del suo paese, il reame di Kutch. Nessuno osa batterlo, per il terrore di aver la testa tagliata.»

Giovannino si trattenne prudentemente dal chiedergli una firma, sebbene fosse curioso di vedere in quale lingua scriveva, e rimase ad attendere l'arrivo di altri campioni. Da una carrozza ne stavano scendendo alcuni che ravvisò, per averli visti effigiati su «Il Tennis Italiano», il mensile puntualmente riservatogli, insieme al «Corrierino» e agli albi di Gordon.

Ufficialmente incaricato dell'accoglienza per la sua carica di segretario, Mr. Goodchild non sembrava invece riconoscere quei grandi, e aumentava la confusione con ripetute gaffes. Dalla carrozza, insieme a una valigia tempestata di etichette, stava infatti scendendo un bassotto dal naso di pugile, le enormi spalle contenute da un maglione azzurro con lo stemma tricolore.

«Lei Romanoni», lo accoglieva ilare il segretario, afferrando volonteroso un mazzo di racchette Dunlop, e facendone cadere un paio sulla ghiaia. Nell'affrettarsi a raccattarle e a saggiarne corda contro legno l'integrità, Gianni Cucelli imprecava nel nativo dalmata: «Chi xe 'sto mona, la Perfida Albione al maschile?»

Aveva un bel suggerire, Giovannino, mostrando l'autografo sul suo notes: «È Cucelli, Mister», ma Goodchild si era già lanciato verso un altro giovanotto, stretto come Fred Astaire in un doppiopetto di shantung bianco, olivastro di pelle sotto la tesa obliqua di un Borsalino: «Lei Cucelli, il nazionale?» si accaniva festoso. La richiesta d'autografo avrebbe calmato, almeno in parte, Francesco Romanoni, il più bel rovescio dell'Italia fascista. «È la prima volta», commentava sarcastico allontanandosi, «che mi prendono per Cucelli. Come scambiare Rodolfo Valentino con uno scimmione!»

Ad affascinare ancor di più Giovannino, a esaltarne l'immaginazione, provvide l'arrivo di una rossa Balilla Coppa d'Oro decappottabile, guidata da un giovanottone in casco, occhiali e guanti gialli. Annibale Scotti era ricoperto di polvere non meno del suo compagno Piero Martinelli, e subito mise a parte Rado delle loro prodezze a Barcellona, città che avevano lasciato da sole quattordici ore guidando senza soste «alla Nuvolari».

Erano, fu informato Giovannino, milanesi come Rado, e dovettero prenderlo in simpatia, se cominciarono subito a domandargli il nome di tante signorine che si aggiravano per il circolo, e addirittura informazioni sulla sua mamma. Mentre Rado accompagnava gli amici in spogliatoio, Giovannino si avvicinò timidamente a Palmieri, il Campione d'Italia che anche Mr. Goodchild pareva aver riconosciuto. Iniziò un girotondo avvolgente, sempre più vicino al segretario, per farsi presentare quel mitico tennista, ma i due sembravano impegnatissimi a parlar di denaro, sembrò a Giovannino che Palmieri vantasse un credito che Goodchild non voleva riconoscergli, e questo doveva renderlo tanto nervoso che, a un certo punto, si voltò per intimargli: «Smamma regazzì. Si vvoi l'autografo, rivjié domani».

La mortificazione fu alleviata dall'arrivo del presidente del club, Lord Hambury, tanto amabile da presentarlo a un altro campione, Giorgio de Stefani, e alla sua mamma, una signora che sembrava vestita a lutto, calze nere, cappello nero, addirittura un ombrellino parasole di seta cupa. Quando de Stefani, che le parlava inglese, chiese licenza di assentarsi, la mamma gli suggerì: «Non dimenticare la canottiera». Con aria di niente Giovannino s'infilò dietro al campione e gironzolò negli spogliatoi per accertarsi se quello, così grande, avrebbe ubbidito.

Sotto la camiciola fregiata da un grande stemma Savoia e da un fascio littorio, il campione indossò puntualmente la canottiera, e poi scese sulle tribune, dove lo attendeva un giovanotto alto e magrissimo, biondo, col viso di una bambola di cera arrossato ai pomelli. Poco meno eccitato di Giovannino, il maestro Sweet spiegò che quel campione era francese, si chiamava Bernard Destremau, erede dei Quattro Moschettieri e tennista di grandissimo futuro. Maestro e allievo si sedettero ad ammirare i due, e Giovannino rimase interdetto nel veder de Stefani passare la racchetta dalla destra alla sinistra, per poi colpire splendidamente la palla con un drive mancino e segnare il punto. Alzò gli occhi incredulo. Era permesso, cambiar mano?

Certo che sì, rispose il maestro. Ma de Stefani era un autentico ambidestro, l'unico al mondo capace di colpire la palla con due impeccabili diritti. Sweet fu chiamato in aiuto da un disperato Goodchild, soverchiato dagli impegni e sempre più confuso.

Giovannino rimase fisso al gioco, conquistato da quell'intuizione geniale, da quei due diritti imprendibili. Come de Stefani e Destremau si strinsero la mano e uscirono dal campo, filò verso il muro, per tentare a sua volta quel nuovo colpo, con la sinistra.

Stava ingegnandosi a colpir la palla, che si sentì trafitto dallo sguardo del maestro.

«Provavo», si giustificò.

«Ti ho mai detto di giocare come me?»

E, alla sua risposta negativa.

«Puoi solo giocare come Giovannino.»

Fece cenno di sì, e prese a ribattere di rovescio.

Per ricevere i campioni si lucidò a specchio Villa Iris, si pettinò il giardino. Nell'aiuola di fronte all'ingresso, la signora Marta tracciò con la paletta un augurio: «Benvenuti». La scritta fu dapprima punteggiata di buchette, Giovannino incaricato di controbattere le incursioni del micio. Gaine portò le lobelie, Bibin le introdusse nelle buchette che Giovannino rincalzava.

Quando erano ormai giunti a Benve, la signora Marta venne a controllare, fece una smorfia, decise che quell'azzurro, nel buio, non si sarebbe visto, nemmeno con l'aiuto di un piccolo faro. Gaine fu inviato a comunicare quell'opinione al capo giardiniere comunale. Questo accorse in moto, si fece consulto.

La signora Marta stanò Pino dallo studio, lo pregò di accompagnare Bibin con la sua Dilambda. Partirono, alla volta di un vivaio premiato all'Esposizione Universale di Parigi, celebre per un arancio dal sapore di limone.

Si dissotterrarono intanto le lobelie, le si ripiantò nella serra dalla quale erano state da poco estirpate.

Pino fu presto di ritorno con il capo del premiato vivaio, una cassetta di begonie gialle e un'altra di rosse capucines. Il capo vivaio annusò il letame, e qualcosa lo spinse a storcere il naso. Il capogiardiniere ne assunse bruscamente la difesa. Incredulo Giovannino lo ascoltò spergiurare che non potesse avere un odore migliore.

Marta ritornò insieme alla mamma e alla cuoca Carlotta, che aveva confezionato un cono adatto a una nuova scritta. Il vento leggero della sera spargeva il getto di farina sulla terra appena smossa.

Marta si schermì dalle lodi del capovivaio, si allontanò

per la prova dell'abito, appena giunto al seguito della sarta e di una piccinina.

Assistiti dai giardinieri, i due capi iniziarono a interrare delicatamente i nuovi fiori.

Sospettoso di quel gruppo operante su terra appena smossa, don Maurizio, il parroco, suonò il campanello e venne a dare un'occhiata.

Come la scritta «benvenuti» fu ultimata, i capi inviarono Giovannino dalla signora Marta. Lei corse fuori, seguita dalla mamma, dalla sarta e dalla piccinina, e approvò.

Fu la mamma, questa volta, a interferire. Non sarebbe stato più cordiale un bel punto esclamativo? Certo, ma non c'erano sufficienti begonie. Pino fu chiamato di nuovo. Mise in moto, ritornò con una nuova cassettina. Il punto esclamativo venne tracciato e piantumato.

Prima di ripartire alla volta di zia Marta, Giovannino osservò che quei bei fiori non avevano profumo.

«Meglio premunirsi» osservò Pino, e lo inviò nel suo bagno, alla ricerca di un vaporizzatore di acqua di colonia.

Tornò Giovannino, e stava giusto finendo di spruzzare capucines e begonie, che Marta apparve inaspettata e scintillante.

Fu il capo vivaio il più pronto a risponderle.

«L'antiparassitario, donna Marta.»

Finalmente soddisfatta, Marta concesse la sua approvazione.

«Palmieri venga vicino a me.»

Il campione si trasferiva sul divano, di fianco alla signora Marta.

«Mi racconti qualcosa, Palmieri.»

«Che le posso dire, signora.»

«Mi racconti dei suoi viaggi. Chissà quanti bei siti, le metropoli.»

«Sempre gli stessi posti, un anno dopo l'altro, signora.»

«Chissà quante avventure.»

Palmieri scuoteva la testa. «Non è come al cinema, signora», sorrideva.

Marta nervosa si versava un Negroni, per guardare interrogativa il tennista.

«Grazie no. Proprio non posso», si schermiva lui.

«Quanto bevi, zia Marta», s'intrometteva Giovannino, che di nascosto aveva sgraffignato un bicchiere. Poi, rivolgendosi al padrone di casa: «Zio Pino, guarda quanto beve zia Marta. Ne ha già bevuti quattro».

«Sta' zitto caro.»

«Perché bevi così? Di solito non bevi.»

«Zitto Giovannino», interveniva la mamma. «Vuoi andare subito a letto?»

Giovannino si trasferiva nella zona in cui sedevano Emmy e Bossi. Girellava insistente sinché i due erano costretti a guardarlo.

«Perché le tieni la mano, Bossi?»

«Non hai ancora sonno, Giovannino?» s'informava lei.

«Bossi, sai che la Emmy suona il piano?»

«Sono fuori esercizio», si schermiva lei.

«Suona sempre», puntualizzava Giovannino. «Zia Marta

voleva farle smettere il tennis per via del callo alle dita, che rovina l'avorio.»

«Appanna la sensibilità digitale, sciocchino.»

«Zio Pino, perché la Emmy non ci suona qualcosa?»

Senza rispondere, zio Pino spalancava le braccia.

Incitamenti giungevano dai tennisti.

Emmy rifiutava, sinché Rado non ebbe sollevato il coperchio del pianoforte, e Bossi promesso di voltare le pagine dello spartito.

Zia Marta spense una luce, ne accese una seconda. Accolta da un applauso Emmy iniziò a pestare volonterosa.

Il pubblico rimase silenzioso per qualche minuto, poi nacquero bisbigli, e un'educata masticazione di tartine finì per contrappuntare quella di Chopin.

Terminata la pagina, Emmy levò gli occhi verso Bossi. Lo sguardo di lui era fisso alla mamma di Giovannino.

D'improvviso la pianista s'abbandonò sui tasti, in lacrime.

Fu Marta ad abbracciarla. La scusassero, quella sua bambina tanto sensibile. Non c'era atmosfera, non era la serata adatta.

Piangente e consolatrici si allontanarono alla volta del bagno. Pino minimizzò il piccolo incidente, strinse molte giovani mani abbronzate, si scusò per i suoi orari impietosi, augurò buon divertimento.

Giovannino fu interrogato sulle abitudini della mamma, sull'esistenza di papà. Infine provocato a bere una coppa di champagne. Ritornarono splendenti le donne dal bagno, Emmy di nuovo gaia.

«Balliamo?» propose.

Giovannino fu incaricato di cambiare i dischi.

Bambina con l'abito blu
bambina mi piaci di più

canterellò barcollando. Fu strapazzato dalla mamma per aver bevuto di nascosto. Minacciato di immediato trasferimento a letto.

Rado intercedette. Bossi invitò la mamma, volteggiò con lei, e Giovannino gli si appese alla giacca, per tempestargli la schiena di pugni. Bossi fuggiva facendo lazzi di terrore. Giovannino gesticolante fu trascinato in camera di Emmy, lasciato solo con la mamma.

Si calmò, addirittura sorrise e cambiò pensieri come lei gli giurò di volergli bene, più che a chiunque altro.

«Anch'io, vedi, ho bisogno di divertirmi un pochino, di scherzare», spiegò.

Annuì. Avrebbe dormito nel letto di Emmy. Si addormentò tenendo stretta la mano della mamma.

Lo risvegliò, nel mezzo della notte, l'arrivo di Emmy.

Sbirciò con un solo occhio, mentre si svestiva, usciva da pizzi neri e trasparenti. Richiuse per un istante gli occhi come lei apparve nuda, riflessa nello specchio, le spalle teneramente abbracciate.

Indossò una camicia azzurra che ne velava appena il corpo, si carezzò il viso che presto spiccò nell'ombra bianco di crema.

Venne verso il letto, e lo guardò.

Giovannino chiuse ancora più forte gli occhi, sentì il letto gemere, poi la mano di Emmy gli si posò sul petto, e scivolò a carezzarlo sino alle cosce.

Trattenne il fiato, sinché la mano non si fu allontanata, e il respiro di Emmy divenne più tranquillo, profondo. Per la seconda volta in pochi giorni, faticò a prendere sonno.

Non c'erano meno di trecento persone, una folla, stipate sulla tribuna e nelle scale del Tennis Club Alassio, e Goodchild aveva perso il controllo della situazione non meno della cuoca Paolina. L'uno destinava due contendenti a un campo già occupato, l'altra serviva un tè al limone invece di un lemon tonic.

A disagio tra tutti quegli sconosciuti, Giovannino assisteva incredulo al crollo dei migliori tennisti del club. Lord Hambury sbatacchiato da un traccagno rissoso, tanto sfacciato da controllare i punti impeccabilmente chiamati dal maestro Sweet. Il colonnello Strauss addirittura asfittico, deriso da un diciottenne pieno di spocchia. Il conte Galleani in crisi – ma lui almeno aveva raggiunto il terzo set – contro il maragià di Kutch, che indossava un turbante più piccolo del solito, adatto alla gara e all'alea degli smashes. Giovannino venne chiamato dal segretario Goodchild, destinato al campo n° 7, il più periferico. Facesse in fretta, l'avversario lo stava aspettando, avrebbe potuto addirittura domandare lo «scratch». Cos'era? si preoccupò Giovannino. Il «walk over», gli fu risposto. Senza capire, corse a perdifiato al n° 7, il campo per solito adibito alle lezioni di Mr. Sweet. Ad attenderlo, nei suoi pantaloni lunghi di flanella bianca, un immacolato pullover a torciglioni con i colori verde oro, non meno di quattro fiammanti Slazengers sotto braccio, stava un ragazzo di una quindicina d'anni, in compagnia di un autista con berretto e divisa grigia, a metà tra quella di un domatore e un pigiama.

«Buongiorno. Sono l'avversario», farfugliò Giovannino.

«Era ora. Conte Famiano Scrivanti-Sossi», declinò il ragazzo. «E l'arbitro?»

Dell'arbitro, Giovannino non sapeva niente. Vide Primo,

il suo amico raccattapalle, ammiccare e lo indicò: «Ci sarebbe lui».

«Vorrei un arbitro con le scarpe, e possibilmente in grado di contare oltre il dieci», sdegnò il contino.

«Per cattarti le palline chiama un professore», ribatté Primo, e svicolò via, non prima di aver sputato con intenzione vicino alle candide Superga del conte. «Vai tu, per l'arbitro, Nando», ordinò allora il contino all'autista. E, a Giovannino: «Sai almeno giocare? Vedi di non mandarmi fuori palla».

Mentre palleggiavano, l'autista fu di ritorno affermando che arbitri non ce n'erano, e che il segretario inglese designava lui, se gli avversari erano d'accordo.

«Non perdiamo altro tempo», stabilì il contino, e fece piroettare la racchetta per raccoglierla affermando: «Rough. Servo io».

Impreparato, Giovannino nemmeno raggiunse la prima battuta dell'avversario: «Ma non devi dire play?» tentò timidamente.

Gli rispose un ghigno ironico. Si sentì impotente, schiacciato come di fronte al maestro Riedl. Abbassò gli occhi, strinse i denti, si rassegnò al peggio. Ribatteva dignitosamente sul rovescio dell'avversario, un colpo abbastanza blando ma quello si spostava lesto a beccarlo col diritto. Dopo due games perduti, Giovannino cominciò anche a domandarsi se l'autista non ci vedesse bene: assegnava tutte le palle incerte al suo padroncino. A un nuovo, clamoroso errore, si rivolse all'avversario, per chiedergli conferma. «Play the chair, dicono gli inglesi», rispose quello beffardo. E si prese il punto.

La gola stretta, le lacrime agli occhi, si guardò intorno come un naufrago. Tutti lo avevano abbandonato?

C'era dietro alla rete metallica di fondo campo, un solo spettatore, un bambino grassoccio contenuto da un completo alla marinara, la custodia del violino stretta tra le braccia. Giovannino gli lanciò un sorriso disperato, il marinaretto posò il violino per stringere i pugni, in un gesto di incoraggiamento.

Confortato riprese il gioco. Risaliva due, tre punti, poi un giudizio assassino dell'autista lo ricacciava indietro. Come il primo set fu definitivamente perduto, 0 a 6, il bambino grasso gli fece un cenno, indicò il violino per fargli capire che sarebbe tornato, e trottò via.

Quando ormai non sperava più nell'aiuto degli uomini, il marinaretto riapparve, e in buona compagnia: la mamma, zia Marta, zio Pino, Augusto Rado. Entrò in campo il campione, per imporre all'autista di andarsene. Troncò netto le lamentele del contino: «Ordine dell'organizzazione». E sedette sul trespolo.

Giovannino prese a giocare come sapeva. Risalì lo svantaggio, non tanto da rovesciare l'esito del match, ma fino a procurarsi un dignitoso 4 a 6, contro un avversario velenoso e, alla fine, impaurito. Quando ebbe raggiunto l'arbitro per stringergli la mano, ne venne addirittura abbracciato. «Meglio non incontrarlo, l'anno venturo», buttò Rado al contino che se ne andava come un ladro, seguito dal suo complice in divisa.

E il campione spiegò a Giovannino e ai suoi sostenitori che quel ragazzo presuntuoso era uno dei migliori juniores italiani, addirittura giocava all'estero, e non solo nelle gare giovanili. Giunse a congratularsi anche il colonnello Strauss, e volle ascoltare un sunto della partita. Mentre si esaltava nel racconto, Giovannino si ricordò del marinaretto. Non si era mosso. Andò verso di lui, lo ringraziò per averlo aiutato.

Quello scuoteva la testa, con aria gentile e confusa.

«Parlo poco italiano», affermò infine, con vivo accento gutturale. Giovannino si rivolse a Strauss, e il colonnello interrogò per poi tradurre: «È qui da poco. È scappato con i suoi dalla Germania».

«Scappato? E perché?»

«È ebreo.»

A quella parola, il bambino abbassò gli occhi.

«E se è ebreo?» insisteva Giovannino.

«È pericoloso», sospirò Strauss.

«Ma perché?»

«Perché molti pensano che tutte le colpe siano loro.»

«Come la principessa Korff quand'era in Russia.»

Strauss fece uno stanco gesto d'assenso.

«Digli che vorrei essere suo amico. Mi ha aiutato. Non vuole un'aranciata?»

Si avviarono, verso il salone, con il bambino che li accompagnava a due passi di distanza, incerto.

Strauss continuava a tradurre, e informò Giovannino che il suo nuovo amico avrebbe voluto suonare per lui.

«Quando vuole. A casa mia.»

Il bambino sorrise, e fece cenno di no.

«Ti ringrazia, ma è meglio che non venga.»

Pesanti passi risuonarono nel salone. Tutto nero nella sua corazza di orbace il Federale si dirigeva rumorosamente al bar, accompagnato da Mr. Goodchild, e da un altro tipo che non si era tolto il cappello.

«Devo andare», bisbigliò il bambino, e scivolò via.

«Ma Strauss», prese a ribellarsi Giovannino. «E l'aranciata?»

«Parliamo di tennis», lo bloccò netto il colonnello.

Dovette lottare a lungo per evitare l'imposizione di un pizzo sul velluto nero, una sorta di collare a imitazione di un'immagine che la nonna aveva rinvenuto in un libro, il *Piccolo Lord*. «È lui il Lord, non io!» si accanì a ribattere, sinché acconsentirono a lasciargli indossare il vestito della cresima, a condizione che conservasse la cravatta.

Mentì, consapevole, progettando di scioglierne il nodo non appena la carrozza fosse fuori vista. Dalla finestra, le voci lo rincorsero: «Giù di lì, che ti impolveri!» Ma era già a cassetta, e dopo la curva l'attendeva la libertà, le redini di dolce cuoio da impugnare. Fantino stava a fianco, attento a che uno strattoncino inesperto non pizzicasse il morso di Nearco. Tutto allegro il cocchiere, per l'imminente incontro con lo stalliere-autista di Lord Hambury, «uno che se ne intende, secondo Nearco.» Nearco, spiegò Fantino, era infallibile nei suoi giudizi. Mai si sarebbe lasciato condurre da mano profana, mai avrebbe permesso di essere soltanto sfiorato da persona impura: «Domandaci a quell'anticristo di Baroggia se si ricorda il calcio nelle mele?» ghignò. Ma avevano ormai superato il grande cancello in nero ferro battuto, sul quale svettavano le iniziali D.H., presidiate da una tigre e un elefante. «Lo stalliere dice che le cacciavano, ce n'erano tante come da noi le volpi. E sai come le cacciavano?»

«Con l'elefante», rispose sereno Giovannino, e Fantino lo guardò a bocca aperta, e sinceramente rimase male.

Si riprese, Fantino, mentre salivano i dolci tornanti che conducevano alla villa. Il suo amico stalliere possedeva una sterminata riserva di carrube, che Nearco adorava. E, nel parlare di cavalli ed elefanti, avrebbero dato fondo a una bottiglia di liquore inglese, il vischi, un sollucchero migliore della grappa.

Ma, simile ad Aladino, lo stalliere era già apparso ad accogliere Fantino a grandi pacche, e Nearco con una carezza, o meglio, un tocco da autentico esperto, un amore fatto scienza.

Liberato dalle stanghe Nearco accennò un trotterello che subito si spense di fronte al miraggio di una greppia colma di carrube. In un suo misterioso linguaggio, che pareva inglese ma non lo era, lo stalliere si rivolse allora a Giovannino, e gli fece strada, per consegnarlo all'inchino di un altro personaggio. Aveva, notò Giovannino, le calze lunghe, come i calciatori, ma era infinitamente più elegante con quella sua giacca a codine, simile a un uccello di piuma blu. Anche il maggiordomo si esprimeva in un angloligure che rese ilare Giovannino, non appena ne ebbe ravvisato la somiglianza con le battute dei suoi prediletti Stanlio e Ollio. Capì che il maggiordomo stava per condurlo da milord, e lo seguì docilmente. Passando lungo vialetti ritagliati tra geometriche figure di verdi prati e di ligustri raggiunsero un poggio, dal quale l'occhio spaziava su un campo di fiori gialli, rigorosamente allineati. Da una sorta di trono ligneo, Lord Hambury guardava i fiori. Come il maggiordomo avvicinò l'indice alle labbra, Giovannino credette addirittura dormisse. Dopo un paio di minuti, dovette ammettere di sbagliarsi.

«Stavo meditando, Giovannino», gli sussurrò infatti, rendendosi finalmente conto della sua presenza.

Giovannino non conosceva il significato di quella parola e, per capire di più, tentò subito un paragone: «Come Strauss prima di fare un quadro?» domandò.

Sorrise Lord Hambury, per rispondere: «Come il maestro Sweet prima di battere un ace».

Parve a Giovannino che le spiegazioni non riuscissero a mettere decisamente a fuoco quell'atteggiamento del Lord, e riprese a dire: «Ma Strauss poi dipinge il quadro. Ma Sweet poi segna un punto».

Sorrise Lord Hambury. «Entrambi esercitano uno strumento. Anch'io.»

Giovannino non osò approfondire, e si limitò a domandare: «Ma perché i girasoli?»

«Potrebbe anche essere un altro fiore, potrebbe essere l'erba che cresce», spiegò il Lord. E si avventurò a raccontare che i girasoli erano gli ambasciatori del sole in questo nostro mondo. Nascevano dai suoi raggi, e onoravano il loro signore, seguendone fedelmente il percorso durante tutta la giornata.

«Vedi Giovannino. Ora che tramonta, anche loro chiudono pian piano il loro grande occhio, e tra poco inizieranno a dormire.»

Giovannino rimase beato di fianco al suo partner. Tante volte si era incantato, a seguire la vita degli insetti, e infinite, piccole vicende nel giardino di Strauss, o nel parco del Tennis, o nella serra di zio Pino. Ma c'era sempre stato qualcuno che, prima o poi, era venuto a importunarlo, a domandargli se stesse fantasticando, o cosa stesse facendo, se avesse terminati i compiti, dove fosse la mamma, o altro. Lì, accanto a quel signore di sessant'anni, e quindi a un uomo per lui vecchissimo, Giovannino si sentiva del tutto libero di fare e non fare, di rispondere o di tacere. E infatti, a un certo punto, si alzò, ripulì con la sua mano uno spazio ricoperto di ghiaia, e con i sassolini compose una imitazione di un girasole, che il Lord, alzandosi, non si trattenne dal lodare.

«Si va a cena», annunciò Hambury, e traversò il giardino che rappresentava, cercò di spiegare, un itinerario della sua vita. «Vedi, io sono nato qui, e qui sono stato battezzato, qui è morto mio papà, qui ho avuto la mia laurea, qui mi sono sposato», e avrebbe continuato a lungo, se Giovannino non l'avesse interrotto, per domandargli: «E dove ha ucciso la tigre?»

Il Lord indicò con l'indice una piccola roccia che aveva la forma di un bersaglio concentrico, sulla quale si intuiva vagamente il bassorilievo di un arco. Parve a Giovannino che Lord Hambury si facesse d'un tratto serio, ma si sbagliava. Infatti, riprese il suo abituale sorriso, non appena si sedettero uno di fronte all'altro nella grande sala da pranzo, e la sua curiosità per un posto vuoto apparve più che evidente.

Spiegò il Lord che quel posto era riservato «alla carissima

sposa», estremamente incostante nell'occuparlo, ma non ancora, non definitivamente svanita. «In attesa di reincarnazione», spiegò il Lord, e Giovannino non ebbe difficoltà ad accettare quel concetto, tanto comune nelle favole di principi tramutati in rospi e viceversa.

Apparvero i cibi, diversi per i due commensali, rigorosamente vegetali per Hambury, e di cucina ligure per il suo giovane ospite. Anche qui, Giovannino non si sorprese che il Lord lasciasse a lui un succosissimo arrosto. Quante volte avrebbe voluto rimandare la minestra, o il terribile riso scotto nel quale la nonna introduceva disgustose foglie di salvia! Il piatto riservato alla terza invisibile commensale veniva zelantemente riempito, e Hambury le rivolse anche un paio di volte la parola, senza ottenere, pareva, una risposta, perché quell'accenno di dialogo si smorzò presto. Qui Giovannino non riuscì a dissimulare una certa curiosità, e il Lord l'invitò, se credeva, a rivolgere qualche domanda all'amata. Ma il risultato fu negativo, anche perché, spiegò Hambury, quella grande linguista della moglie aveva padroneggiato non meno di sei dialetti orientali, ma non aveva avuto il tempo per approfondire l'italiano.

«Eravamo da un anno ad Alassio, che lei se n'era già andata», informò.

E il Lord, d'improvviso, iniziò a raccontare di quei paesi lontani, avventure che, a Giovannino, parevano uscire da un libro di Kipling. Soprattutto, gli piacquero quelle africane, anche perché vicende simili stavano forse accadendo al suo caro papà lontano.

Incaricato di metter ordine in un territorio di Sua Maestà grande quanto la Liguria, il giovane Hambury si era sentito così solo da ammaestrare uno scimmiotto. Tanto simile all'uomo, quello scimpanzé, da prendere i pasti seduto insieme a Hambury, entrambi accuditi da un nugolo di servitori, che riservavano alla scimmia le stesse attenzioni rivolte al padrone.

Era rimasto quasi un anno nella sua casa di argilla gialla, lo scimmiotto Darwin, ma infine era scomparso nella giungla. «Mi tornò a salutare una notte, con la sua sposa e il bambino. Fu molto cerimonioso, e insieme affettuoso. Voleva che capissi le ragioni che l'avevano spinto a lasciare la casa nella quale l'avevo accolto piccino, privato della madre dal colpo di fucile di uno sciocco.»

Raccontava e raccontava, Lord Hambury, e Giovannino dimenticava quasi di terminare la squisita torta di mele.

Dopo lo scimmiotto, per non sentirsi solo tra tutti quegli enormi negri, il Lord aveva adottato un piccolo «cavallo da fiume», che è poi il nome dell'ippopotamo. Anche lui orfano, anche lui bisognoso di esser sfamato e di sfuggire le insidie di altri animali più grossi e crudeli, soprattutto dei coccodrilli. Ippo era stato così allevato nella piscina della residenza ma, non appena aveva raggiunto una stazza adeguata, il Lord l'aveva lasciato libero di nuotare nel fiume che scorreva vicino. «Gli avevo messo come collare un pneumatico della mia Ford, collegato da una lunga fune a un verricello. All'ora del pasto bastava dare una scossa, e Ippo arrivava da solo, senza bisogno che i miei negri lo recuperassero avvolgendo la fune.»

Ma anche per Ippo era venuta la stagione degli amori, della maturità. «Ma non era scomparso del tutto. Spesso da messaggeri, o dal capitano del postale, mi giungevano notizie dello Uang-Mu, che vuol dire "Ippopotamo con la collana". La convivenza con l'uomo, per una volta, non l'aveva peggiorato. Al contrario. Una volta salvò un missionario che era caduto nel fiume, e stava per finire dentro un coccodrillo. Certo, l'intenzione di Uang-Mu fu buona.»

Nell'ascoltare Lord Hambury, parve d'un tratto a Giovannino di trovarsi nella stanza della principessa, tanto più povera e disadorna di quel grande salone, lucente di boiseries e fitto di dipinti, cornici d'oro, argenterie scintillanti. «Anche la mia insegnante, la principessa Korff, avrebbe capito», accennò, e Lord Hambury chinò la testa, con un gesto simile a un inchino.

Ma si era fatto tardi. Lord Hambury era ormai a metà di un suo enorme sigaro dal fumo azzurrino, Giovannino non osava chiedere il bis di un dolcissimo liquore, un Porto che – assicurava Hambury – datava dal passaggio in Portogallo di Napoleone.

Giovannino affermò che avrebbe chiesto alla principessa

qualche notizia, qualche lettura sul generale francese che gli era ignoto. Confessò che stava leggendo le storie di un connazionale di Hambury, Rudyard Kipling: anche lui cacciatore di tigri? s'informò.

Il Lord trasse da un cassetto un albo di cuoio lavorato, ne aprì la prima pagina, e mostrò una grande foto di due uomini a cavallo. «Questo sono io, e sai chi è l'altro?»

«Kipling?»

«Kipling.»

Non si saziava Giovannino di guardare. Dunque era vero, esistevano, semplicemente andavano a cavallo ed esistevano, i poeti. E si poteva conoscerli, così come Lord Hambury, e si poteva forse imparare da loro, il segreto...

«Si può imparare, da Kipling, il segreto?» domandò emozionato, la gola stretta.

«Più facilmente», sorrise Milord carezzandogli i capelli, «più facilmente dai girasoli.»

Insieme ai suoi amici, Rado e Bossi, Giovannino si dispose a seguire la partita di un tennista «impagabile, davvero una macchia, da non perdere». Il conte Skuratoff, un russo che abitava sulla Costa Azzurra, era noto per la sua eccentricità, palese già nella maglia di cotone priva di colletto, in tutto simile, pensò Giovannino, a quelle che papà indossava d'inverno, sotto la camicia. «Skuratoff», raccontava ilare Bossi a Emmy, «non ha mai finito un match. O, se ne ha finito uno, è stata una vittoria di quelle fulminee, 6/0 6/0.»

«È impaziente», commentava Rado, che il tic aveva reso capace di compassione.

«Altro che impaziente», rideva Bossi. «Se il raccattapalle non è più che pronto, Skuratoff gli tira la racchetta.»

«Per questo», osservava Rado, «l'ho visto tirarla anche a uno spettatore. Sei mesi di squalifica, gli hanno dato i francesi.»

Si prepararono, dunque, a un'esibizione bizzarra, resa ancor più piccante dalla peculiarità dell'avversario, il maragià di Kutch.

Desideroso di una foto ricordo, che testimoniasse un suo possibile, nuovo successo europeo, il maragià aveva infatti appena chiesto al suo avversario di posare per il fotografo Gaibisso, onnipresente con tutte le sue apparecchiature.

Ma, con un cortese e fermissimo diniego, il conte Skuratoff aveva risposto «no».

«Un'altra delle sue manie, non vuole essere fotografato», affermava Bossi. «Dicono che tema chissà quali attentati, dopo che la sua famiglia è stata decimata dai rossi.»

«Se è per le manie», osservava Rado, «c'è anche quella di giocare a muro.»

«Perché, cosa c'è di male?» saltò su Giovannino. «Sweet mi manda sempre dieci minuti al muro, prima della lezione.»

Rado scosse la testa. «Dieci minuti vanno benissimo, Giovannino», concesse. «E anche venti o trenta. Ma Skuratoff è capace di passare al muro intere giornate. C'è chi, a Nizza, sostiene che non la smetta di giocare nemmeno dopo il tramonto.»

Fu Bossi, a continuare: «E non si capisce neanche come faccia, perché riesce a colpire la palla anche al buio. Tanto che, una sera, l'hanno preso per un fantasma».

«Bum», esclamò Rado, e Giovannino gli fece eco, mentre anche Bossi rideva.

Il conte e il maragià, intanto, continuavano a palleggiare, e da più di dieci minuti, senza che nessuno dei due sembrasse minimamente intenzionato a iniziare la partita.

«Perché», riprese Bossi, «a vederlo palleggiare il conte sembrerebbe il campione del mondo. Guarda come colpisce pieno, come lascia lavorare la testa della racchetta.»

«Pare che giochi in un bagno d'olio», convenne Rado.

«Ma, non appena inizia la partita», osservò Bossi, «d'un tratto sembra un altro. Si contrae, non colpisce più la palla, si limita a spingerla. E i suoi gesti si abbreviano, si bloccano, tanto che Skuratoff non pare più un uomo, ma un automa. Ma nemmeno! Addirittura una statua.»

«Dicono che ne ha passate troppe, durante la rivoluzione», continuò Rado. «Dicono che, ragazzino, è rimasto sepolto sotto un mucchio di cadaveri dei suoi famigliari, tutti giustiziati dai rossi.»

«Ma dicono anche che non riesca a far partita, perché nella sua famiglia, da secoli, nessuno ha mai provato a lavorare. Avrebbe anche bisogno di dare qualche lezione, basta guardare i vestiti tutti rammendati, ma c'è qualcosa, una legge o altro, che glielo impedisce.»

Zittirono, perché l'arbitro si era rivolto al conte, per domandargli se volesse iniziare. E la richiesta era stata accolta con un diniego. L'arbitro si era allora rivolto al maragià, e questi, con gesto sontuoso, aveva indicato il suo avversario. Si sarebbe iniziato – sembrava volesse dire – quando il conte fosse pronto.

L'attenzione maliziosa degli spettatori fu interrotta da un arrivo inatteso. Alle loro spalle, oltre il cancelletto d'ingresso, si era profilata la principessa. Garibaldi le stava al fianco, cocciuto nel ripetere la parola «Biglietto», e addirittura agitandole volgarmente sotto il naso affilato un blocchetto di foglietti colorati.

Ma la principessa sembrava non vederlo, rapita verso Skuratoff. Si fece avanti sulla tribuna, superò i tennisti e Giovannino senza far mostra di riconoscerlo. Tese, infine, le braccia verso il conte.

Giusto a mezzo di un palleggio questi si accorse dell'inattesa presenza, e lasciò cadere la racchetta, avviandosi rapido verso le tribune.

Skuratoff risalì la scala, iniziò a baciare la mano dell'amica, e la principessa se lo strinse al petto. Così avvinti rimasero, mentre il gruppo degli spettatori era ammutolito. Mano nella mano, si diressero poi verso il salone della club house, sedettero a un tavolo appartato, mentre anche l'arbitro era uscito dal campo per dirigersi verso Mr. Goodchild, chiedere consiglio.

Curioso, Giovannino si era staccato da Bossi e Rado, per gironzolare intorno al segretario.

Il suo primo suggerimento all'arbitro era stato di aspettare, e Giovannino era allora scivolato nel salone, in tempo per vedere Paolina che si faceva avanti con una bottiglia di champagne dentro un secchio argenteo.

Dal suo mobile osservatorio, Giovannino dedicava ora la sua attenzione al maragià, e si rendeva conto di averlo mal giudicato, il giorno in cui aveva quasi aggredito il povero Garibaldi. L'indiano si era infatti accucciato tutto buono, in un angolo del campo, quasi fosse un raccattapalle, e nell'attesa tracciava misteriosi geroglifici sulla terra rossa.

«Giovannino!» si sentì, d'un tratto, chiamare da Goodchild. Il segretario doveva trovarsi in uno dei suoi momenti d'incertezza, il pomo d'Adamo andava su e giù come un montacarichi. «Giovannino», ripeté, per iniziare a balbettare: «Tu sei allievo principessa. Guarda cosa fanno. Domanda al conte se desidera ritirarsi.»

Inorgoglito dall'incarico, invisibile come una spia, Giovannino scivolò nel salone. Si sedette al tavolo più vicino ai due. La bottiglia svettava intatta nel secchiello, unico testimone di uno spezzettato dialogo in una lingua sconosciuta.

La principessa ripeteva quel che doveva essere una interrogazione, forse un elenco di nomi, e il conte rispondeva a monosillabi, scuoteva la testa.

Sembrava, si disse Giovannino, l'appello che il maestro Riedl faceva a scuola.

Ma doveva trattarsi di una lista interminabile di assenti, a giudicare dall'atteggiamento afflitto, addirittura disperato del conte.

A un certo punto, Skuratoff parve non reggere più a quelle domande, incrociò le mani per poi spalancare le braccia e in un francese comprensibile anche a Giovannino annunciò: «Morts. Ils sont tous morts».

Dopo quella frase, restò immobile, lo sguardo oltre la sua interlocutrice, fisso a chissà quale spaventosa immagine.

Lacrime scendevano sulle guance della principessa, e Giovannino riuscì a reprimere un violento desiderio di farsi avanti, e prenderle la mano.

Dopo qualche minuto, la principessa si alzò, volse le spalle al conte, e uscì lentamente dalla sala a capo chino, quasi sulle spalle le pesasse un'enorme, invisibile soma.

Passò ancora tempo, e finalmente anche il conte uscì dal salone, si buttò in campo, e prese a battere selvaggi doppi errori, mentre lo stesso maragià appariva sconvolto da tanta bizzarria.

Giovannino vide la cuoca Paolina recuperare la bottiglia di champagne intatta, e provò d'improvviso un inesplicabile conforto.

Dalle tribune, Rado e Giovannino osservavano l'ungherese Gabrovitz affannarsi invano dietro ai colpacci di Cucelli.

«Da quel brocco», mormorava Rado a ogni errore di Gabrovitz.

«Da quel brocco», ripeteva, in una litania, per concludere: «Come ho potuto perdere da quel brocco?»

Giovannino non sapeva esattamente cosa significasse brocco, ma ne intuiva appieno il senso peggiorativo.

Al Tennis Club Alassio, un giocatore inetto si soleva definire scarpa, e una volta aveva addirittura sentito dire, chissà perché, cacciavite. Ma non era certo il momento di iniziare con l'afflitto Rado un dibattito filologico. Il suo povero amico non faceva che passarsi le mani tra i capelli imbrillantinati, li tormentava senza riuscire ad arruffarli.

A Giovannino quel tennista ungherese, Gabrovitz, non sembrava nemmeno tanto male. Rado, in fondo, ci aveva perduto dopo una gran lotta, 7/5 al terzo set, un long-set, come lo definiva Sweet, un set che andava oltre i 5 games, e che racchiudeva quindi dentro di sé le caratteristiche dell'incertezza, della lotta.

«Avresti potuto batterlo, Rado», osservò Giovannino, inconsapevole di aprire ancor di più una ferita recentissima.

«6/2, 6/1! Due anni fa, prima del maledetto tic, gli avevo dato 6/2, 6/1.» Rado scuoteva la testa, con un'armonia che a Giovannino, consapevole degli scatti del tic, pareva impossibile. «6/2, 6/1», non cessava di ripetere, quasi si trattasse di una filastrocca.

In campo, Cucelli si accaniva sul suo avversario, pareva ritornato boxeur, i diritti scagliati come pugni. «Sei molto meglio di Gabrovitz, e anche di Cucelli, col rovescio», si attentò a dire Giovannino, e Rado cessò di ripetere quei suoi numeri fatati o maledetti, lo guardò, e ripeté «col rovescio», come la puntina si fosse d'improvviso spostata su un nuovo solco di un disco danneggiato. E, drizzandosi d'un tratto sulla sedia in cui stava accasciato «non ne posso più», stabilì. «Oggi non gioco, non ce la faccio.»

Giovannino gli strattonò il braccio.

«Gioca con me, vuoi? Mi avevi promesso...»

«Non ce la faccio, non ce la faccio», ripeteva Rado, e allora Giovannino gli strattonò il braccio, e finì per prendergli la mano, suggerendogli di seguirlo, di andarsene, almeno un poco, lontani dal tennis. «A casa mia, a cento metri. Se ti piace lo sciroppo al tamarindo. O anche il tè.»

Rado andava come un cieco, si lasciava condurre per mano. Come incontrarono Scotti e Martinelli, che giungevano al tennis rombando sulla loro Balilla Coppa d'Oro, staccò la mano da quella di Giovannino, vergognoso.

«Bel fiolin de la sua mamma», buttò Scotti, e Giovannino si rallegrò nel vedere che, finalmente, Rado sorrideva.

Salirono nella casa vuota. Maria e la nonna erano andate per compere in paese. Anche lei eccitata per il torneo, la mamma non sembrava più avere orari. Giovannino accolse Rado nella sua cameretta, gli mostrò i giocattoli, i suoi disegni, la radice trovata sulla spiaggia, che ricordava un leone. Mise in moto il trenino Märklin e lo invitò a giocarci. Sorridendo appena, Rado non faceva che rispondere no. Giovannino schierò le pedine per una partita a dama. Il campione mosse stancamente, ma pareva incapace di una qualsiasi tattica ragionevole, addirittura suicida nell'offrirsi alle vittoriose mosse di Giovannino.

D'improvviso, ritornò a mormorare 6/2, 6/1, e cadde bocconi sul letto, il viso schiacciato sul cuscino.

«Cos'hai Rado? Stai male?» ripeteva Giovannino, e d'un tratto si rese conto che quell'uomo piangeva, e non voleva lo si vedesse, probabilmente si vergognava. Fece per lasciare la stanza in punta di piedi, ritornò indietro, gli prese la mano callosa, e anche lui cominciò a piangere, baciò una guancia ruvida di barba.

Così li colse la mamma, e Rado saltò su, imporporandosi in viso. «Non è niente, signora», affermò, mentre gli occhi di lei interrogavano severi.

Ma quella prima spiegazione non dovette apparire sufficiente, se il tennista continuò «il bambino è così sensibile... perché io ho perso... Allora, lo consolavo.»

Allibito, Giovannino lo guardò, vide la mamma sorridere di tenerezza. Volse le spalle, e uscì impettito. Invano la mamma lo richiamava, scusandolo con il giocatore.

Li vide camminare alle sue spalle, in direzione del club. Sorridente, galante, Rado sembrava un altro uomo.

Qualche minuto dopo, il tennista ritornava sul campo, per il Plate, il singolare di consolazione riservato agli sconfitti dei primi due turni. Come la prima palla gli giunse sul diritto, torse il collo, sbagliò.

Dalla terrazza un applauso isolato lo trafisse come una freccia. Si voltò, furibondo. Era Giovannino.

Dormiva, ma il ticchettio lo richiamò da un sogno confuso, Piki Paki gli aveva sottratto palle e racchetta.

Gli occhi semichiusi, gli parve che lo specchio ondeggiasse in flutti azzurrini, mentre il parquet risuonava sotto l'acuto tacco della mamma.

Era rivolta allo specchio, non si rendeva conto che non dormisse più. Si ritrasse vergognoso, addirittura richiuse gli occhi, confuso da quella nudità clamorosa. Come Luisa, le ascelle e il pube segnate da tre macchie nere, ma quanto più bella! La spiò entrare e uscire da due abiti, riprendere il primo, infine la vide rovesciare da una scatola collane, braccialetti, orecchini, e provarli ammirandosi compiaciuta, con un'aria che non le conosceva.

Nel chinarsi a raccogliere un braccialetto lo vide, gli sorrise, gli andò vicina, chiamandolo «il mio ometto». E cosa faceva, perché non dormiva, il suo ometto?

«Ti guardavo, mamma.»

«Ed è bella, la tua mamma?»

«Bellissima. Sei la più bella», rispose convinto, mentre un improponibile confronto con Mariantonia lo lasciava, solo per un istante, perplesso.

La mamma lo abbracciò, tanto forte che dovette chiedere di non fargli male. L'avrebbe aiutata, a chiudere i bottoni di quel vestito nuovo, mai indossato, scollato sul davanti ma chiuso severamente sul dorso? Giovannino porse maldestro aiuto. Allacciato l'ultimo bottone inghiottì, per cingerle la vita e iniziare a piangere.

«Dove vai, dove vai», ripeteva, e senza ascoltarla già la pregava di non andare, di restare con lui, non lasciarlo solo nella notte.

Ma c'era la nonna, c'era Maria, si ribellò lei dolcemente. E poi: ormai era un uomo, aveva ormai otto anni, presto nove.

Cocciuto, l'attirava a sé, ripetendo: «Non voglio».

Un poco meno paziente, la mamma passò a chiedergli se non gli pareva giusto che anche lei si divertisse un pochino, uscisse con gli amici, zia Marta, zio Pino.

«C'è anche Emmy?» s'informò lui.

«Penso di sì.»

«E i campioni?»

Forse ci sarebbero stati anche loro. Avrebbe partecipato a una festa benefica organizzata dal comitato del torneo. Si sarebbero raccolti fondi per cani e gatti abbandonati.

L'idea di cani e gatti parve tranquillizzare un poco Giovannino, che volle porre comunque le sue condizioni. La mamma non doveva ballare.

«Nemmeno con zio Pino?»

Neanche con lui. Ma soprattutto non con i campioni.

Promise. Lo blandì. Gli assicurò che, quando fosse stato grande, avrebbe ballato solo con lui.

Nel rincalzargli le coperte, accennò sorridendo una vecchia ninna nanna. Spense la luce e, dalla porta, gli mandò ancora un bacio, mentre lui si faceva forza per non rincorrerla, seguirla fin sul pianerottolo. Sbirciò da una persiana, ma tutto quel che gli riuscì di intuire fu il tetto nero della Dilambda di zio Pino, lo schiocco di uno sportello, il suono del motore. Rimase solo, confortato dal tic tac della sveglia. Spense la luce, la riaccese, aprì a caso l'amato Kipling e immaginò Rikki Tikki Tavi avventarsi al cobra e ucciderlo. La suggestione di quelle immagini lo forzò a ritrarre le gambe, tra le lenzuola, e poi a ispezionare cautamente il buio velato di polvere sotto il letto.

Dalla camera della nonna giungeva una sorta di fischio, alternato a un raschio, insieme a un gemere profondo di legni e molle. Affacciato alla porta socchiusa sbirciò la massa biancastra gonfiarsi e ricadere ritmicamente. Quali bolle d'aria e d'umori conducevano il cobra alle gengive, private della dentiera?

In cucina, Giovannino imburrò un panino, fece pipì nell'acquaio assaporando il gusto della marmellata e il divieto. Un capello della mamma impigliato nella spazzola lo riannodò al magone. Puntellato alla spalliera di noce decise di trattenere le lacrime finché non fosse tornata: l'avrebbe visto il suo dolore!

Sognava di condurre Nearco su una infinita dirittura color terra rossa, quando una voce lo sbalzò fuori pista. Corse terrorizzato alla camera della mamma. Era vuota. D'istinto, spalancò la finestra, le persiane rimbombarono sull'intonaco rosa di Casa Geranio.

Addossata al portone, la mamma respingeva Bossi che le copriva le mani di baci, e tentava di attirarla a sé. Sembrava d'un tratto a Giovannino di assistere alla scena di un film, ma l'unico attore che gli stesse a cuore era la mamma, e quei suoi gesti che parevano privi di decisione, addirittura finti. Bossi le aveva ormai passato un braccio dietro la schiena, il viso vicinissimo a quello di lei.

Giovannino gridò.

Interdetto, il campione lasciò un attimo la presa, la mamma si sciolse e gli sbatté contro il portoncino.

Fu presto tra le sue braccia. «Non dormi, perché non dormi», ripeteva. «Il mio bambino, il mio bambino.»

Giovannino sentì sulle labbra il sapore salato delle lacrime.

In finale si ritrovarono Cucelli e il francese dal viso cereo e dai capelli biondi, Destremau. E gli altri campioni? Battuti, tutti quanti. Giovannino sapeva benissimo che non più di due tennisti possono raggiungere la finale. Era un semplice ragionamento matematico, una divisione di due sole cifre che egli poteva disinvoltamente affrontare. Se i sessantaquattro iscritti si dividevano per due, e poi il quoziente ancora per due, e di seguito, rimanevano giusto, alla fine, due tennisti.

Eppure, nell'ammirarne le foto sulla lucida carta di Il Tennis Italiano, Giovannino aveva faticato a credere alla realtà delle sconfitte, improbabili quanto la morte del Corsaro Nero, o di Kim. Come si poteva dirli battuti se ritornavano in sella il giorno seguente, da nuovi giornali sorridevano stringendosi le mani, ricevendo applausi e coppe?

Ma erano tutti scomparsi, dai campi e dalle tribune del Tennis Club Alassio. Rimaneva soltanto, sulla catasta di legna dietro alle cucine, il manico infranto della racchetta di Scotti. Erano svanite le lacrime di Rado, nella borsetta di una Emmy infebbrata e affranta si nascondeva la foto con dedica di Renato Bossi. Palmieri e de Stefani stavano forse meditando un ritiro, sconfitti da giocatori che avrebbero potuto esser loro figli. Per due, tre ore, il torneo avvampava, come un ultimo fuoco, intorno ai saltelli e ai diritti pugilistici di Cucelli, ai colpi argentei di Destremau. Il primo quindici, vinto dal francese con un miracoloso passante di rovescio, era durato mezzo minuto. Sedotto da quel tiro sublime, Giovannino applaudì.

Si volse indignato il manipolo raggruppato intorno al Federale. Preoccupate, la mamma e la nonna zittirono l'incosciente.

Cucelli si difendeva e contrattaccava a cazzotti rissosi.

Balzando ne sferrò uno con tale violenza che sdrucì la camicia, tesa sul torso scultoreo. Giovannino gridò il suo entusiasmo. Sorpresi, parvero rimproverarlo gli sguardi di Hambury, Goodchild, Muriel.

Possibile che, grandi com'erano, non capissero!

Attese il cambio di campo, svicolò verso il secondo piano, e di lì sulla polverosa e segreta scaletta che conduceva al tetto di vecchi coppi. Compagno a un nido di rondoni e a una famiglia di passeri, ammirò il gioco in perfetta letizia.

Destremau vinceva, e ringhiavano di sotto le loro aquile ricamate in oro Federale e gerarchi, levavano i pugni stretti nella pelle nera dei guanti. Impeccabile, la colonia inglese rispondeva con fitti battimani, equamente ripartiti: c'era soltanto più calore, una nota in più, per i punti del francese.

Svantaggiato da un rovescio difensivo, istintivo e meno razionale del suo avversario, Cucelli perdeva impercettibilmente terreno, ma non si arrendeva. Proprio lui, che molti accusavano di esser rozzo, attaccabrighe, lasciava la precedenza a Destremau, ai cambi di campo. E non aveva mai, una sola volta, messo in dubbio i giudizi di Sweet, che pareva infallibile, dall'alto del trespolo.

Ma una palla malandrina andò a cadere in un angolo lontano dall'arbitro, il corpo di Destremau si frappose a peggiorare la visibilità. L'arbitro sbagliò giudizio, e la banda dei patrioti insorse. Per un buon minuto parve di ritrovarsi allo stadio di calcio, nel mezzo del derby Alassio-Albenga. Uno scarlatto Sweet fu sommerso da grida di venduto, ladro, consigliato a mettersi gli occhiali, invitato ad andarsene. Non si era forse in Italia? Giudicasse, allora, un arbitro italiano. Sotto quel temporale, Destremau si era avvicinato, aveva parlottato con lui. Alzò ripetutamente il braccio, il maestro, sinché riuscì a ottenere silenzio, e informare. «Mister Destremau restituisce il punto giudicato male. Prego silenzio. Play.»

Ci fu un breve applauso. Si chetarono d'un tratto i protestanti. Dal suo posto privilegiato, Giovannino capì che il gioco era una bella, grande cosa, se andava oltre l'ira degli uomini.

Assistette in pace, come a un concerto, e alla fine applaudì Destremau che aveva vinto, e Cucelli che aveva dato il meglio di sé, senza riuscire a vincere. Li applaudì insieme, come fratelli giocatori, e per una misteriosa vena di vento quel solitario applauso giunse ai due campioni che levarono un attimo gli occhi, e forse gli sorrisero. Ma c'era la coppa da consegnare, il cerimoniale da seguire. Prima che tutto fosse terminato, Giovannino era già sceso dal suo osservatorio, aveva sottratto due splendide rose al vaso di Mrs. Goodchild.

Ritornando in spogliatoio, Destremau e Cucelli trovarono i fiori all'occhiello delle giacche.

I campi erano vuoti, quasi che i soci non si sentissero in grado di sostituire quei campioni che li avevano calpestati, sino a poche ore prima. I loro nomi si andavano stemperando in poltiglia, sui cartelloni pubblicitari inzuppati dalla pioggia della notte. Vagando per il circolo, Giovannino ne rintracciava le vestigia. Un paio di scarpe lacerate, abbandonate in un angolo. La camicia smagliata di Cucelli. Fu sul punto di prenderla, come una reliquia. Rifletté, gli parve un furto, desistette.

Da un campo gonfio d'acqua, color sangue di bue, lo richiamò Sweet. Giovannino si avviò sotto qualche goccia rada, la testa pendula, sciroccato.

Il maestro lo sbirciava.

«Lungo linea diritto», suggerì il maestro.

Snocciolò le palle, sempre eguali, quasi le colpisse un automa. Non si curò delle risposte dell'allievo.

«Lungo linea rovescio.»

Giovannino colpiva. Fissando quei gesti, gli occhi del maestro parevano farsi più piccini sotto le sopracciglia corrucciate.

Giovannino tirava via, intento a dar forte, dentro le righe.

Seguì il ripasso del servizio, della volata. Giovannino assestava botte sui tiri sempre eguali del maestro, palle prive di rotazioni, bersagli elementari. Annoiato da quella routine, si spinse a domandare: «Facciamo qualche game?»

Bersagliato dalla mitraglia di sei palle saltabeccò indecoroso, una coscia bruciante per un bollo scarlatto.

«Partita con me! You dam son of a bitch! Diventato campione. Una settimana torneo, pronto campione. Scemo e

376

cretino. Tutto dimenticato. Una settimana, lavoro anno rovinato.»

Sotto quella grandine, Giovannino non riusciva a connettere. Provò a organizzare i pensieri, a improvvisare una difesa. Pure, a giudicare dall'espressione di Sweet, sembrava trattarsi di una mancanza grave. Si sentì d'un tratto colpevole. «Perché? Cos'ho fatto?»

Sweet lo guardava respirando come un grosso cane affannato. «Perduto personalità!» ringhiò. «Mentale piccola scimmia. Diritto Cucelli, rovescio Rado, battuta mista, cammina come Destremau. Ottimo per scimmia nel circo. Perduto totalmente personalità.»

Quelle accuse erano tanto sorprendenti che Giovannino non pensò un solo istante di aggirarle mettendosi a piangere.

Tra una sfuriata e l'altra, Sweet non cessava di inviargli serie di sei palle, che scomparivano tra gli artigli della manona. Facendo del suo meglio per trovare gli appoggi e il tempo ideale dell'impatto, Giovannino aveva un bel rispondere. Immerso nella sua amarezza, Sweet non si degnava di ribattere. «Comprate molte racchette di campioni. Perduta sua piccola racchetta», mormorava indignato. E, a ogni poco: «Scemo e cretino». Terminò ancor più confuso che avvilito. Camminò via, mentre il maestro nemmeno rispondeva al suo saluto, voltandogli le spalle.

Nello scivolare fianco alla Baby Ford di Sweet si avvide delle gomme sgonfiate. Si pentì di una fitta di piacere, si affrettò a dar l'allarme. Giunse il maestro, aggrottato, stringendo la racchetta come una clava. S'inginocchiò, investigò. Scuotendo il capo armeggiò nella confusione del baule, ne trasse una pompa a pedale, prese a pigiarla con il piedone. Pian piano, la macchinetta rigalleggiò in tutta la sua leggera eleganza.

«Gaaaribaldi!», prese allora a gridare Sweet, allarmando la rada popolazione del club.

All'urlata, il vecchio occhieggiò dalla sua garitta. Silenzioso. Con aria rassegnata, se non addirittura colpevole.

«Chi è stato?», aggrediva il maestro.

Garibaldi aveva rivolto l'occhio buono alle scarpette

sdrucite. Il maestro si avanzò, spingendogli il petto a un dito dal naso.

«Parla», intimò.

«Non posso.»

«Parla», ripeteva Sweet, ormai a contatto con quella fronte che si piegava, vinta. «Ma perché non parli?» sbottò alla fine, ancor più incredulo che furibondo.

«Tengo famiglia.»

Sweet prese un sospiro lungo, da sub in ventilazione.

«Giovannino», domandò d'improvviso. «Ho arbitrato giusto Cucelli?»

«Ha arbitrato benissimo.»

«Anche lui ha detto giusto. Ma per son of a bitch solo vincere è giusto.»

Terrorizzato, Garibaldi si guardava attorno, come se una cavalcata di cheyenne potesse d'improvviso aggredirli. Arrivò a passarsi l'indice sulle labbra, raccomandando il silenzio.

«Farò io la guardia alla macchina», affermò allora Giovannino.

Sweet sorrise, nello stringergli la mano. Si allontanò racchettando gocce di pioggia, mentre il collo di Garibaldi si ritraeva, simile a quello di un'antica, prudente tartaruga.

Urla barbariche riscossero Giovannino dallo studio delle invasioni. Sollecitati da quei clamori, i cavallucci mongoli si animarono sulla pagina, caricarono, le lance in resta. Incuriosito, si affacciò alla finestra. La sera riverberava una fosforescente nevicata, le roteanti mazze dei garibaldini si accanivano sullo sciame di puntini luminosi.

Lo videro. Grida selvagge lo invitarono a unirsi alla strage.

«Mazziamo le lucciole!»

Scese di corsa, impugnò un ramo ricurvo di palma, accuratamente ripulito dalle foglie. «È una scimitarra dei corsari», si esaltò. Prese a combattere quei gatti fantasma, mirando al monocolo verdastro, intermittente. Sfuggivano, per salire irraggiungibili, ritornavano d'un tratto offrendosi a colpi ingloriosi. Quella che inseguiva evitò tre fendenti, venne a posarglisi sul petto, zampettò per bloccarsi. E Giovannino finalmente vide l'insetto, provò a chiuderlo nel pugno, riaprì la mano. Pareva la modulazione luminosa di un piccolo cuore.

Giunse trionfante Salvatore: «Ne ho mazzate ventitré».

Guardò il riflesso che si smorzava nella mano aperta di Giovannino, il piccolo corpo nero immobile, smagato.

«Che brutte che sono, senza luce.»

Giovannino rimaneva fisso, quasi incredulo. Confortato dall'approvazione della nonna e di Maria aveva partecipato a autentici stermini di formiche. Aveva cacciato senza fortuna rane e tentato invano di colpire passeri con la fionda. Si era sempre rifiutato ai riti d'impiccagione di lucertole o alle crocifissioni di ghiri, che facevano la gioia dei garibaldini. Quella povera lucciola gli faceva un po' schifo e un po' pena. La lasciò cadere per terra, e Salvatore l'appiattì sotto il piede nudo.

«Perché le ammazzate?» s'informò.

«Le mazziamo tutti gli anni.»

«Ma sono belle, quando volano.»

«Sì che son belle. Ma sono brutte morte. Come i ragni. Come i pidocchi.»

«Facciamo male, Salvatore», credette di concludere Giovannino.

«Non so. L'abbiamo sempre fatto.»

Giovannino lo salutò scoraggiato, ritornò senza indugi alla sua cameretta. Dalla finestra vide Salvatore assestare un colpo stanco. Si sarebbe detto che avesse voluto mancarlo. Poi si avviò verso casa, trascinando la mazza.

Posate sul sudicio mare di una lacera zanzariera giacevano le cento gondole. Tempestate di paillettes rilucevano negli sguardi della famiglia Garibaldi, schierata attorno al compratore: l'armatore, avevano ribattezzato quel tipo dirupato, la sigaretta pendula tra le labbra vizze.

«Cinquanta centesimi, prendere o lasciare», ripeteva l'uomo, avaro anche di parole.

Cocciuto, Garibaldi ribadiva le ragioni di un prezzo più equo: tempo, denaro investito da mesi, bellezza del prodotto, varietà dei colori. Infine e soprattutto, le promesse di lui, dell'armatore.

«Una lira, ci avevate promesso.»

Anita, Primo, Balin, Giobatta e Salvatore ripetevano in coro: «Sì, ce l'avevate promesso».

Dall'angolo del camino spento, la nonna faceva giungere un suo gemito.

«Cinquanta.» La voce dell'armatore ronzava impercettibile, simile a una zanzara.

Anita levava le braccia al cielo, per posarle sulle spalle dei più piccini. Garibaldi spalancava le sue. Persino la nonna giungeva le mani in gesto di preghiera.

«Prendere o lasciare. Me ne vado?»

«90 centesimi», gemeva Garibaldi, mentre la famiglia gli faceva coro.

«50.»

«80.»

«50.»

«70.»

«50.»

«60.»

«50.»

Con aria disperata Garibaldi indicava le gondole, i figli che sollecitati dai pizzicotti di Anita, avevano preso a frignare. «Ma dove ce lo avete, il cuore?»

«Qui non si vende cuore. Si vende gondole. E ormai le fanno anche quelli del Cottolengo.»

Garibaldi guardò Anita. Lei abbassò gli occhi.

«55», tentò, in un disperato sussulto di dignità.

Annoiato a morte, l'armatore sputò la cicca.

«Annemo. Cento barchette, cinquanta franchi», concluse, cavando di tasca una manata di monete argentee.

Dalla porta irrompeva Giovannino.

«Non gliele date, a questo ladro!»

Rimase al centro di un sorpreso silenzio, che non seppe colmare con altre parole. L'armatore pareva non l'avesse nemmeno visto.

«Allora, cinquanta franchi», ripeté.

Giovannino aveva afferrato una mano di Garibaldi, e non la mollava.

«Non gliele dare. Non a lui.»

«Chi comanda? Tu o il signorino?» ironizzò l'armatore. Ma commise un errore. Iniziò ad arrotolarsi una nuova sigaretta.

Perplesso, Garibaldi fissava le guance arrossate di Giovannino, i suoi ostinati occhi azzurri.

«Cosa ne facciamo, Giovannino?»

«Le venderemo.»

«A chi?»

«Le venderemo nelle case.»

Il tipo credette di ironizzare. «Non avete nemmeno la licenza.»

«Le venderemo lo stesso.»

Sbagliò a deriderli. «Abbelinati. Meschineti.»

Si ritrovò al centro di un uragano che finì per rotolarlo fuori, graffiato, stracciato, sanguinante. La famiglia Garibaldi rimase compatta e anelante sulla porta.

Oltre il ruscello, l'armatore sputava insulti. Scomparve presto sotto una pioggia di bottiglie, scatole vuote, sassi.

La famiglia e Giovannino si sedettero per tenere consiglio, di fronte alle gondole.

«Questa, la teniamo per il nostro anniversario di nozze», stabilì Anita, indicando la meglio riuscita.

Studiarono a lungo la carta del paese, la divisero in cinque spicchi, li sorteggiarono, litigando. I garibaldini temevano le vendette della banda di Borgo Coscia, soprannominata Tagliatori di Teste. L'eroico Giovannino si offrì di penetrare in quelle riserve, ma Garibaldi aveva già deciso. A lui, ben vestito, educato, sarebbero toccati i palazzi del centro. Partirono gli altri verso il temuto Borgo Coscia, Barusso, le ville di Scarona, il vecchio borgo dei budelli. Si sarebbero ritrovati dopo tre ore.

Gli batteva il cuore sulla scatola di cartone stretta al petto, sulle dieci gondole dai colori assortiti.

Provò vanamente con Fantino, non osò aprir bocca con l'edicolante della stazione, e dopo una sosta angosciata di fronte alla premiata gelateria Giacometti, entrò senza fiato nella galleria di quadri La Medusa. Vi aveva accompagnato la mamma, il giorno in cui si era lamentata dell'insopportabile banalità delle stampe di casa.

Si fece avanti il pittore, con un basco e uno straccetto nero annodato al posto della cravatta. Voleva forse un regaluccio per la mamma? Le era tanto piaciuta, se ben ricordava, l'isola Gallinara sullo sfondo della Cappelletta. O non era invece un altro dei suoi soggetti preferiti, il Capo Mele in una giornata burrascosa? Entrambi, comunque, si potevano avere per cinquanta lire. Ciascuno, beninteso. Acquistandone due, c'era anche il vantaggio di un bello sconto. Sorrise invitante, tra i peli della fitta barba bianca. Incoraggiato da quelle cifre astronomiche, Giovannino mostrò le gondole. Gli sarebbe bastata una lira. E, se ne acquistava due, una lira e cinquanta.

Stupì l'artista. Era forse per beneficienza, indagò. La Croce Rossa? La protezione degli animali? Nemmeno per la patria? All'ultimo diniego: «Allora lasciami lavorare», esclamò. Soggetti marini, e quindi anche gondole, aggiunse sarcastico, erano suo copyright, e si poteva configurare un caso di concorrenza sleale. «Non provartici, a venderle», intimò a Giovannino, ormai in fuga. Gli ci volle un buon quarto d'ora per riprendersi. Tentò finalmente un palazzo, dopo essersi accertato che la portinaia non fosse di guardia. Al primo piano lo informarono seccamente di avere già tutto, al secondo la signora non era in casa, al terzo una serva sorridente lo ascoltò, volle vedere le gondole, ne fu entusiasta. Purtroppo, in quel momento, non possedeva più di venti centesimi. Non voleva dargliene una, e ritornare per il saldo due giorni dopo? Confuso, non osò dire di no, e uscì dall'appartamento con una gondola in meno, venti centesimi in più, e un vivo dubbio di esser stato imbrogliato. La sua delusione si accentuò al quarto piano, dove nemmeno gli aprirono. Rimaneva il quinto. Venne dall'interno un trepestio che si spostava sempre più vicino. Intuì un occhio a spiarlo, e finalmente la porta si aprì. Era il marinaretto!

Gli tese la mano.

«Guten morgen, ciao», sorrideva e, «vieni», lo sollecitò.

«Veramente», iniziò Giovannino. «Non vorrei disturbare.»

Ma quello gli aveva preso la mano, e dolcemente lo trascinava nel corridoio, oltre una porta imbottita che si apriva su una sala semivuota, nel mezzo della quale troneggiava un pianoforte a corda.

«Mein freund, der tennisspieler», annunciò il bambino e, subito: «Mamma, und mein grossvater».

Il nonno chinò la testa, e la signora si alzò dal piano, per sorridergli. «Sei un bambino buono e coraggioso, a venire da noi.»

Giovannino scuoteva il capo, senza riuscire a rispondere.

«Jacob desiderava tanto suonare per te. Dice che anche tu sei un artista, nel tuo gioco.»

Sempre più muto, Giovannino. Come confessare la verità, dire che era un caso, legato alle gondole.

Guardò Jacob assestare il violino, la mamma sedersi al piano. Le note di Mozart riempirono la stanza. Gli occhi della mamma non sembravano vedere lo spartito, l'archetto di Jacob volava.

Come quella musica cessò, Giovannino fece il gesto di batter le mani. Jacob abbassò la testa, s'inchinò.

Giovannino non sapeva più che fare. Già non gli venivano le parole, e per di più Jacob non le avrebbe probabilmente capite. Invitarlo a casa sua? Ma aveva detto che non poteva, e Giovannino aveva ormai capito molte cose, dopo la sua espulsione da scuola, i racconti della principessa. Si ricordò a un tratto delle gondole e, al contempo, si disse che forse Jacob avrebbe saputo dalla serva, dagli altri inquilini, l'autentica ragione della sua visita. Ma non aveva altro modo. Estrasse dalla scatola la più bella delle gondole, la offrì a Jacob, per affermare subito di aver fatto tardi.

Dal parapetto lo guardarono scendere le scale, e quando fu in fondo, e sentì lo scatto della porta, riuscì alfine a respirare. Oscuramente, si disse che non avrebbe più rivisto Jacob, e gliene venne un intenso sentimento di vergogna. Prese allora a correre, a perdifiato, dicendosi che sarebbe stato in ritardo per l'appuntamento.

Intorno al tavolo, la famiglia Garibaldi numerava le gondole. C'erano tutte.

Il solo Giobatta sembrava soddisfatto, addirittura ilare. Gli aveva offerto dieci lire un anziano signore mezzo biondo, «con addosso un cappotto di velluto». Aveva rifiutato la gondola, dicendo di riportargliela l'indomani, alla stessa ora, quando fosse meno occupato.

E le dieci lire? Giobatta rise scioccamente, mostrò una scatola di toscani, alcuni albi di fumetti, una bottiglia di cherry-brandy semivuota, e una donnina a molla che si caricava da tergo e muoveva l'ombelico. L'immediata punizione danneggiò irreparabilmente una gondola.

Avviliti, i Garibaldi si rivolsero allora a Giovannino.

Gravemente, cavò di tasca il suo capitale, quattro lire. Seguirono manifestazioni di incredulità e di gioia. Tanto, per due sole gondole? Ma allora, era proprio un commerciante! Giovannino si schermì.

Con le quattro lire, più tre gondole, ottennero una bottiglia di spumante per l'anniversario. Mancava la torta.

Era ormai arrivato il giorno delle nozze d'argento dei Garibaldi. Gondole, non se n'erano più vendute. Giovannino attendeva mesto ai compiti. Nonna e mamma volteggiavano dallo specchio della camera da letto alla sala levando le braccia, provando abiti e cappelli, drappeggiando velette. Maria le rincorreva armata di spille, a metà disapprovando, a metà trascinata. Un'agonia della cattedrale scambiata per le sei mise termine a quella frenesia. Nel subire affrettate raccomandazioni, Giovannino azzardò.

«Mi dai venti lire?»

«Venti lire! Perché?»

«Per dei poveri.»

«Ne facciamo anche troppa, beneficenza.»

Le donne si affrettarono per le scale.

Giovannino riprese stancamente a sommare frazioni. Come ebbe terminato, si affacciò, sedette disoccupato a scrostare la vernice di una persiana con il pennino. Lo ruppe, guardò le rondini razziare, i colombi becchettare. Chiamò Strauss.

Il colonnello comparve sulla veranda, addentando una fetta di strudel.

«Strauss, perché ci sono i poveri?»

«Forse perché qualcuno è troppo ricco.»

Tacquero, pensierosi.

«Cosa stavi facendo, Strauss?»

«Leggo. E tu?»

«Ho finito i compiti. Non ho niente da fare.»

«Perché non sei andato alla festa degli animali? C'è un'asta di torte.»

Gridò ciao mentre già correva. Oltre la porta della Biblioteca Inglese filò dritto sulla mamma, l'abbracciò mentre lei mutava i rimproveri in sorrisi, per i complimenti delle altre dame. Così piccolo, e già protettore degli animali.

Mrs. Goodchild si avanzò, per battere decisa su un piccolo gong. Augurò a tutti i benefattori il benvenuto, annunziò l'ultimo successo della società. A Manchester si era ottenuta la sospensione dell'impari lotta circense tra una povera piovra di tre anni e un bruto quarantenne. Attese che gli applausi si chetassero e dichiarò che l'asta delle torte era a beneficio dei cavalli da carrozza, crudelmente privi di gualdrappa durante i servizi invernali.

Giovannino sbirciava le torte, la mamma e la nonna lo tenevano d'occhio. Furono assegnate le crostate di frutta, i marzapani, i plumcakes, le torte glassate.

«E noi?» Giovannino si rivolse aggressivo alla mamma muta. Severa, pose l'indice sulle labbra.

Rimaneva l'ultimo dolce. Un palazzo di crema con le finestre di cioccolato. Lord Hambury rilanciò deciso e, giunto a novanta lire, parve il sicuro vincitore.

«Cento.» Lo strillo di Giovannino fu più rapido della mano della mamma, invano protesa a zittirlo.

Alzò rapidissima il suo martelletto Mrs. Goodchild.

«Cento e uno, cento e due, cento e tre.»

L'ultima percossa del gong vibrò nel cuore di Giovannino. Sfuggì le congratulazioni, anche quelle di Lord Hambury, mentre la mamma contava i denari con un sorriso contratto. Svicolò via, a perdifiato corse fin sulla piazza, ad allertare Fantino.

La mamma era ancora assediata di congratulazioni, che già la torta troneggiava sulla carrozza, tremolante per il trotto di Nearco. Fantino e Giovannino la trasportarono in punta di piedi sulla porta dei Garibaldi. Intorno al tavolo sedevano silenziosi i coniugi nei vecchi abiti di nozze, la nonna con la treccia rifatta, i garibaldini con i piedi nudi ben lavati. Nel centro svettava la bottiglia di spumante. In silenzio, i due ospiti inattesi issarono la torta sulla tavola. Sedettero con i Garibaldi, applaudirono i vecchi sposi che s'incoraggiavano l'un l'altro ad affondarvi un enorme coltello.

«Pensare», mormorò Anita, «che il giorno delle nozze avevamo solo un cestello di fichi. Siamo andati a piedi a Capo Mele, e li abbiamo mangiati.»

Con il ricavato delle torte Mrs. Goodchild acquistò venti coperte verdastre di imitazione scozzese: una doppia croce blu le rendeva vagamente simili alla bandiera britannica. Proprio per questa curiosa connotazione, le fece notare il negoziante, se ne erano vendute pochissime, ed era quindi in grado di praticare un prezzo da grossista. Festante, seguita da quattro soci della cooperativa facchini stracarichi, Muriel giunse in piazza della Stazione. Venne sperimentata una coperta. Più che coprirlo, avvolgeva il cavallo come un vecchio artritico. Cocciuta, Mrs. Goodchild giunse ad ammantare il ventesimo cavallo per rendersi conto che altri venti rimanevano nudi, per così dire. Puntò sul tennis, la blasfema cooperativa le zigzagava dietro sbuffando. Ammucchiarono le coperte nel salone, e Muriel, con due forbicioni da giardiniere, prese a dividerle quasi fosse Salomone, in un crescendo irresistibile.

Dimenticati, i facchini osarono ricordare la loro presenza.

«La mancia», mormorò il più audace.

«Per i vostri fratelli cavalli!» giunse la risposta indignata.

«Ma noi abbiamo lavorato.»

«Vergognatevi.»

Si rassegnarono deprecando, mentre il mucchio delle coperte cresceva, sin quasi a sommergerla.

Di lì a due ore ricomparve sulla piazza, seguita da quattro mucchi di coperte volanti. Sotto, c'erano i garibaldini. La prova sembrò soddisfarla. Ammirava quei cavalli schierati, simili a un plotone di guardia a Buckingham Palace per quella loro croce di San Giorgio, quando giunse il Federale.

S'informò, s'indignò. Si voleva far della propaganda plutogiudomassonica, con quattro stracci. Era un'autentica offesa non solo ai cavalli, ma alla stirpe erede dell'impero. Si togliessero subito le coperte.

Mrs. Goodchild parve morsa da un aspide. Invocò ricordi, elencò le benemerenze sue e della colonia britannica, giunse a commuovere i vetturini. Qualche coperta riapparve sulla groppa dei cavalli. Tuonò il Federale. E quelle povere gualdrappe scivolarono definitivamente in mani avvezze alla resa.

Mentre la benefattrice alzava come un'arma il suo ombrellino e tutti temevano il peggio, qualcuno urlò da una finestra la notizia. C'era la guerra! Tra tedeschi e inglesi.

I vetturini e i facchini corsero verso il bar Roma, in cerca di una radio.

Soli, nel mezzo della piazza, Muriel e il Federale non cessavano il loro litigio, sotto gli occhi di quaranta cavalli. Si separarono alla fine, senza fiato, inconsapevoli di un'ira ben più grande della loro.

Mrs. Goodchild singhiozzò, mentre il marito trovava lo stoicismo per darle retta, trafficando con le valigie.

Dal balconcino della Casa del Fascio il Federale lesse un breve comunicato, senza ritrovare gli accenti della lite.

Inviato di fretta ad acquistare i giornali, Giovannino ritornò con Corriere della Sera, Vittorioso e Corriere dei Piccoli.

La mamma esaltata telefonava ogni cinque minuti a Marta e non cessava di ruotare le manopole della radio.

«Anche papà va in guerra?» domandò pensoso Giovannino.

I campi erano deserti, come la club house, come gli spogliatoi. Mr. e Mrs. Goodchild vagavano in quel vuoto, reggendo un registro lui, un cestellino colmo di etichette lei. Giovannino salutò, li seguì a disagio, le mani intrecciate dietro il fiammante maglione con i colori del club, che Maria aveva appena terminato. Né Mr. Goodchild né sua moglie parevano accorgersi del nuovo maglione, di cui egli era orgogliosissimo.

Incuriosito da quella loro attività, Giovannino domandò alla fine se potesse esser d'aiuto.

Goodchild trovò la forza di sorridere. «Facciamo inventario», affermò. «Per non dimenticare.» E consegnò a Giovannino il registro. Il segretario numerava le etichette, per poi appiccicarle. «N° 108 quadro ammiraglio Nelson», recitò. «N° 109 portacenere Vermut Cinzano.»

Come furono arrivati alla biblioteca, e Goodchild affermò che i libri erano davvero troppi, non si poteva catalogarli uno a uno, Muriel iniziò dolcemente a piangere.

«N° 191, lacrime di mia cara Muriel», cercò di scherzare Goodchild, senza dissipare il disagio che aveva assalito anche Giovannino. Non sapeva come comportarsi, di fronte al pianto dei grandi si ritrovava una volta di più impotente, quasi le lacrime fossero una prerogativa dei ragazzi, un dolore ovvio e passeggero, come quello di una sbucciatura a un ginocchio.

Ma sì, forse qualcosa si poteva fare, forse era il momento di liberarsi di un peso, piccolo ma insistente.

«Quella volta con Piki Paki», iniziò. «Io non volevo.»

Fu subito interrotto, abbracciato, sommerso da una cascata di parole inglesi. E, in silenzio, fece a se stesso un giuramento. Il giorno in cui i suoi amici fossero tornati, avrebbe saputo rivolgergli il benvenuto nella loro lingua, l'avrebbe parlato come loro l'inglese, o almeno bene quanto il francese.

Il telefono interruppe le effusioni, i proponimenti. Sweet stava per partire. Hambury chiudeva casa. Era meglio far presto.

Si abbracciarono. Giovannino corse via voltandosi. Gli pareva che, alle sue spalle, l'intero club, i campi, stessero anche loro per scomparire.

Carico di racchette, mazze da golf, gravato da una sella e addirittura da una damigiana, due valigie schiattanti nelle manone, Sweet ultimava il pieno della Baby Ford.

Giovannino rimirò quella catasta stipata nel bauletto, sui sedili posteriori. La damigiana troneggiò presto al posto del navigatore. Aiutò il maestro a inserire le ultime cose, una canna da pesca, un clarinetto, due statuette lunghe lunghe, alle quali Sweet pareva tenere moltissimo. «Di Giacometti», affermò.

«Quello della gelateria?» s'informò Giovannino.

«Omonimo», rispose Sweet, e finalmente Giovannino lo vide sorridere. Rimase, di tutta quella catasta, una racchetta, una Spalding, che non aveva trovato posto nella pressa insieme alle altre quattro. Giovannino la rigirava tra le mani, ammirato per quegli elegantissimi strati di legno, dai colori impercettibilmente sfumati: un vero lavoro da ebanista.

«Dove la mettiamo, Sweet?»

«È tua. Va bene in quattro anni.»

Quattro anni! Era quasi la metà dei suoi nove anni.

«Quattro anni», balbettò. «Ma ci rivedremo prima, non è vero?»

Le manone di Sweet lo afferrarono, lo issarono sul sedile di guida, quasi volesse guardarlo meglio.

«Io lo auguro, Giovannino. Ma penso sarà guerra lunga, guerra di cinque set. Vincerà chi è migliore a soffrire. Come al tennis.»

«E allora», si ritrovò a domandare Giovannino, «chi vincerà?»

Sweet l'aveva di nuovo alzato in aria, per trasferirlo sul marciapiede, prendendo posto al volante.

«Noi, spero. Ma tu e io sappiamo cosa conta veramente. Sappiamo le regole del gioco. Possono imbrogliare, ma non possono cambiarle. Noi restiamo fedeli alle regole, non è vero?»

Dolcemente, Sweet mise in moto, e restò voltato verso di lui, finché non sparì oltre la curva.

Giovannino superò il cancello e si avviò per il viale che tagliava in due il giardino. L'ombra della grande villa si specchiava sul prato compatto, di un'erba tanto serrata e ben rasa che si sarebbe potuto giocarci a tennis.

Camminava leggero, ma lo scroscio della ghiaia sotto le suole fu sufficiente a scatenare uno strepito altissimo nella grande voliera. Al di là della gabbia, di fronte al campo dei girasoli, Lord Hambury sembrava attenderlo.

«Come va, Giovannino?»

«Bene», mentì. «E lei, Lord Hambury?»

«Sono triste anch'io», sorrise l'amico.

Rimasero silenziosi, fissi ai girasoli.

«Caro Giovannino, ho un favore da chiederti», riprese il Lord. Giovannino accennò di sì.

«Te ne occuperai tu?»

«Verrò ogni giorno», promise. «Al posto della lezione», si vide costretto ad aggiungere, rendendosi davvero conto che non avrebbe più rivisto Sweet.

Hambury gli sorrise, gli prese la mano, e la strinse a lungo tra le sue.

«Caro Giovannino», sorrise. «Adesso vai, amico mio.»

Giovannino si impose di non voltarsi, sino al cancello. Come si fermò, a fare un cenno con la mano, si rese conto che lo sguardo di Hambury si spostava un attimo verso i girasoli, prima di ritornare a lui. Accennò di sì.

Dalla finestra Giovannino vide Strauss bagnare i fiori con la cura abituale, sinché tutti apparvero roridi, quasi verniciati di fresco. Lasciata la canna, il colonnello accudì la colombaia, e i colombi volarono sul balcone di Giovannino, picchiettarono i vetri per avere una manciata di miglio.

Uscì Giovannino immerso in un batter d'ali. Sorrise a Strauss ripetendosi una domanda che non osava formulare: avrebbe sparato a Hambury, a Sweet?

Il colonnello alzò una mano: «Giovannino, vieni ad aiutarmi». Scese le scale in un baleno.

Mondarono insieme i petali secchi, zappettarono l'orto, ne strapparono le erbacce. Guardarono soddisfatti l'opera compiuta. Strauss posò la mano sulla spalla del suo aiutante.

«Bene. Adesso si può partire.»

Esterrefatto Giovannino.

«Anche tu?»

«Anch'io.»

«Con gli inglesi?»

«No. Dall'altra parte.»

Turbato, Giovannino guardò via.

«Giovannino.»

Alzò gli occhi, a disagio, ma non c'era rimprovero nell'espressione del colonnello.

«Giovannino», riprese. «Non sempre si può scegliere il proprio partner. Ma bisogna giocare, non è vero?»

Sembrò a Giovannino di riascoltare la voce di Sweet.

«Hai fatto una promessa a Lord Hambury», continuava Strauss.

Sorpreso, Giovannino accennò di sì.

«Sono stato anch'io a salutarlo. Vuoi fare una promessa anche a me?»

«Sì.»

«Accudirai i colombi?»

«Come fossero miei.»

Dalla casa venne il richiamo lamentoso della signora Strauss.

«Bisogna proprio separarci», sospirò il colonnello.

Seduta sull'enorme baule, le mani strette attorno a un vasetto dal quale usciva una splendida rosa Alba, la principessa guardava il mare.

La stanza pareva già vuota. Come la volta che morì il nonno, pensò Giovannino.

Attese a lungo che decidesse di voltarsi.

«Giovannino.»

«Madame.»

Baciò la mano che lei gli aveva tesa, come a un grande. Con la sinistra la principessa fece un largo gesto magico, quasi a richiamare il passato. Aprì il baule, per trarne una croce, una spada.

«Inginocchiati», disse.

Colarono su di lui dolci, incomprensibili parole russe. Tre volte la spada batté sulla sua spalla, infine la croce gli fu offerta al bacio.

La principessa ripose la spada e la croce, sospirò.

«Sei conte, Giovannino. Di una contea che non esiste più.»

«Ma un conte», s'informava Giovannino, «può sposare una principessa, quando diventa grande?»

«Certo che può.»

La principessa gli posò un leggero bacio sulla bocca.

«Addio, Giovannino. Verrà la violenza. Potremo cavalcarla, o combatterla. Io vado con chi viene aggredito. Non scordarti.»

«Non lo scorderò mai, madame», promise Giovannino.

Stampato nel novembre 1995 per conto di
Baldini&Castoldi s.r.l.
da «La Tipografica Varese S.p.A.»

050-6
1995